En 2018, Harlequin fête ses 40 ans !

Chère lectrice,

Comme vous le savez peut-être, 2018 est une année très importante pour les Éditions Harlequin qui célèbrent leur quarantième anniversaire. Quarante années placées sous le signe de l'amour, de l'évasion et du rêve... Mais surtout quarante années extraordinaires passées à vos côtés ! Azur, Blanche, Passions, Black Rose, Les Historiques, Victoria mais aussi HQN, &H et bien d'autres encore : autant de collections que vous avez vu naître, grandir et évoluer, avec un seul objectif pour toutes – vous offrir chaque mois le meilleur de la romance. Alors merci à vous, chère lectrice, pour votre fidélité. Merci d'avoir vécu cette formidable aventure avec nous.

Le piège du devoir

Une troublante invitation

MAUREEN CHILD

Le piège du devoir

Traduction française de
PEGGY SASTRE

Passions

✦ HARLEQUIN

Collection : PASSIONS

Titre original :
THE BABY INHERITANCE

© 2016, Maureen Child.
© 2018, HarperCollins France pour la traduction française.

Ce livre est publié avec l'autorisation de HARLEQUIN BOOKS S.A.

Tous droits réservés, y compris le droit de reproduction de tout ou partie de l'ouvrage,
sous quelque forme que ce soit.
Toute représentation ou reproduction, par quelque procédé que ce soit, constituerait
une contrefaçon sanctionnée par les articles 425 et suivants du Code pénal.

Si vous achetez ce livre privé de tout ou partie de sa couverture, nous vous
signalons qu'il est en vente irrégulière. Il est considéré comme « invendu » et
l'éditeur comme l'auteur n'ont reçu aucun paiement pour ce livre « détérioré ».

Cette œuvre est une œuvre de fiction. Les noms propres, les personnages, les lieux,
les intrigues, sont soit le fruit de l'imagination de l'auteur, soit utilisés dans le cadre
d'une œuvre de fiction. Toute ressemblance avec des personnes réelles, vivantes ou
décédées, des entreprises, des événements ou des lieux, serait une pure coïncidence.

Le visuel de couverture est reproduit avec l'autorisation de :
© PLAINPICTURE/PAULINE RUHL SAUR

Réalisation graphique couverture : E. COURTECUISSE (HarperCollins France)

Tous droits réservés.

HARPERCOLLINS FRANCE
83-85, boulevard Vincent-Auriol, 75646 PARIS CEDEX 13
Service Lectrices — Tél. : 01 45 82 47 47

www.harlequin.fr

ISBN 978-2-2803-8303-5 — ISSN 1950-2761

- 1 -

Reed Hudson n'y alla pas par quatre chemins.

— Le divorce est la norme, c'est le mariage qui est l'anomalie. Mettez-vous cela dans la tête.

Carson Duke, son client et l'un des acteurs les mieux payés de Hollywood, le regarda un long moment en silence avant de rétorquer :

— C'est un peu glacial comme constat, non ?

Reed leva les yeux au ciel. L'homme qui lui faisait face avait fait appel à lui pour mettre fin à un mariage que toute l'Amérique considérait comme un conte de fées et, pour autant, il ne semblait toujours pas se faire à la dure réalité.

Un phénomène que Reed avait observé à maintes reprises au cours de sa carrière. Si la plupart des gens venaient le voir pour mettre fin au plus vite à une union devenue gênante ou ennuyeuse, voire les deux à la fois, certains entraient effectivement dans son bureau en traînant les pieds, tant ils avaient espéré que leur couple durerait toujours…

Toujours. Le concept le fit sourire. S'il y avait bien une chose que son expérience — personnelle comme professionnelle — lui avait appris, c'était bien que le « toujours » n'existait pas.

— J'insiste, reprit-il en s'avançant vers son client. Je parle des réalités de la vie, cela n'a rien de glacial.

Carson se raidit sur sa chaise.

— Vous avez tout de même une vision assez dure de la vie, vous ne pensez pas ?

Reed ne put s'empêcher d'éclater de rire.

— Vous avez déjà été marié ? ajouta Carson.

— Grands dieux, non !

La simple idée d'un mariage lui donnait l'envie de prendre un aller simple pour l'endroit le plus reculé de la planète ! Heureusement que sa réputation — « Reed Hudson, l'avocat des divorces des stars », comme le surnommaient les tabloïds — le précédait et suffisait à éloigner toute femme orientée long terme comme s'il avait été porteur du bacille de la peste. De même, s'il lui arrivait d'avoir des aventures, le nom qu'il s'était fait empêchait ses maîtresses de se bercer d'illusions. Ce qui le satisfaisait au plus haut point.

Sa carrière avait commencé cinq ans plus tôt, avec le divorce d'un comédien de série télé aux prises avec une furie comme seul le show-biz était capable d'en produire. Le dossier était complexe et même sinistre à bien des égards, mais il s'en était sorti comme un chef. Une fois ses intérêts protégés, le comédien avait passé le mot à ses amis.

Très vite, Reed s'était retrouvé à partager son quotidien entre Hollywood et New York, à la tête d'un cabinet dépassant désormais la vingtaine d'associés.

Il adorait sa vie et son métier. Il y avait le luxe, les paillettes, la possibilité de connaître l'existence pas toujours reluisante des grands de ce monde. Mais il y avait aussi le challenge : à chaque nouveau dossier, à chaque nouvelle affaire, c'était comme s'il plongeait dans l'inconnu.

Qu'on lui demande de bétonner un contrat de mariage ou de dissoudre une communauté qui n'en avait plus que le nom, il était à chaque fois sur le pont et ne ménageait pas sa peine pour garantir le meilleur compromis à ses clients. L'adrénaline était sa drogue favorite.

Ainsi, au cours des années, il avait compris que même le plus féerique des mariages pouvait se terminer en calvaire. Mais pour cela, il n'avait pas eu besoin de devenir un avocat spécialisé en droit de la famille : sa propre tribu fabriquait les échecs amoureux en série.

Son père en était aujourd'hui à sa cinquième épouse, tandis que sa mère coulait des jours temporairement heureux avec son mari numéro 4 quelque part près d'une plage de sable fin, dans les environs de Bali. Aux dernières nouvelles, elle était d'ailleurs en recherche active du numéro 5.

Grâce à ses parents amateurs des contrats nuptiaux à durée très déterminée, Reed comptait aujourd'hui pas moins de dix frères et sœurs, entiers et demi, allant de trois à trente-deux ans. Son père et sa très jeune — et visiblement très fertile — nouvelle épouse attendaient un bébé d'une minute à l'autre.

Il était l'aîné de cette smala et, à bien des égards, n'était pas sans endosser le rôle de patriarche. Il était celui que l'on appelait en cas de problème, celui sur lequel on comptait pour faire avancer les choses — notamment lorsque ses parents le pressaient pour obtenir un divorce rapide, histoire de se remarier avec leur véritable âme sœur qu'ils avaient débusquée la veille au cours d'une soirée trop arrosée. Pour sa famille recomposée de partout, il avait visiblement réponse à tout. Sans doute que si l'Apocalypse était annoncée au journal télévisé, ce serait vers lui que ses proches se tourneraient pour leur dénicher un ticket pour Mars.

Cette pensée le fit sourire. Il s'était fait à ce rôle et à cette charge, à la fois au sommet et au milieu du clan Hudson. Cerise sur le gâteau, jouer les médiateurs dans sa vie personnelle profitait à sa vie professionnelle et réciproquement. Il ne manquait pas d'appliquer les astuces acquises dans son cabinet lors des réunions de famille, toujours plus ou moins houleuses.

Il soupira et reporta son attention sur son client.

Depuis des années, Carson Duke était devenu le chouchou de la presse people. L'homme était l'acteur de blockbusters parmi les plus *bancables* du milieu, et avait acquis une part de sa célébrité grâce au fait qu'il réalisait lui-même l'intégralité ou presque de ses cascades, toutes plus spectaculaires les unes que les autres.

Sa popularité avait passé un nouveau cap lorsque la chanteuse et top model Tia Brennan était entrée dans sa vie. Les tirages des magazines avaient explosé. Leur couple avait fait rêver l'Amérique tout entière, l'apogée ayant été leur mariage de rêve sur une plage hawaïenne donnant sur une falaise époustouflante baignée par les eaux turquoise du Pacifique.

Les gros titres avaient parlé de « véritable amour », de « mariage princier », de « couple idyllique » Et aujourd'hui, moins d'un an après, voilà que Carson avait embauché Reed pour le représenter lors de son divorce. Une affaire qui risquait, une nouvelle fois, d'emballer les tabloïds.

— OK, si nous passions aux choses sérieuses ? lança Reed. Qu'est-ce que votre épouse pense de tout cela ?

Carson Duke avait la même allure que dans ses films. Du haut de son mètre quatre-vingt-dix, sa silhouette solide d'ancien agent des forces spéciales était adoucie par un regard où l'on lisait autant de bienveillance qu'une détermination à toute épreuve.

L'acteur prit une profonde inspiration, avant de fourrager dans ses cheveux d'un geste nerveux.

— À vrai dire, l'idée vient d'elle. Cela fait un certain temps que les choses sont assez… disons compliquées entre nous.

Il resta silencieux un instant avant de reprendre :

— Je, enfin nous pensons qu'il s'agit de la meilleure

chose à faire. Qu'il vaut mieux arrêter la casse au plus vite et essayer de sauver les meubles en restant en bons termes, vous comprenez ?

Reed le comprenait parfaitement. Ce qu'il savait aussi, c'est que beaucoup de couples entraient dans son cabinet persuadés qu'ils resteraient en bons termes, pour s'envoyer à la figure les pires noms d'oiseaux en un rien de temps.

Tout en réfléchissant, il observa son client en silence. Ce dernier avait l'air sincère et raisonnable, et rien ne présageait une dégradation de la situation entre sa femme et lui.

Maintenant, son boulot consistait à mettre toutes les chances de son côté pour faire mentir les statistiques.

— Il y a quelque chose que je dois vous demander, dit-il d'une voix qu'il voulut la plus claire et la plus ferme possible. Est-ce que vous voyez quelqu'un d'autre ?

Comme un diable monté sur ressort, Carson bondit de sa chaise. D'un geste de la main, Reed coupa court à toute manifestation d'indignation.

— Si vos problèmes sont liés à une aventure extra-conjugale, mieux vaut me le dire tout de suite, car je ne vous cache pas que je le saurai à un moment ou à un autre, et tout le temps que l'on peut gagner est bon à prendre.

De fait, il savait que tous ses clients cherchaient à se faire passer pour l'ange ou la victime du couple. Reste que si on n'y prenait pas garde, une maîtresse jalouse et gardée secrète pouvait apparaître lors du procès et témoigner en faveur de la partie adverse. Il valait mieux avoir, dès le départ, toutes les cartes en mains, toutes les informations nécessaires pour concevoir la meilleure stratégie et gagner la partie.

Reed se racla la gorge et reprit :

— Je suis votre avocat et, en tant que tel, ce sont des questions que je dois vous poser. Si vous êtes aussi malin que vous en avez l'air, vous me répondrez.

Carson serra les poings, comme s'il avait envie de se

calmer les nerfs en tapant sur quelque chose… Ou sur quelqu'un.

— Non, répondit-il en baissant les yeux.

— Non, quoi ? demanda Reed.

Carson s'avança vers la baie vitrée du bureau, qui donnait sur l'océan. En silence, il fixa l'horizon quelques secondes, puis se retourna.

— Non, je n'ai pas de maîtresse. Je n'ai jamais trompé Tia, et elle ne m'a pas trompé non plus.

Circonspect, Reed leva un sourcil. C'était bien la première fois qu'il entendait un homme sur le point de divorcer défendre celle qui allait devenir son ex-épouse…

— Vous en êtes sûr ?

— Absolument certain, confirma Carson, contemplant de nouveau le scintillement du soleil sur l'écume des vagues. Cela n'a rien à voir avec une aventure, une tromperie ou ce genre de choses.

Intéressant, songea Reed. Son client lui faisait le coup des différends inconciliables qui cachaient en général des secrets que l'on espérait garder privés. En haut de la liste, il y avait le plus souvent une autre femme, ou un autre homme. Un divorce sans raison, cela n'existait pas.

Reed s'enfonça dans son imposant fauteuil en cuir noir.

— Alors pourquoi m'avoir appelé ? demanda-t-il.

Carson posa une main sur la vitre.

— Parce que nous ne sommes plus heureux ensemble. Notre amour a commencé sur les chapeaux de roues, vous savez. C'était magique…

Reed fit la moue.

— Non, je ne le sais pas, mais je vois ce que vous voulez dire.

— On avait constamment envie de se jeter l'un sur l'autre, poursuivit Carson. Il y avait quelque chose d'extrêmement puissant entre nous, et cela dès notre rencontre.

Se tournant vers Reed, il sourit.

— Je sais à quoi vous pensez, mais ce n'était pas que de la chimie sexuelle, précisa-t-il. Il y avait autre chose. Il nous arrivait de passer des nuits à parler, à rire, à penser à l'avenir. On voulait quitter Hollywood, s'acheter une villa, faire des enfants. Sauf que ces derniers mois, la réalité de nos carrières respectives a repris le dessus, et nous ne nous voyons quasiment plus. Et quand nous nous voyons, c'est pour nous disputer. Alors pourquoi rester mariés ?

En silence, Reed acquiesça d'un signe de tête.

C'était là une justification bien maigre pour mettre fin à un mariage, mais il avait entendu pire, au cours de sa carrière.

Une fois, un homme lui avait dit vouloir divorcer parce que sa femme lui cachait ses paquets de biscuits ! Reed avait été à deux doigts de lui conseiller d'acheter ses propres biscuits et de les manger quand sa femme avait le dos tourné. Sauf que ce n'était pas son travail. Il était avocat, pas conseiller conjugal, et qu'importe que les cookies soient une fausse excuse, le désir de divorce était réel. C'était là qu'il devait intervenir : faire en sorte que le désir devienne réalité.

— Dans ce cas, je vous prépare les papiers au plus vite, proposa-t-il. Je suppose que Tia ne s'opposera pas au divorce ?

Carson fourra ses mains dans ses poches.

— Non, je vous le répète, l'idée de la séparation vient d'elle.

— Parfait. Cela simplifie grandement les choses.

— Oui, je suppose que vous avez raison.

— J'ai souvent raison, répliqua Reed, ironique.

Il jeta un œil à Carson. Ce dernier semblait absent, comme plongé dans ses pensées, et Reed en fut ému. Il n'était pas un homme insensible, il savait que ses clients faisaient souvent appel à lui à l'un des pires moments de leur existence, lorsque leur monde s'écroulait.

Afin de maintenir une distance professionnelle nécessaire, il préférait jouer la froideur et la rationalité. Après tout, ses clients avaient besoin d'un point de repère, et il se devait d'être leur phare dans la nuit.

— Vous pouvez me faire confiance, précisa-t-il. On ne va pas vous concocter une procédure interminable et harassante qui sera commentée quotidiennement dans la presse.

Carson leva les yeux, et Reed y vit passer un rapide éclair d'angoisse.

— Vous savez, murmura l'acteur, je ne peux même plus sortir mes poubelles sans trouver un paparazzi planqué dans un arbre. Ma vie est devenue un enfer.

— Les papiers seront prêts dans quelques jours, je vous les ferai envoyer par coursier.

— Je vais prendre une suite au Saint Régis.

Reed hocha la tête. Carson faisait un bon choix en s'installant dans ce palace. Cela allait lui permettre de souffler un temps, de se mettre à l'abri des photographes et des journalistes.

Un temps seulement, car dans les divorces de stars, les fuites arrivaient toujours à un moment ou à un autre, et parfois même en provenance des principaux intéressés. Reed pouvait néanmoins faire confiance à ses collaborateurs qui seraient muets comme des tombes. Une partie de leur salaire récompensait leurs compétences et l'autre leur discrétion. Dans le cabinet, tout le monde savait que le succès des dossiers dépendait grandement de leur confidentialité.

Mais il y avait d'autres informateurs potentiels sur lesquels Reed n'avait aucune prise. Le personnel de l'hôtel, par exemple, qui n'était jamais contre un petit billet en échange d'un numéro de chambre ou des horaires préférés de la star en matière de jogging ou de visite au Spa…

— Vous logez vous-même au Saint Régis, n'est-ce pas ? demanda Carson.

— Tout à fait, confirma Reed. Ce qui fait que lorsque les papiers seront prêts, je n'aurai plus qu'à vous les apporter dans votre chambre.

L'acteur soupira.

— Au moins sur ce point, cela simplifie vraiment les choses. D'ailleurs, tant que j'y pense, j'y suis sous le nom de Wyatt Earp.

Reed éclata de rire. Cette habitude qu'avaient les stars de prendre des pseudonymes référencés l'avait toujours amusé, car cela ne les empêchait jamais de se faire débusquer. Bien au contraire.

— C'est entendu, dit-il, alors que Carson se dirigeait vers la sortie. Je vous tiens très vite au courant.

L'acteur hocha rapidement la tête.

— Merci beaucoup, murmura-t-il d'une voix blanche. Enfin, merci, on se comprend…

Il s'engouffra dans l'ascenseur dont les portes se refermèrent avec un bruit de clochette.

Reed revint dans son bureau, s'avança vers la baie vitrée et prit un instant pour contempler la vue. Il savait ce que Carson devait ressentir. Un mélange de soulagement et d'angoisse : avait-il pris la bonne décision ?

Oh bien sûr, certains de ses clients entraient dans son bureau le cœur léger, mais la chose était loin d'être la norme. En général, les futurs divorcés avaient l'impression d'avoir perdu ce qui donnait un sens à leur existence, et la sensation était loin d'être agréable. Ce n'était pas simple de voir disparaître ce qui avait incarné ses rêves et ses espoirs.

Reed l'avait observé dans son travail, mais aussi et surtout dans sa famille. Combien de fois son père ou sa mère lui avaient-ils annoncé avoir trouvé le véritable amour ? Que cette fois-ci, c'était réellement le bon, la bonne ? Que leur âme sœur leur avait été enfin dévoilée ? Et à chaque fois, quand le château de cartes s'écroulait, venait le temps de la déception, de l'aigreur, et on se faisait la promesse de ne plus jamais recommencer, de ne plus tomber dans le panneau…

Reed prit une profonde inspiration. Comme il était heureux de la vie qu'il s'était choisie, où jamais un débordement sensuel parfaitement sain et distrayant n'était confondu avec le grand amour !

Lancée sur l'autoroute bordant le Pacifique, Lilah Strong profita d'une pause sur une aire pour admirer le paysage. Elle n'était pas habituée à ce genre de spectacle, et tout ce qui pouvait lui faire oublier la boule de colère qui lui serrait le cœur était bon à prendre.

Elle n'aimait pas ce sentiment. Dans son esprit, les émotions négatives relevaient d'une perte de temps et d'énergie. Et à quoi cela servait-il ? La personne qui était l'objet de sa rancœur s'en fichait pas mal, il n'y avait qu'elle qui était affectée. Affectée jusqu'à la nausée. Mais comme le savoir ne l'apaisait pas, autant essayer de se distraire en contemplant l'océan.

La scène était magnifique. Il y avait quelques surfeurs sur la plage et dans l'eau. Le soleil jouait avec l'écume des vagues et illuminait le bleu profond de l'océan. Plus loin, des bateaux chevauchaient les flots. Sur le sable, des enfants construisaient des châteaux armés de pelles et de seaux. Elle aurait presque pu entendre leurs rires.

Mais, vue magnifique ou pas, pour rien au monde elle n'aurait échangé la vue qu'elle avait de la terrasse de son chalet : les prairies fleuries, les pins, l'horizon découpé par les sommets enneigés. Elle était une fille de la montagne.

Elle soupira. Dans deux ou trois jours, elle serait revenue chez elle, en laissant sa passagère ici. Sa gorge se serra aussitôt à cette idée. Que pouvait-elle y faire ? Qu'avait-elle comme autre choix ? Aucun. Une autre personne aurait peut-être pris une autre décision, mais elle, elle était incapable de vivre dans le mensonge, de ne pas respecter ses engagements et de nier la réalité.

Elle jeta un coup d'œil dans le rétroviseur.

— Tu es bien silencieuse, dit-elle à sa passagère installée sur la banquette arrière. Trop inquiète pour discuter, n'est-ce pas ?

Comme elle s'en doutait, elle n'obtint pas de réponse.

Son esprit était en feu. Cela faisait deux semaines qu'elle redoutait ce voyage en Californie. Et cela faisait deux semaines qu'elle cherchait une autre solution au calvaire dans lequel elle avait été plongée. Mais elle avait tourné la situation dans tous les sens, il n'y avait pas d'autre issue.

Les mains serrées sur le volant, elle redémarra. Il ne lui restait plus qu'une dizaine de minutes de route. Arrivée sur le parking de l'immeuble où elle devait se rendre, elle coupa le moteur et ferma les yeux quelques secondes. Puis sa passagère et elle entrèrent dans le bâtiment.

Les lieux respiraient le luxe. Le cabinet d'avocats était installé dans une vaste hacienda donnant sur un parc arboré de plusieurs hectares. L'architecture coloniale du bâtiment avait été modernisée par des ajouts de verre et de métal brossé. À l'intérieur, le sol de marbre de l'entrée, une fois passé le large comptoir de l'accueil, laissait la place à un somptueux parquet. Sur les murs, des tableaux contemporains composés de grands aplats colorés ajoutaient à l'opulence de l'endroit.

Lilah s'approcha de la réceptionniste et s'éclaircit la voix.

— Bonjour, je suis Lilah Strong. J'aimerais voir Reed Hudson, je vous prie.

La jeune femme lui jeta un regard rapide puis replongea dans ses papiers.

— Vous avez rendez-vous ? demanda-t-elle sans lever le nez.

— Non, mais je viens de la part de sa sœur, Spring Hudson Bates. Vous pouvez l'appeler et lui dire que je suis là ? Je viens de loin.

La réceptionniste fit la moue et porta une main à son oreille pour activer son casque téléphonique.

— C'est très important, insista Lilah, il faut que je le voie rapidement et…

La réceptionniste leva un doigt pour lui demander de se taire.

— Une petite minute s'il vous plaît. Je vois s'il est disponible.

Quelques secondes s'écoulèrent dans un silence pesant.

— Monsieur Hudson ? J'ai une dame à l'accueil qui prétend venir de la part de votre sœur, Spring.

Qui prétend… Mais quelle arrogance ! Lilah essaya de ne rien laisser transparaître de son indignation, mais elle avait déjà deux ou trois reparties toutes prêtes.

Enfin, la réceptionniste lui fit signe de s'avancer vers les ascenseurs.

— M. Hudson va vous recevoir, c'est au deuxième étage, première porte à droite.

Lilah la remercia d'un rapide signe de tête. Dans son dos, elle sentit le regard inquisiteur de la réceptionniste qui la suivit. *Fais comme si de rien n'était, tu n'as rien à te reprocher*, se répéta-t-elle comme un mantra.

Lorsque l'ascenseur se rouvrit, elle suivit les indications de la réceptionniste et se retrouva devant une double porte massive. Elle prit une profonde inspiration avant de frapper, baisser la poignée, puis entrer.

La pièce donnait sur un vestibule des plus lumineux. Une baie vitrée prenait tout un pan de mur, et la vue sur l'océan était à couper le souffle. Le parquet était ciré à la perfection et, dans un coin, un majestueux ficus dans un imposant pot argenté ajoutait aux lieux une touche de verdure réconfortante.

Assise derrière sa table, une jeune femme lui souriait.

— Mademoiselle Strong, je présume ? Je suis Karen, l'assistante de M. Hudson. Il va vous recevoir, il vous attend dans la pièce suivante.

Lilah fit quelques pas et, après une cloison antibruit capitonnée, entra dans le bureau à proprement parler. Au moment de franchir le seuil de ce qui s'apparentait à ses yeux à l'antre du lion, elle se raidit.

Elle n'avait encore jamais vu de pièce aussi vaste. À n'en pas douter, c'était fait pour impressionner et pour intimider. *Mission accomplie*, pensa-t-elle. Là encore, tout un mur avait été remplacé par une baie vitrée, qui devait facilement faire le triple de celle du vestibule qu'elle venait de quitter. Au loin, elle aperçut l'autoroute qu'elle allait bientôt réemprunter pour rentrer chez elle.

Au sol, la lumière du soleil se réverbérait dans les lattes du parquet, éclatant en une myriade de minuscules diamants. À d'autres endroits, le bois était réchauffé par d'épais tapis, visiblement hors de prix. Dans son ensemble, la décoration était moins contemporaine que celle du hall d'accueil, mais ne semblait pas pour autant parfaitement adaptée à une ancienne demeure coloniale.

Elle secoua nerveusement la tête. Elle n'était pas là pour prendre une leçon d'architecture, mais pour rencontrer l'homme qui, installé derrière son bureau dans un spacieux fauteuil de cuir, la dévisageait d'un air peu aimable.

— Qui êtes-vous et que savez-vous de ma sœur Spring ? demanda-t-il, négligeant toute formule de politesse, avant de se lever et de se diriger vers elle.

Sa voix était chaude et rocailleuse, aussi électrisante qu'un orage d'été. Il était grand, très grand même, et ses cheveux bruns avaient été savamment peignés pour donner l'impression d'être décoiffés. Il portait un costume noir aux fines rayures et une chemise d'un blanc éclatant que rehaussait une cravate rouge carmin. Ses épaules étaient larges, sa mâchoire carrée, et s'il avait de magnifiques yeux verts, son regard n'avait vraiment rien de bienveillant.

Tout allait pour le mieux dans le meilleur des mondes, songea-t-elle. Elle n'était pas non plus là pour prendre le thé et discuter de la pluie et du beau temps. Reste qu'elle se sentait étrangement fébrile, et l'allure de l'homme qui lui faisait face n'y était sans doute pas pour rien.

Elle redoutait ce rendez-vous comme un entretien d'embauche, mais devait en passer par là. Elle s'éclaircit la voix pour se donner une contenance et, durant quelques secondes, fut heureuse d'avoir pensé à soigner sa présentation avant de quitter ses montagnes. Là-bas, elle passait des jours sans se maquiller et s'inquiéter de sa coiffure ou de sa tenue, mais aujourd'hui, elle avait misé sur un tailleur-pantalon noir et un chemisier rose, avec des escarpins à petits talons.

— Je m'appelle Lilah Strong.

— Je sais comment vous vous appelez, ce que je ne sais pas c'est la raison de votre venue.

— Spring était ma meilleure amie, voilà pourquoi je suis là. Et parce qu'elle m'a demandé quelque chose que je ne pouvais pas refuser. C'est la seule raison de ma venue, il n'y en a pas d'autre.

— D'accord, répondit sèchement Reed Hudson.

Lilah prit une profonde inspiration. Le face-à-face promettait d'être compliqué, surtout si son interlocuteur ne cessait pas tout de suite de la faire frissonner, dans un mélange de stress et d'attirance bien trop irrépressible pour être honnête. Cet homme savait-il que son regard inquisiteur était bien plus sexy qu'irritant ? Et pourquoi se laissait-elle envahir de la sorte par des pensées qui n'avait rien à faire dans sa cervelle en ce moment précis ?

Reed Hudson baissa les yeux vers ses hanches.

— Dites-moi, vous emmenez toujours votre bébé avec vous ?

Lilah regarda Rose, la petite fille qu'elle serrait contre elle. C'était à cause de cet ange qu'elle avait fait toute cette route, qu'elle avait quitté son chalet pour se retrouver nez à nez avec un inconnu au regard aussi glacial que la banquise.

Sans cela, jamais elle ne serait venue dans le bureau de Reed Hudson et jamais elle n'aurait laissé son estomac se transformer en une boule de métal en fusion sous l'effet de l'appréhension. Mais elle n'avait pas eu le choix, elle avait dû faire ce que Spring lui avait demandé.

Rose gazouilla. Lilah lui répondit en esquissant un sourire, puis fixa de nouveau son attention sur Reed Hudson.

— Ce bébé n'est pas le mien, dit-elle en sentant sa gorge se nouer. C'est le vôtre.

2

Reed se mit aussitôt en mode alerte rouge.

La froideur et l'impassibilité qui avaient fait sa réputation le quittèrent sur-le-champ. La femme qui lui faisait face et qui le regardait comme s'il était une murène venant de surgir de sa tanière était sublime, mais à l'évidence folle.

Ce n'était pas la première fois que l'on essayait de lui mettre une grossesse sur le dos pour profiter de sa fortune, mais vu qu'il faisait toujours attention, se débarrasser de ces mensonges n'avait jamais été compliqué. Depuis ses seize ans, il n'avait jamais couché avec une femme sans préservatif. Et il en aurait mis sa main à couper, il n'avait jamais partagé le lit de la créature qui venait d'entrer dans son bureau. Ce genre de femmes ne s'oubliait pas.

— Je n'ai pas d'enfant, dit-il d'une voix polaire.

La simple idée de la paternité suffisait à le faire frémir. Avec sa famille et sa carrière, c'était une leçon qu'il avait rapidement apprise : ne jamais fonder de famille.

— Si vous n'avez rien d'autre à ajouter, poursuivit-il dans un souffle, je vous prie de me laisser.

La jeune femme ne bougea pas d'un pouce.

— Parfait, dit-elle avec un léger hochement de tête sans le quitter des yeux.

Difficile de ne pas lire tout le mépris qui se dégageait de son attitude et noter l'amertume brillant dans ses magnifiques yeux bleus.

— Il y a un problème ? demanda-t-il.

— Pas plus que celui que j'étais en droit d'attendre avec le style d'homme que vous êtes.

Sans doute pour divertir le bébé qu'elle tenait dans ses bras, elle sautilla légèrement pendant un instant.

Reed fronça les sourcils.

— Le style d'homme que je suis ? Et vous me connaissez comment, je vous prie ?

— Je sais que vous êtes le frère de Spring et que vous n'étiez pas là quand elle avait besoin d'aide.

Les mots sortirent de sa bouche — tout à fait sensuelle, au demeurant — comme s'ils étaient poursuivis par une bête enragée.

— Je sais que voir un enfant qui est le portrait craché de votre sœur ne vous fait même pas ciller, ajouta-t-elle.

Il plissa les yeux et observa attentivement le bébé.

— Ma sœur ? murmura-t-il.

— Oui.

La jeune femme baissa la tête vers l'enfant.

— Elle s'appelle Rose, et c'est la fille de Spring.

À ces mots, la fillette applaudit en gazouillant joyeusement.

Lilah sourit.

— Oui, ma Rosie, tu es la petite fille de ta maman, n'est-ce pas ?

Comme pour lui répondre, l'enfant frappa dans ses mains de plus belle.

Reed accusa le coup. La fille de Spring... Oui, maintenant qu'il le savait, le bébé avait bien les traits de sa sœur, en miniature, bien sûr. Il avait ses cheveux bruns et fins, légèrement bouclés. Et aussi ses grands yeux vert émeraude, exactement la couleur de ceux de Spring.

Qui était aussi la couleur des siens.

Il sentit une boule d'angoisse se former dans son estomac. Il venait de comprendre : Spring était morte. Contrairement à lui, sa sœur avait constamment cherché le grand amour, au cours de son existence. En l'ayant trouvé, avec un enfant, jamais elle ne l'aurait abandonné. À moins qu'il lui soit arrivé un malheur.

Cela ne faisait désormais plus aucun doute, ce bébé était bien un Hudson. En l'examinant, Reed pouvait même détecter le menton bravache dont Spring aimait à se vanter lorsqu'ils étaient enfants. Seigneur ! Spring avait eu une fille, et il ne l'avait pas su...

Désormais, il comprenait la colère de cette Lilah Strong. Son accusation, aussi : il n'avait pas été là lorsque Spring en avait eu le plus besoin. Mais si seulement il l'avait su... Pourquoi ne lui avait-elle pas demandé de l'aide, comme le faisaient tous les autres membres de sa famille ?

Il se souvint alors de la dernière fois où il avait vu sa jeune sœur. C'était deux ans auparavant. Spring voulait qu'il l'aide à débloquer son assurance vie. Elle était folle amoureuse, une fois de plus.

Les sourcils froncés, il se rappela aussi de sa réaction. Spring était le genre de personne qui voyait le monde avec des lunettes aux verres rose bonbon. Tout était beau, bon, positif. Lorsqu'elle y était obligée, il lui arrivait d'admettre que certains individus ne méritaient pas sa loyauté ou son affection. Mais rien de plus.

Amoureuse, Spring l'était pour la troisième fois de sa vie lorsqu'elle avait débarqué dans son bureau, se souvint Reed. Et comme toujours, c'était le bon, le seul, le vrai. Sauf que Spring semblait avoir un don pour attirer les hommes sans grosse ambition ni moralité, mais avec néanmoins d'énormes soucis financiers. Et comme à chaque fois, elle était persuadée qu'elle allait réussir à sauver son prince charmant...

À l'époque, Reed avait été mis en garde par une autre de ses sœurs, Savannah, qui avait rencontré le compagnon de Spring et avait tiré le signal d'alarme sous la forme d'un conseil de famille. L'homme avait un casier judiciaire :

fraude, escroquerie, faux et usage de faux et *tutti quanti*. Spring avait royalement ignoré les avis de tout le monde. Son Coleman Bates avait changé, il méritait une deuxième chance, avait-elle décrété.

Reed se souvenait parfaitement avoir dit à sa sœur que son cher et tendre avait déjà eu cette seconde chance — et même une troisième, et une quatrième ensuite —, et qu'il n'avait pas changé d'un iota. Mais l'amour est aussi aveugle qu'il est sourd. Reed avait alors tapé du poing sur la table, ordonné à sa sœur de grandir un peu et d'arrêter avec ses sornettes d'homme de sa vie.

Il avait même décidé, cette fois-ci, de ne pas lui débloquer l'argent dont elle avait besoin pour renflouer les caisses de son chevalier servant. Spring l'avait quitté furieuse et blessée. Pas étonnant qu'il n'ait pas eu de nouvelles lorsqu'elle avait eu réellement besoin de lui. Et maintenant, il était trop tard pour se rattraper...

Il sentit la culpabilité le poignarder en plein cœur et serra les dents. Il ne devait rien en laisser paraître devant une inconnue — une inconnue qui ne le portait pas en grande estime, qui plus est. En outre, les regrets ne servaient à rien et surtout pas à Spring, en l'état actuel des choses. Si elle l'avait appelé à l'aide, il serait accouru, comme toujours. Il aurait tout fait pour lui permettre de se libérer d'une relation toxique. Si c'était bien cela qui avait précipité sa perte.

— Qu'est-il arrivé à ma sœur ? demanda-t-il.

— Elle est morte il y a deux mois.

Ces mots lui firent le même effet qu'un uppercut à l'estomac. Il avait bien compris que sa sœur n'était plus, mais l'entendre rendait cette réalité littéralement irrémédiable. Il ferma les yeux quelques secondes, puis passa une main sur son visage.

Lorsqu'il les rouvrit, il se concentra sur le bébé, avant de reporter son attention sur Lilah Strong.

— C'est atroce, laissa-t-il échapper dans un souffle.

Spring était sa demi-sœur du côté de son père, elle avait cinq ans de moins que lui. Dès son plus jeune âge, elle avait été une boule d'énergie. Toujours à voir la bouteille à moitié pleine, toujours à faire aveuglément confiance aux gens qui croisaient son chemin. Qu'elle ne soit plus de ce monde lui faisait un mal de chien.

— Je suis désolée, je n'aurais pas dû vous le dire comme cela, aussi abruptement, murmura Lilah.

Reed secoua la tête et plongea ses yeux dans ceux de la jeune femme. Ils étaient d'un bleu qu'il n'avait encore jamais vu. Presque violets. Dans la lumière de l'après-midi, ils se coloraient d'une note de pitié dont il ne voulait pas. Dont il n'avait pas besoin. Lilah était une inconnue. Il souffrait le martyre et il voulait que personne n'en soit témoin.

Il s'éclaircit la voix, en espérant ainsi calmer la tempête qui faisait rage au fond de lui.

— Ne soyez pas désolée, mademoiselle Strong. Il n'y avait aucun moyen d'atténuer la violence de cette nouvelle.

— Vous avez raison, bien sûr, je suis stupide.

Elle n'en avait pas du tout l'air. Dans ses yeux changeant au gré de ses émotions, Reed lut de la peine et de la colère. Parfait. Tout était préférable à de la pitié.

— Que s'est-il passé ? demanda-t-il.

— Un accident de voiture. Quelqu'un a grillé un feu rouge et…

— L'autre conducteur était ivre ?

Lilah Strong tapota doucement le dos du bébé.

— Non, pas du tout. C'était un vieux monsieur souffrant du cœur. Les pompiers ont estimé qu'il avait fait une attaque quelques secondes auparavant. Il est mort lui aussi dans l'accident.

Il n'y avait donc personne de responsable de la disparition de Spring. Personne à qui s'en prendre, personne vers qui se tourner pour des dédommagements. Ce n'était qu'un coup du hasard. Un très sale coup.

Reed sentit l'impuissance prendre possession de son esprit, et ce sentiment le rendit furieux. Pour se calmer, il devait obtenir d'autres réponses.

— Vous venez de me dire que l'accident a eu lieu il y a deux mois. Pourquoi avoir attendu tout ce temps pour venir me voir ?

La jeune femme fronça les sourcils. Quelque chose semblait la tourmenter.

— Parce que je ne connaissais rien de vous, répondit-elle en embrassant la pièce du regard. Pardon, mais il faudrait que je change le bébé, on peut continuer cette conversation près du canapé ?

À ces mots, elle se dirigea vers le sofa. Et avant qu'il ait pu dire quoi que ce soit, elle avait allongé le bébé et farfouillait dans son sac à la recherche d'une couche propre.

Reed n'en crut pas ses yeux. C'était comme si Lilah Strong était passée en pilote automatique. Ses gestes étaient d'une précision d'horloger. En deux temps trois mouvements, le bébé était changé, et Reed se retrouva avec une couche sale dans les mains.

— Euh… Qu'est-ce que je suis censé faire de ça ? bredouilla-t-il.

Lilah lui sourit.

— À mon avis, le mieux serait que vous trouviez une poubelle, répliqua-t-elle d'un ton moqueur.

Mais bien sûr, quel abruti ! Sauf que la corbeille à papier de son bureau était loin d'être adaptée à un tel… déchet. Et il était hors de question de le passer à la broyeuse. Il décida donc de déléguer.

— Karen, vous pouvez vous en occuper, je vous prie ? demanda-t-il en sortant de son bureau.

Son assistante devint rouge écarlate, comme s'il lui tendait une grenade dégoupillée.

— Oui, monsieur, très bien monsieur, répondit-elle en prenant le colis piégé du bout des doigts.

Une fois la porte refermée, Reed examina le bébé qui se trouvait maintenant près de la table basse en acajou.

La petite fille collait ses mains sur le bois en éclatant de rire. Le genre de choses qu'aurait pu faire Spring lorsqu'elle était enfant. Une pensée qui lui rappela la cruelle réalité comme une dague plantée en plein cœur.

Il se tourna vers Lilah Strong.

— Vous ne connaissiez rien de moi ? demanda-t-il. Que voulez-vous dire par là ?

D'un geste, elle ramassa ses longs cheveux blond vénitien en un chignon épais, avant de ranger en hâte les affaires du bébé dans son sac.

— Je veux dire que j'ai appris votre existence il y a deux semaines, répondit-elle. Je ne savais pas que Spring avait une famille. Elle n'avait jamais parlé de vous et, pour tout vous avouer, je pensais qu'elle était orpheline.

Des mots qui le glacèrent. Presque autant que ceux qui l'avaient informé de la mort de sa sœur.

Spring l'avait donc rayé de sa vie ?

Il passa une main sur son visage. Pourquoi n'avait-il pas été plus diplomate lors de leur dernière discussion ? *Oh ! Spring, si j'avais su…* Comme tout le monde, il n'aurait pas pu imaginer que le temps lui était compté. Il était persuadé que les choses allaient s'arranger, qu'il allait revoir sa sœur, un grand sourire aux lèvres, passer la porte de son bureau sûre qu'il allait, une énième fois, la tirer d'un mauvais pas. Mais la vie en avait décidé autrement…

La voix de Lilah le tira de ses lugubres pensées.

— Spring a laissé deux lettres. Une pour moi et une pour vous. J'ai lu la mienne, voici la vôtre.

Elle posa l'enveloppe sur le bureau.

Reed s'en empara et vit qu'elle était scellée à la cire. Il

la décacheta soigneusement. À l'intérieur, sur un papier épais d'un blanc immaculé, il reconnut l'écriture de Spring, avec ses lettres généreuses et légèrement inclinées vers la droite.

Reed. Si tu lis cette lettre, c'est que je suis morte. Seigneur, quelle étrange pensée ! Mais si Lilah t'a remis cette lettre, alors elle t'a aussi présenté ma fille. Je te demande de prendre soin d'elle. De l'aimer. De l'éduquer. Comme si tu étais son père. Oui, je sais que je pourrais demander à maman ou à l'une de mes sœurs, mais la vérité est que tu es la seule personne dans la famille en qui j'ai réellement confiance.

Il ne put continuer. Le coup fut de nouveau difficile à supporter, surtout par rapport à sa dernière conversation avec sa sœur et son refus de l'aider… La mâchoire serrée, il poursuivit sa lecture.

Rosie a besoin de toi. Mon cher Reed, je sais que tu feras ce qu'il faut, car c'est ainsi que tu es. Lilah Strong aura été mon amie et ma famille depuis près de deux ans, alors je te prie de ne pas la brusquer. Elle s'est occupée de Rosie comme une mère et pourra répondre à toutes les questions que tu peux te poser. N'hésite pas à lui demander de l'aide.

Comme toujours, tu avais raison. Coleman n'était pas digne de ma confiance. Il m'a quittée dès qu'il a su que j'étais enceinte. Mais juste avant son départ, j'ai réussi à le faire renoncer à ses droits paternels. Rosie n'a pas besoin d'un homme comme lui dans sa vie. Tu es son papa désormais.

Reed, je t'aime et je sais que Rosie t'aimera aussi.

Merci.

Ta Spring.

Reed ne savait pas quoi faire : éclater de rire ou de rage ?

La lettre était du Spring tout craché. Il n'y avait qu'elle pour savoir tourner à la légère une situation qui aurait transi d'angoisse la plupart des gens. En un quart de seconde, des images lui revinrent en tête… Spring bébé, Spring petite fille qui le suivait partout, Spring adolescente dont le jeu favori était de rendre chèvre ses parents. Et Spring femme, qui ne trouvera jamais l'amour qu'elle méritait tant.

Lentement, il replia la lettre dans son enveloppe et la rangea dans le tiroir de son bureau. Il regarda cette petite fille aux yeux verts, l'enfant de Spring, celle qui allait devenir sa fille adoptive selon les dernières volontés de sa sœur…

À n'en pas douter, la petite Rosie était aimée et choyée. Elle avait l'air si heureuse, si innocente… Désormais, c'était à lui de faire en sorte qu'elle le reste.

Il se raidit. Grands dieux ! Comment allait-il s'y prendre ? Il savait quel était son devoir, il était inscrit noir sur blanc dans la lettre que Spring lui avait envoyée d'outre-tombe. Mais en réalité… Un bébé… Il devait s'occuper d'un bébé !

Il secoua la tête et fixa Lilah.

— Je vois de la panique dans vos yeux ou je me trompe ? lui demanda la jeune femme.

Il se racla la gorge.

— Non, vous vous trompez, je ne panique jamais.

Lilah laissa échapper un petit rire. À l'évidence, elle n'en croyait pas un mot.

— Vraiment ? Parce que votre expression me dit que vous rêviez que Rosie et moi n'ayons jamais franchi la porte de votre bureau.

Ce n'était pas courant qu'une personne arrive à lire aussi facilement en lui. Au cours de sa carrière, il ne comptait plus les juges et les clients qui l'avaient félicité pour son sang-froid et son impassibilité. Qu'il n'ait fallu qu'une femme magnifique accompagnée d'un bébé pour fendre son armure n'était pas très rassurant. Dans tous les cas, il ne devait rien laisser paraître.

— Vous avez tort, assura-t-il. Je me demande simplement ce que je vais pouvoir faire de toutes ces nouvelles.

Une confession qui ne fut pas des plus faciles à faire. Il se targuait toujours d'avoir un plan, quelles que soient les circonstances, avec même deux ou trois coups d'avance.

Lilah leva un sourcil circonspect.

— Ce que vous allez faire ? Mais c'est très facile ! s'exclama-t-elle en le dévisageant. Vous allez vous occuper de ce bébé comme s'il était la prunelle de vos yeux.

— Oui, bien évidemment, rétorqua-t-il. La question que je me pose relève plutôt du comment. Est-ce que j'ai l'air de savoir m'y prendre avec les nourrissons ?

À ces mots, Lilah laissa échapper un nouveau petit rire aussi cristallin qu'enchanteur.

— Parce que vous pensez que c'est un don inné ? Non, monsieur, les bébés chamboulent tout sur leur passage et exigent que l'on s'adapte à eux. Ce n'est jamais l'inverse.

— Merveilleux, marmonna-t-il.

Comme s'il voulait appuyer les propos de Lilah, le bébé se mit à pousser un cri suraigu qui fut à deux doigts de lui faire saigner les oreilles.

— Et ça, c'est normal ? demanda-t-il en grimaçant.

Lilah lui répondit par un large sourire.

— Totalement normal. Rosie est une petite fille très heureuse et très expansive, voilà tout. Mais je croyais que vous seriez habitué.

— Que voulez-vous dire ?

— Après avoir appris, pour la famille de Spring, poursuivit Lilah en penchant légèrement la tête sur le côté, j'ai fait quelques recherches. Je sais que vous êtes l'aîné d'une fratrie conséquente, donc vous avez dû côtoyer plusieurs bébés, n'est-ce pas ?

Oh tiens, elle avait mené sa petite enquête. Reed savait que ses clients étaient familiers de la chose, mais venant d'une inconnue, c'était quelque peu… irritant.

Il leva les yeux au ciel.

— Oui, j'ai un tas de frères et de sœurs que je dois croiser une ou deux fois par an au maximum.

— Je vois, ce n'est pas une famille proche.

— C'est le moins qu'on puisse dire.

Et comment pouvait-il en être autrement ? Il fallait quasiment un tableur pour se tenir au courant de la vie de ses apparentés !

— Ma famille n'est pas ce qui me préoccupe le plus aujourd'hui, ajouta-t-il avant de contempler le bébé. J'ai un problème à régler.

— Un problème ? s'exclama Lilah, indignée. Ce n'est pas un problème, c'est un bébé !

— Ce n'est pas incompatible. Rosie est un bébé, mais c'est aussi un problème. Mon problème.

Il n'avait pas la moindre intention de fuir ses responsabilités. Sa sœur avait voulu qu'il s'occupe de sa fille, il allait s'en occuper. Il allait l'élever, la choyer, la protéger, tout comme Spring l'avait désiré. Mais avant cela, il devait s'organiser. On ne s'improvisait pas père adoptif d'un coup de baguette magique.

S'il avait pu faire fortune et survivre au chaos perpétuel qu'avait été son environnement familial, c'était parce qu'il avait toujours conçu des plans qu'il avait suivis à la lettre. Et désormais il devait élaborer un plan pour faire entrer la petite Rosie dans sa vie.

Avec son travail et ses horaires de fou furieux, il allait devoir évidemment embaucher quelqu'un à plein temps pour l'aider. Il avait besoin d'une nounou qu'il installerait chez lui. Sauf qu'une femme compétente et, surtout, en qui il aurait une confiance aveugle n'était pas du genre à se trouver sous le sabot d'un cheval. Ni encore moins du jour au lendemain. À moins que…

Son regard s'arrêta un long moment sur Lilah Strong. Pouvait-elle faire l'affaire ? Elle connaissait et aimait déjà la petite Rosie, ce qui était un avantage de poids. Certes, elle n'avait pas vraiment l'air de le porter dans son cœur, mais quelle importance ? L'essentiel, à cet instant précis, était le bien-être du bébé.

— Mademoiselle Strong, j'ai une proposition à vous faire.

Lilah ouvrit grand les yeux. Il y lut un mélange de surprise et de méfiance.

— Quel genre de proposition ? demanda-t-elle.

— Le genre à impliquer beaucoup d'argent.

Il était bien placé pour connaître l'effet qu'une succession de zéros pouvait faire sur les gens en général et, en particulier, sur ceux qui semblaient avoir du mal à joindre les deux bouts.

Sans plus attendre, il se dirigea vers son secrétaire et en tira un chéquier.

— J'aimerais vous embaucher pendant un temps, afin que vous vous occupiez du bébé.

— Elle s'appelle Rosie, corrigea Lilah.

— Oui, que vous vous occupiez de Rosie jusqu'à ce que je trouve une nounou à plein temps.

Il choisit un stylo et le fit cliquer plusieurs fois.

— Votre prix sera le mien.

Lilah éclata de rire.

Bien. Si elle n'était pas capable de formuler une demande, il allait le faire lui-même, ce qui ferait une première base de négociation.

— Cinquante mille dollars, cela vous irait ?

Lila sembla s'étrangler.

— Cinquante mille ?

— Ce n'est pas suffisant ? Très bien, cent mille, alors.

En règle générale, il négociait à la baisse, mais à situation exceptionnelle, stratégie exceptionnelle.

— Mais vous êtes tombé sur la tête ? Vous êtes fou ?

Il haussa les épaules.

— Pas le moins du monde. Si j'ai des besoins, je les comble. J'ai besoin d'une nounou, je sais que je n'en trouverai pas au bas mot avant deux semaines, alors je vous embauche dans l'intervalle et je vous paie en conséquence.

Lilah croisa les bras sur sa poitrine.

— Je ne suis pas à vendre, déclara-t-elle.

Des mots qui le firent sourire. Combien de fois dans sa carrière avait-il entendu ce slogan ? Tout le monde avait un prix, l'astuce consistait simplement à trouver le bon.

Il tenta de la rassurer.

— Je ne cherche pas à vous acheter. À la limite, vous louer pour deux à trois semaines maximum.

— Vous êtes aussi arrogant en temps normal ou vous avez décidé de vous surpasser face à moi ?

— Les gens ont tendance à confondre l'arrogance et la détermination, mais j'ai l'habitude. Tout ce que je voudrais, c'est faire ce qu'il faut pour le bébé.

— Rosie. Ou Rose, qui est son nom de baptême.

— Pardon, Rosie, dit-il avec un hochement de tête. Vous n'avez pas envie de continuer à faire partie de sa vie ?

— Plus que tout au monde.

— Alors je vais être très clair. Vous avez le choix entre rester un temps à mon service et m'aider à embaucher une nounou compétente. Ou alors rentrer tout de suite chez vous.

Il savait qu'elle n'allait pas choisir la seconde option. Il était impossible qu'elle abandonne ce bébé auquel elle semblait attachée. Son expression, son corps, ses gestes, hurlaient d'amour pour la petite Rosie et la mettaient de ce fait sur un mode défensif. Ce qu'il avait bien l'intention d'exploiter.

C'était comme s'il pouvait l'entendre penser. Elle était encore en colère contre lui, pour une raison quelconque, mais elle n'était pas pour autant disposée à laisser le bébé. Vraiment pas. Elle allait rester un temps et voir comment la petite fille s'habituait à sa nouvelle vie. Qu'elle en ait ou non conscience, qu'elle en ait ou non envie, Lilah Strong allait faire exactement ce qu'il avait en tête.

Il savait qu'il ne se trompait pas.

— D'accord, répondit-elle enfin, les yeux rivés sur le bébé qui titubait près de la table basse en riant. Je reste, jusqu'à ce que vous trouviez la nounou idéale.

Elle se tourna vers lui.

— Mais je ne veux pas d'argent. Je ne suis ni à vendre ni à louer, je le fais pour Rosie, pas pour vous.

Il ne put se retenir de sourire.

— Parfait. J'ai encore quelques rendez-vous cet après-midi, alors je vous propose d'aller m'attendre chez moi avec le…

Il se corrigea de lui-même.

— Avec la petite Rosie. J'aurai terminé vers 18 heures, je pense.

Lilah hocha la tête.

— Très bien, où habitez-vous ?

Il se leva et se dirigea vers la porte.

— Karen, mon assistante, vous donnera toutes les informations dont vous aurez besoin.

Puis il jeta un rapide regard à sa montre.

— Pour le moment, précisa-t-il.

— J'ai compris, vous êtes pressé, lui fit remarquer Lilah avant de remettre son grand sac sur son épaule et de caler le bébé sur sa hanche. On se voit plus tard, alors. On aura le temps de discuter de tout cela.

— Voilà, conclut-il en espérant que l'intense satisfaction qu'il ressentait ne s'entendait pas trop dans sa voix.

Lorsque Lilah passa devant lui, son parfum l'hypnotisa un court instant. Un délicieux mélange de citron et de sauge. Une fragrance aussi fraîche et piquante que la femme qui la portait.

Il la regarda s'éloigner. Ses yeux glissèrent sur son épaisse chevelure, puis sur la courbure parfaite de ses fesses. À mesure que le parfum semblait prendre racine en lui, son esprit se mit à lui dicter des envies qui promettaient de compliquer une situation d'ores et déjà ingérable.

Dès que Reed passa la porte, Lilah se précipita vers lui.
— Vous vivez à l'hôtel ?

Cela faisait des heures qu'elle faisait les cent pas dans cette suite hors de prix et que cette question l'obsédait. Que quelqu'un fasse d'un hôtel son domicile, elle n'avait encore jamais vu cela. Il y avait bien ses parents qui passaient quasiment toute l'année en croisière, mais vivre dans un palace, quand vous étiez assez riche pour vous payer n'importe quelle maison de votre choix sur un claquement de doigts ? Qui faisait cela ?

Sans doute quelques stars de cinéma, mais ce n'était pas le cas de Reed. Il était avocat. Un avocat richissime, d'accord, mais un avocat quand même. On faisait plus excentrique, comme métier. Sans compter qu'une chambre d'hôtel était si… impersonnelle.

Elle avait quand même remarqué quelques photos encadrées ici ou là dans la suite double. Ce qui l'avait d'ailleurs rassurée : l'homme n'était pas aussi détaché de sa famille qu'il le prétendait. Rosie allait donc pouvoir compter sur d'autres personnes que ce bloc de glace.

Sans un mot, Reed referma la porte et plongea son regard dans le sien. Il avait les mêmes yeux que Spring, des yeux verts qui vous transperçaient jusqu'à l'âme.

Lilah frissonna. Subitement, son cœur fut étreint par une étrange angoisse. Si Reed gardait des contacts avec sa famille, pourquoi avait-il abandonné Spring au moment où elle avait eu le plus besoin de lui ? La petite Rosie était-elle en danger ?

Reed se tenait devant elle et la regardait. Pouvait-il lire dans ses pensées ? À l'évidence, il devait être un avocat redoutable, s'il manifestait le même genre de froide détermination au tribunal. N'importe quel témoin de la partie adverse ne pouvait que se liquéfier, face à une telle attitude !

Il se racla la gorge.

— Cela vous pose un problème que je vive à l'hôtel ? demanda-t-il en fourrant les mains dans ses poches.

— Aucun, mentit-elle. Surtout dans ce genre d'établissement. C'est magnifique.

D'autant plus que contrairement à son bureau, la décoration des lieux laissait la place à des couleurs et des matières plus chaudes que le gris, le noir et le chrome.

Le salon était composé d'un large espace au centre duquel trônaient un canapé bleu ciel et deux fauteuils jaune citron, richement dotés de coussins invitant à la paresse. Trois petites tables basses en bois miel agrémentaient un épais tapis multicolore. Du côté de la salle à manger, une longue table en chêne pointait vers un bar généreusement approvisionné en vins et liqueurs. Les deux chambres à coucher étalaient un camaïeu de jaune pâle et de vert d'eau, chacune donnant sur une salle de bains quasiment aussi spacieuse qu'un Spa. À elle seule, la cabine de douche pouvait facilement contenir une petite dizaine de personnes !

Le clou du spectacle était à l'extérieur, sur la terrasse, dominant à la fois l'océan et un terrain de golf attenant à la marina. Dans son ensemble, l'hôtel faisait penser à un château de sable. Comme son chalet dans les montagnes lui semblait loin...

La voix de Reed la tira de ses pensées.

— Où est le bébé ?

Le bébé, encore une fois. N'allait-il jamais l'appeler par son prénom ?

— Rosie fait la sieste dans le berceau que l'hôtel a fait monter.

— Parfait, dit-il avant d'ôter sa veste et la déposer sur le dossier d'une chaise.

Ensuite, il se dirigea vers le bar pour se servir un scotch et desserra le nœud de sa cravate.

Malgré elle, elle le suivit des yeux. Pourquoi un geste aussi anodin lui faisait-il un effet aussi… troublant ?

— J'ai appelé André avant de venir, poursuivit-il. Il fera en sorte que vous ne manquiez de rien.

— Ah oui, André.

Aussitôt, elle sourit à l'évocation du majordome qui l'avait accueillie à son arrivée dans l'établissement. Si l'homme n'avait pas été aussi souriant et prévenant, elle aurait pu facilement se laisser intimider par sa prestance.

— Il a été merveilleux, ajouta-t-elle. Plus que serviable. Et Rosie l'a adoré. Mais je n'arrive pas à croire que les majordomes puissent encore exister.

— André n'est pas qu'un majordome. Des fois, je me dis qu'il est un ange directement descendu du ciel. Il peut faire des miracles, vous savez ?

— Je n'en doute pas. Il nous a trouvé un berceau en un éclair et nous a fait monter toute une sélection de petits pots pour bébé. Cerise sur le gâteau, il a même offert un ours en peluche à Rosie, et elle ne peut déjà plus s'en passer !

Le visage de Reed s'éclaira d'un sourire qui toucha Lilah en plein cœur. Allait-elle perdre l'équilibre ?

— Je vous sers quelque chose ? demanda-t-il.

Elle pensa tout d'abord refuser. Prendre le temps de se relaxer, ici, avec lui, dans cette chambre d'hôtel, était-ce bien raisonnable ? Mais compte tenu de la journée qu'elle venait d'endurer…

— Volontiers. Je ne serais pas contre un verre de vin blanc frais.

À ces mots, Reed se dirigea vers le réfrigérateur et en sortit une bouteille de chardonnay. Il attrapa ensuite un verre à pied et s'avança vers le salon où il déposa le vin et les verres sur une des tables basses avant de s'installer sur le sofa. Lilah le suivit et prit place en face de lui, dans un des fauteuils.

Elle porta le verre à ses lèvres et laissa à l'alcool le temps de la détendre quelque peu. Être aussi proche de Reed, dans de telles circonstances, avait quelque chose d'irritant. Après tout, depuis deux semaines, elle nourrissait une froide colère à son encontre, mais elle devait désormais admettre que la colère n'était pas le seul sentiment qu'elle pouvait ressentir face à Reed Hudson. Elle prit une seconde gorgée et se rappela pourquoi leurs chemins avaient fini par se croiser.

— Pourquoi êtes-vous disposé à élever Rosie ? demanda-t-elle soudain en se penchant vers la table basse pour y laisser son verre.

Reed resta silencieux un long moment, les yeux rivés sur son whisky.

— Parce que c'est le souhait de Spring.

— Tout simplement ?

— Tout simplement. Rosie est une Hudson. Elle fait partie de ma famille, et c'est à cela que sert une famille, à s'occuper les uns des autres.

— Mais vous êtes prêt à changer de vie pour cela ?

Il leva les yeux vers elle. Dans la lumière du soir, ses yeux verts ressemblaient à deux billes d'émeraude. Sa bouche s'étira en un demi-sourire.

— Oh vous savez, la vie est un perpétuel changement. Surtout avec une famille comme la mienne. Nous ne sommes pas vraiment habitués à la stabilité.

— Certes, mais…

Elle tendit la main pour désigner les lieux.

— … vous ne vivez pas vraiment dans un environnement adapté aux bébés.

— Je sais. C'est justement pour cela que vous êtes là. Vous avez davantage d'expérience en la matière que moi pour rendre cette suite temporairement bébé compatible.

Circonspecte, elle leva un sourcil.

— Temporairement ? Que voulez-vous dire ?

— À l'évidence, je vais avoir besoin de me trouver une maison, dit-il avant d'avaler une nouvelle gorgée de scotch. Jusqu'à présent, l'hôtel était parfait pour moi, avec le majordome, le nettoyage quotidien et un room-service disponible à toute heure du jour ou de la nuit.

— C'est vrai qu'à vous entendre cela semble agréable.

Reste qu'elle n'allait pas supporter de vivre dans un environnement aussi impersonnel bien longtemps.

Comme si Reed lisait dans ses pensées, il poursuivit :

— Vrai aussi que les bébés changent une vie et qu'une chambre d'hôtel n'est pas ce que l'on fait de mieux pour eux.

— C'est le moins que l'on puisse dire.

À ces mots, il se pencha vers elle et lui prit la main.

Elle se raidit et retira sa main.

— Quoi ? Que voulez-vous ?

Il éclata de rire.

— Ce que vous pouvez être méfiante ! Venez avec moi, j'ai quelque chose à vous montrer.

Le chardonnay aidant, elle décida de baisser un moment sa garde et glissa sa main dans celle de Reed. La sensation fut… électrique. Reed ressentait-il la même chose qu'elle ? Dans tous les cas, il n'en laissa rien paraître. Elle se devait de l'imiter.

Il l'invita à le suivre à l'extérieur de la chambre, sur la terrasse. La nuit était en train de tomber et, à l'horizon, la marina commençait à s'éclairer. Dans le ciel, quelques étoiles scintillaient. Le cœur de Lilah battait à tout rompre.

— Je ne peux pas rester ici, décréta Reed. Rosie aura besoin d'un jardin, et ce balcon est bien trop dangereux pour un bébé.

Lilah tressaillait et risqua un regard en contrebas. Imaginer Rosie passer entre les piliers de la balustrade l'horrifia. Reed avait raison, une fois de plus.

— Alors comme ça, vous allez vous acheter une maison ?

— Oui, confirma-t-il. J'espère trouver quelque chose d'ici ce week-end.

Elle ne put s'empêcher d'éclater de rire. Elle, elle avait dû travailler d'arrache-pied et économiser pendant des années pour rassembler suffisamment d'argent afin que sa banque consente à lui octroyer un prêt. Mais Reed Hudson, lui, n'avait qu'à sortir son carnet de chèques magique pour s'offrir une maison sur un coup de tête.

— La vie est très facile pour vous, n'est-ce pas ? demanda-t-elle.

Elle vit le regard de Reed s'assombrir.

— Pas si facile, non, répondit-il. Mais s'il y a une chose que l'existence m'a apprise, c'est que lorsque vous avez envie de quelque chose, mieux vaut faire en sorte de l'obtenir.

3

Étrangement, Lilah comprenait ce que Reed voulait dire. Bien sûr, acheter une maison sur un coup de tête n'avait jamais été à sa portée et ne le serait sans doute jamais, mais il y avait quelque chose dans cette attitude qui faisait qu'elle pouvait s'identifier. Toujours poursuivre ses rêves et donner le maximum pour les réaliser…

Après tout, n'était-ce pas ainsi qu'elle avait mené sa vie jusqu'à présent ?

Quel sentiment bizarre d'être sur la même longueur d'onde qu'un homme qu'elle avait appris à détester en quelques semaines. Mais, si elle était toujours furieuse au nom de sa meilleure amie, elle devait admettre que Spring avait confié sa fille à Reed et qu'il avait accepté de s'occuper de la petite Rosie quasiment sans y réfléchir. Ce qui en disait long sur lui. De toute façon, Spring n'aurait pas confié sa fille, à qui elle tenait comme à la prunelle de ses yeux, à son demi-frère si elle n'avait pas eu une confiance aveugle en lui.

Lilah devait-elle oublier sa colère et lui donner une chance ? La situation exigeait quelques éclaircissements.

— Comment allez-vous faire pour vous adapter à Rosie ? demanda-t-elle.

Reed la fixa en silence un long moment, et elle eut l'impression que son sang prenait feu, un phénomène pour le moins inattendu. Elle était venue en Californie à reculons, pour confier un bébé qu'elle adorait à un inconnu, et voilà que ses hormones commençaient à lui jouer des tours ! Son esprit lui hurlait qu'elle ne devait pas être attirée par Reed, mais son corps ne l'entendait visiblement pas de cette oreille...

Fusillée par deux yeux verts plus sexy que tous les regards qu'elle avait pu croiser jusqu'à présent, elle ne put s'empêcher de se tortiller nerveusement. *Mais calme-toi, bon sang !*

— Je ne m'en fais pas, répondit froidement Reed. Rosie est ma fille, désormais, nous nous adapterons l'un à l'autre.

Des mots qui lui transpercèrent le cœur, comme l'aurait fait une lame de poignard acérée.

Son esprit fut aussitôt submergé par un flot de pensées contradictoires qu'elle tenta d'analyser le plus sereinement possible.

Du côté raisonnable de l'histoire, elle devait se réjouir que Reed assume aussi vite ses responsabilités. Mais affectivement... Elle avait aimé Rosie comme sa propre fille dès sa naissance, et même avant ! C'est elle qui avait tenu la main de Spring lors de son accouchement, qui s'était occupée de tous les petits détails — le dossier de la maternité, l'état civil, la layette. Rosie faisait partie de sa vie. Et depuis la mort de Spring, leurs liens s'étaient resserrés. Et maintenant, elle allait devoir l'abandonner... À son oncle, certes, mais le résultat était le même. Et cette perspective était une déchirure.

— Je vais m'occuper d'elle, ajouta Reed. Comme Spring l'aurait voulu.

— Bien, murmura-t-elle avant de prendre une gorgée de vin. C'est parfait.

Reed fronça les sourcils.

— Je vois que cela vous remplit de joie, ironisa-t-il.

Touchée ! Elle haussa les épaules.

— Vous voulez que je fasse semblant ?

— Non, vous avez raison. La vérité est toujours plus facile et bien moins risquée que le mensonge.

Elle ne put s'empêcher de rire.

— Vous êtes sûr que vous êtes avocat ?

— Vous n'aimez pas les avocats ?

— À peu près comme tout le monde, non ?

Un léger rictus déforma rapidement la bouche de Reed.

— Vous n'avez pas tort, reconnut-il. Toutefois, mes clients finissent à peu près tous par m'adorer.

— J'en suis certaine.

Avant de venir, elle avait fait quelques recherches sur lui. Reed Hudson était un véritable requin de prétoire. Pas étonnant que ses clients en soient particulièrement satisfaits ! Surtout dans des affaires comme les divorces, où les risques de terminer sur la paille étaient pour le moins élevés. Reste que si ses clients devaient lui vouer un culte, ses adversaires ne devaient pas non plus manquer de choses à dire à son sujet. Et elle pouvait y mettre sa main à couper, des choses pas forcément très flatteuses.

Reed fit un pas vers elle.

Sa tension nerveuse n'avait probablement jamais été aussi élevée… et son cœur n'avait non plus sans doute jamais battu aussi vite.

— Ce sont les avocats en général qui ne vous plaisent pas, ou c'est moi en particulier que vous détestez ? s'enquit-il d'un ton léger.

Elle s'écarta.

— Je ne vous connais pas assez pour vous détester, rétorqua-t-elle. Après, le fait est qu'avant notre rencontre je ne vous portais déjà pas vraiment dans mon cœur.

— C'est ce que j'ai cru comprendre, oui.

L'avait-elle blessé ? Si c'était le cas, elle s'en voulait un peu, même si elle n'avait pas réellement été maîtresse de ses émotions, ces derniers temps…

— Je m'excuse, mais pour ma défense, les semaines

que je viens de passer n'ont pas été de tout repos pour moi, dit-elle. Il y a eu la mort de ma meilleure amie, puis la découverte de ses lettres… et maintenant le fait que je dois vous confier Rosie.

Reed demeura pensif un long moment avant de reprendre :

— Je vous remercie, j'apprécie votre franchise.

— Moi de même.

Ce qui leur faisait un nouveau point commun.

— J'ai appelé nos parents, cet après-midi. Enfin, mon père et la mère de Spring, précisa-t-il.

Elle hocha légèrement la tête. Quelle étrange configuration familiale… Des parents différents, une famille identique. Allait-elle réussir à comprendre toutes les ramifications du clan Hudson ?

À dire vrai, avant la mort de Spring, jamais elle n'aurait cru que sa meilleure amie était issue d'une lignée aussi prestigieuse. Avant que sa disparition ne révèle ses secrets, Spring portait le nom de son ex-mari, Bates.

Elle sentit une boule d'angoisse se former au creux de son estomac. Et si les parents de Spring désiraient avoir la garde de Rosie ? Reed allait-il leur confier la fillette, malgré les dernières volontés de sa demi-sœur ? Et dans ce cas, comment allait-elle pouvoir s'y opposer ?

— Et que vous ont-ils dit ? demanda-t-elle en tentant de ne rien laisser entrevoir de la terrifiante machination qui venait de germer dans son esprit.

Reed soupira. Pour la première fois depuis leur rencontre, il semblait bien davantage épuisé qu'irrité. Résigné, même.

— Ce que j'attendais qu'ils me disent, répondit-il dans un souffle. Mon père m'a rappelé qu'il avait déjà un enfant de trois ans à la maison, un autre de douze en pension et que sa femme allait bientôt accoucher.

Lilah cligna les yeux. Quelle étrange sensation de penser à des frères et sœurs ayant plus de trente ans de différence d'âge…

— Quant à la mère de Spring, Donna, poursuivit-il, elle m'a immédiatement dit qu'elle n'avait pas du tout l'intention de jouer les grands-mères. Ou même d'être une grand-mère, d'ailleurs.

— Elle n'a pas tellement d'instinct maternel, n'est-ce pas ?

— Si, comme peuvent en avoir les chattes de gouttière. Je dois bien avouer que mon père a toujours un don pour se trouver des femmes on ne peut plus séduisantes, mais pas très fiables sur le long terme. Quoi qu'il en soit, je ne les ai pas appelés pour leur demander de s'occuper de Rosie, juste pour leur dire qu'elle existait et qu'elle m'avait été confiée.

D'un coup, Lilah eut l'impression d'être libérée de l'étau qui l'oppressait. Non, Reed n'avait pas l'intention de fuir ses responsabilités. Rosie était entrée dans sa vie et il n'envisageait pas qu'elle en sorte. Elle avait imaginé un instant qu'il aurait été pour le moins soulagé que quelqu'un de sa famille lui propose de s'occuper de la petite fille.

— Donc pour résumer, ils vous laissent Rosie, dit-elle.

Reed la regarda d'un air circonspect.

— Jamais je ne leur aurais confié ce bébé, même s'ils me l'avaient demandé, décréta-t-il. Et de toute manière, je savais qu'ils ne le voudraient pas.

— Pourquoi ?

Reed plongea un instant le nez dans son verre, avant de relever la tête pour terminer son whisky.

— Déjà parce que Spring m'a confié sa fille et que je ne peux pas m'opposer à ses dernières volontés.

Lilah hocha lentement la tête en signe d'approbation. Que Reed respecte aussi loyalement les souhaits de sa demi-sœur lui mettait du baume au cœur. Elle savait que Reed pouvait être un homme froid et calculateur dans son travail, elle se réjouissait de découvrir en lui un individu pourvu d'un sens des responsabilités familiales aussi développé.

Même si elle était toujours tiraillée à l'idée de rentrer bientôt chez elle sans la petite Rosie, elle sentit un certain soulagement l'envahir. Elle pouvait avoir confiance en Reed, du moins sur le plan matériel. Un enfant ayant aussi besoin d'amour pour grandir, Reed n'allait pas pouvoir se contenter de jouer les preux chevaliers, il allait aussi devoir adopter Rosie dans son cœur. Mais l'engagement dont il faisait preuve était déjà un bon début. Chaque chose en son temps…

Reed tourna la tête vers l'extérieur, et son regard sembla se perdre un long moment sur l'horizon qui s'ornait de rouge, de violet et d'indigo à mesure que le soir tombait. Comme s'il pensait à quelque chose qu'il ne voulait pas lui dire.

— Qu'est-ce qu'il y a ? demanda-t-elle. Vous êtes bien songeur, tout à coup.

— Rien, répondit-il avec un léger sourire. Parlez-moi plutôt de vous. Que font vos parents ? Ils sont toujours ensemble ?

Une question qui fit rejaillir en elle de bien sombres souvenirs.

— Oui, dit-elle en baissant les yeux. Ils étaient encore ensemble lorsque mon père est mort dans une avalanche il y a cinq ans.

Reed lui jeta un bref regard de sympathie, puis retourna à sa contemplation.

— Je suis désolé.

— Moi aussi. Il y a deux ans, ma mère a rencontré quelqu'un d'autre. Ils se sont mariés l'année dernière et maintenant ils passent leur vie en mer, en croisière.

Stan, son beau-père, était un homme charmant et rendait sa mère heureuse. Oh bien sûr, au départ, voir sa mère avec un autre homme que son père n'avait pas été évident, puis les choses s'étaient rapidement apaisées. Son père était mort, sa mère ne faisait rien de mal. Qu'elle poursuive sa vie en veuve inconsolable aurait été très difficile à supporter.

La curiosité de Reed avait apparemment été piquée.

— Où ? demanda-t-il en se tournant vers elle.

— N'importe où, au gré de leurs envies et des catalogues des croisiéristes. Si j'en crois les messages que m'envoie ma mère, elle est aux anges. La vie nomade lui sied à ravir.

Reed éclata de rire.

— Quand je pense que vous m'avez fait tout un cinéma parce que je vis à l'hôtel alors que votre mère papillonne de port en port !

D'abord surprise par sa réaction, elle ne put s'empêcher de rire, elle aussi. Reed n'avait pas tort. Mais elle essaya tant bien que mal de se défendre.

— Oui, mais… Les hôtels sont sur terre, à côté de maisons, les bateaux sont en mer, le choix est plus limité.

— Vous avez un sens étrange de la logique, fit-il remarquer, narquois.

Elle sourit.

— Cette étrangeté me convient.

— Alors c'est le principal.

À ces mots, il contempla de nouveau le paysage.

— Ma famille est aussi étrange, reprit-il. Ils font des tas d'enfants mais n'aiment pas s'en occuper. Les nounous, les gouvernantes et les pensions sont des outils éducatifs de premier choix chez les Hudson.

Lilah voulut rétorquer quelque chose, mais Reed ne lui en laissa pas l'occasion. Après avoir rapidement repris son souffle, il poursuivit :

— Spring a détesté la pension. C'était comme une prison pour elle, une torture de vivre dans une école qu'elle n'avait pas le droit de quitter. Vous voudriez que j'impose cela à sa fille ? Jamais de la vie.

Ces mots la prirent au dépourvu et lui réchauffèrent encore un peu plus le cœur. L'avocat glacial avait bel et bien disparu pour laisser la place à un homme débordant de bienveillance. Qu'allait-elle pouvoir faire de tous les sentiments qui naissaient en elle ?

— Vous allez accepter de rester, n'est-ce pas, dit-il soudain.

Ce n'était pas une question mais une affirmation. Et il semblait bien sûr de lui, songea-t-elle, surprise.

— Pour un temps, oui, confirma-t-elle.

Oui, elle accepterait de rester pour le bien de Rosie. Et pour son propre bien aussi : il lui était impossible de laisser la petite fille et de rentrer chez elle sans avoir la garantie que tout allait se passer au mieux. Elle laisserait temporairement sa boutique fermée et gérerait le site à distance de son ordinateur portable. Rien d'insurmontable. Et si Reed avait proposé de la payer pour qu'elle reste, sans doute qu'il allait devoir la payer pour qu'elle parte…

— Alors vous allez pouvoir m'aider à trouver une maison, dit-il en allant se servir une larme de scotch. Et à la meubler aussi, je n'ai pas le temps d'appeler un architecte d'intérieur.

— Vous voulez que je…

— Quoi, vous allez me dire que les femmes n'aiment pas faire du shopping ?

Elle éclata de rire.

— C'est très sexiste ce que vous dites !

— Mais c'est faux ?

— Ce n'est pas la question.

— Si, c'est exactement la question. Je vous laisse totalement libre. À vous de tout choisir, du sol au plafond, les meubles comme la meilleure façon de rendre la maison sûre pour un bébé.

L'aider à choisir la maison dans laquelle Rosie allait grandir ? Comment refuser ? La meubler et la décorer sans débourser un centime ? Quelle femme pouvait refuser cette offre ?

— Entièrement libre ? demanda-t-elle.

— Entièrement.

Acheter une maison n'avait rien de difficile lorsque vous étiez prêt à mettre n'importe quel prix pour vous offrir l'objet de vos envies. Très vite, l'agent immobilier avait compris que Lilah était la personne à convaincre, et Reed avait pu faire un pas de côté et admirer le spectacle.

Il devait bien l'admettre, Lilah était difficile, mais elle savait aussi ce qui allait convenir et ce qui était inacceptable. Et elle ne s'en laissait pas conter par les stratagèmes de l'agent immobilier, que ce soit les mètres carrés, les panoramas somptueux ou les très bonnes écoles à proximité. C'était une qualité qu'il trouvait admirable.

Il n'empêche que Lilah Strong l'intriguait au plus haut point. Visiblement, elle ne lui faisait toujours pas entièrement confiance, et il restait des morceaux de colère et de rancœur dans son attitude envers lui. Une franchise qui le désarmait.

En règle générale, les femmes qu'il rencontrait acceptaient sciemment le jeu quelque peu hypocrite de la séduction. Elles lui rendaient ses sourires, riaient à ses plaisanteries même quand elles n'étaient pas forcément drôles, soupiraient à ses baisers… En un mot, elles devenaient exactement ce qu'il voulait qu'elles deviennent.

Lilah n'était pas du tout faite du même bois. Elle était manifestement indifférente à ce qu'il pouvait penser d'elle, ce qui la rendait diablement captivante. Et la regarder déambuler dans des maisons vides, un agent immobilier à ses trousses comme un petit chien, était terriblement distrayant. Sans compter que le spectacle était des plus ensorcelants…

Lilah avait l'élégance facile. Elle portait un chemisier blanc à manches longues et un caraco noir. Son jean ajusté galbait délicieusement ses fesses, et sa silhouette était mise en valeur par le port de bottines à petits talons. Ses longs cheveux tombaient dans son dos en une épaisse masse cuivrée dans laquelle il rêvait de plonger ses mains. Ressentait-elle aussi cette tension sensuelle ?

Ils en étaient à leur cinquième visite depuis le matin. Lorsqu'elle sortit sur le patio en compagnie de l'agent immobilier, Reed les suivit pour écouter leur conversation.

— J'apprécie la barrière autour de la piscine, dit Lilah. C'est très sécurisant lorsque vous avez un enfant en bas âge.

— Oui, d'autant plus que sa fermeture est électronique et contrôlable à distance. Si jamais vous êtes sur la terrasse et voyez que votre bébé s'avance dangereusement vers la piscine, vous n'avez qu'à appuyer sur un bouton de la télécommande pour que tout rentre dans l'ordre.

— C'est appréciable.

— D'autant plus que toute la maison est raccordée à un système de sécurité dernier cri, ajouta l'agent, sûr de son effet.

Malheureusement pour lui, cet effet tomba à plat.

— Un système de sécurité ? s'exclama Lilah. Vous voulez dire que le quartier est mal famé ?

— Non, non, vous êtes ici dans l'un des meilleurs quartiers de Laguna Beach ! Les systèmes de sécurité sont désormais la norme dans les maisons contemporaines, c'est juste une question de sérénité d'esprit.

Lilah jeta un regard plein d'ironie à Reed, qui comprit qu'elle avait l'intention de jouer un peu avec les nerfs de l'agent immobilier.

— Dans tous les cas, le jardin est magnifique, dit-il en lui faisant un clin d'œil.

Lilah s'avança vers lui et lui murmura à l'oreille :

— Je fais ma revêche pour qu'il vous fasse un bon prix, mais je crois que c'est ma préférée depuis ce matin.

Reed était du même avis. Il était donc inutile de continuer à discutailler.

— Je crois que ça va coller ! lança-t-il à l'intention de l'agent.

— Coller ? Cette maison est une véritable œuvre d'art, affirma ce dernier, visiblement choqué par son vocabulaire. Tout a été refait à neuf voici deux ans, elle n'est sur le marché que depuis deux jours et…

— C'est bon, l'interrompit Reed. Je la prends. Faites-moi apporter les papiers cet après-midi.

— Cet après-midi ? Mais je ne sais pas si je pourrai rassembler les documents dans un délai aussi court !

Reed gratifia l'agent d'un regard qu'il réservait en général au tribunal, pour des témoins peu coopératifs.

— Je suis certain que vous réussirez, monsieur Tyler. Sachant que je vous réserve un bonus si vous me permettez d'emménager dans une semaine.

— Une semaine ! Non, vous n'êtes pas sérieux.

— On ne pourrait l'être davantage. Et comme je réglerai cash, j'espère que nous aurons les clés d'ici cinq jours pour nous permettre d'entreposer les meubles.

L'agent le regarda un instant sans rien dire, se demandant visiblement s'il devait ou non le prendre au sérieux.

— Vous n'êtes vraiment pas un client banal, dit-il.

Reed vit Lilah s'éloigner pour lui signifier, sans doute, qu'elle avait fait sa part du travail et que c'était à lui de prendre le relais. Comme il préférait mille fois discuter avec elle qu'avec l'agent immobilier, il décida de mettre rapidement un terme à la conversation.

— Monsieur Tyler, je ne vais pas me répéter. Je doute que vous ayez beaucoup de clients qui vous payent ce genre de biens rubis sur l'ongle, donc oui, cela fait de moi un acheteur extravagant. À vous maintenant à vous adapter à cette réalité ou je connais d'autres agences qui seront ravies que je les contacte si la vôtre n'a pas les épaules.

À ces mots, l'agent plongea le nez dans son classeur, comme un enfant honteux d'avoir été grondé.

— Oui, monsieur Hudson, très bien, je m'en occupe tout de suite. J'ai quelques coups de fil à passer, profitez-en pour faire un dernier tour des lieux avec votre femme.

Votre femme…

Reed ne se donna pas la peine de corriger le malentendu, mais le terme lui glaça le sang. Heureusement que Lilah était dans le jardin et ne l'avait pas entendu ! Il descendit l'escalier et traversa la pelouse pour la rejoindre.

— C'est fait, dit-il.

Lilah se retourna, les pupilles dilatées par la surprise.

— Comment ?

— J'ai acheté la maison.

Elle éclata de rire et secoua la tête. Le vent s'engouffra dans ses cheveux et fit voler quelques mèches devant ses yeux. Il fit appel à tout ce qu'il pouvait avoir de volonté pour ne pas tendre la main et la recoiffer, en faisant glisser un ou deux doigts sur ses joues, sur ses lèvres et…

— Je l'aurais parié ! répliqua-t-elle, amusée. Vous allez aussi me dire que vous emménagez ce soir, n'est-ce pas ?

Il sourit.

— Oh non. Je n'aime pas brusquer les choses. Dans une semaine, ce sera parfait.

Elle rit de plus belle, d'un rire cristallin à en faire se pâmer les pierres. Il fourra ses mains dans ses poches. Prendre Lilah dans ses bras n'était pas du tout une bonne idée. La douce brise amena à ses narines des effluves de son parfum. Ce n'était pas la même fragrance que la veille. Aujourd'hui, elle sentait les pommes caramélisées. Hier c'était le citron et le basilic. Cette femme était décidément bien troublante.

— Vous savez, dit-elle, cela m'a pris trois mois pour trouver ma maison, un mois supplémentaire pour obtenir un prêt et encore un mois pour avoir les clés et emménager. Je ne pensais même pas que c'était possible de boucler l'achat d'un bien immobilier en une semaine.

— C'est que je ne suis pas monsieur Tout-le-monde, laissa-t-il tomber avec un haussement d'épaules.

— J'avais remarqué !

À ces mots, elle se tourna vers la maison. Ce qui permit à Reed de la contempler plus librement, sans risquer de croiser son regard.

— Elle est vraiment magnifique, dit-elle.

— Oui, vraiment, confirma-t-il.

Il ne parlait pas de la villa.

— Rosie va adorer ce jardin, j'en suis certaine. Et je suis bien contente que la piscine ait un système de sécurité.

— J'en aurais installé un, s'il n'y en avait pas eu.

— Bien sûr ! Et en moins d'une semaine je parie. À ce propos, je pense qu'il faudrait retourner à l'hôtel. Rosie est seule depuis assez longtemps comme cela.

— Elle n'est pas seule. André est aussi parfait en baby-sitter.

Lilah ne répondit pas.

— Vous êtes toujours angoissée à l'idée de vous éloigner de Rosie, n'est-ce pas ? demanda-t-il.

Elle soupira.

— Oui, je crois qu'on peut le dire, mais pour ma défense, je ne connais pas bien André.

— Vous ne me connaissez pas non plus. Vous allez supporter de me laisser le bébé ?

Lilah se retourna vers lui. Ses traits s'étaient crispés. D'un geste nerveux, elle écarta une mèche qui lui barrait le visage.

— Vous voulez que je vous dise la vérité ?

— Oui, comme toujours, répliqua-t-il, amusé.

— Eh bien la vérité, c'est ce que je ne sais pas comment je vais supporter cette séparation, mais je n'ai pas vraiment le choix, n'est-ce pas ? Il faut que je fasse ce que Spring m'a demandé, même si cela ne me plaît pas.

— Si vous n'aviez pas trouvé les lettres de ma sœur, vous auriez adopté le bébé ?

— Oui, répondit-elle sans une seconde d'hésitation. Je l'aurais adoptée, j'aurais fait tout mon possible pour la garder avec moi. J'aime cet enfant depuis sa naissance, et même avant.

— Cela saute aux yeux. Je dois dire que je vous admire pour cela. Et si vous me racontiez comment vous êtes devenue aussi proche de ma sœur ?

Il vit ses yeux suivre la course des nuages dans le ciel. À l'évidence, elle se refaisait le film de son amitié avec Spring. Les émotions passaient sur son visage comme l'onde du vent sur un champ de blé mûr.

— Un jour, elle est entrée dans ma boutique pour me demander du travail, dit-elle d'une voix aussi douce que son sourire.

Du travail ? Le seul emploi de sa sœur dont il se souvenait était un job d'été dans un cinéma… lorsqu'elle avait seize ans.

— Étrange, fit-il remarquer. Ma sœur n'a quasiment jamais travaillé de sa vie. D'ailleurs, mon père a toujours répété qu'elle était parfaite pour dépenser son argent, mais nulle pour en gagner.

Le sourire de Lilah s'évanouit.

— Votre père me semble un homme charmant, dites-moi.

— Sans doute, mais il n'avait pas tort. Un été, alors qu'elle était encore au lycée, Spring s'était mis dans l'idée de contredire notre père et avait postulé dans un petit cinéma de la région. Elle avait été prise à la confiserie, ne pouvait jamais voir un film en entier, trouvait que l'uniforme la grossissait. Bref, elle n'avait pas tenu une semaine.

Le regard de Lilah se fit plus noir.

— Les gens changent, vous savez, rétorqua-t-elle.

— Mon expérience me dit le contraire.

— Alors il faut croire que Spring était une exception. Son mari venait de la quitter, elle était enceinte et livrée à elle-même.

Lilah s'arrêta un bref instant, se rendant manifestement compte de la signification de ses propos, puis poursuivit :

— Enfin, c'est ce qu'elle m'a dit et c'est ce que j'ai cru. Elle avait donc un besoin urgent de travailler, n'importe où.

— Et où travaillez-vous exactement ?

— J'ai une petite boutique d'artisanat. Je vends des bijoux, des savons, des bougies parfumées, ce genre de choses.

Ce qui pouvait expliquer toutes les fragrances qui accompagnaient son sillage.

— Et comment Spring a pu vous aider ?

— En tout, répondit-elle avec un large sourire. Embaucher votre sœur a été l'une des meilleures décisions que j'ai pu prendre de toute ma vie. Elle était parfaite avec les clients, comme si elle était capable de deviner à l'avance leurs désirs. Elle m'a aussi tiré pas mal d'épines du pied sur le plan de la comptabilité. Honnêtement, c'était une merveille, je ne trouve pas d'autre mot pour la décrire. Très vite, je l'ai nommée manager de la boutique, ce qui me donnait davantage de temps pour fabriquer les objets à mettre sur les étagères qui se vendaient comme des petits pains grâce au don commercial de Spring.

Reed la fixa, ébahi. Spring ? Lilah était-elle en train de parler de sa Spring à lui ? Il avait l'impression d'entendre un récit concernant une étrangère. Sans doute la preuve qu'il ne connaissait pas sa sœur aussi bien qu'il le pensait… Cette idée fit naître au creux de son estomac une tension des plus désagréables. Il se rappelait de Spring enfant, de Spring adolescente, mais la femme que sa sœur était devenue lui resterait à tout jamais inconnue.

— Et où vivait-elle ? demanda-t-il.

— Nulle part lorsqu'elle est entrée pour la première fois dans ma boutique. Alors je l'ai installée dans le petit appartement qui me servait de débarras au-dessus du magasin et où j'avais moi-même habité avant d'acheter ma maison. Après la naissance de Rose, Spring la prenait avec elle la journée. La petite était un enchantement pour tous les clients. Nous avons vécu comme dans un rêve jusqu'à ce que…

Lilah se tut et baissa la tête.

Comme elle, Reed n'avait pas du tout envie de mentionner la mort de sa sœur, alors il orienta la conversation sur sa vie, sur le bonheur qui avait été visiblement le sien dans les derniers mois de son existence.

— J'ai l'impression qu'elle était très heureuse, fit-il remarquer.

Lilah releva les yeux vers lui. Ils étaient brouillés de larmes.

— Oui, elle l'était, dit-elle d'une voix blanche. Elle adorait notre petite ville, elle a vite été intégrée dans la communauté. Elle avait tant d'amis, si vous saviez…

Reed essaya de s'imaginer la chose. Sa sœur, née à Londres et élevée à New York dans l'une des pensions les plus huppées au monde, où elle avait côtoyé des enfants de têtes couronnées ou de vedettes de cinéma, être comme un poisson dans l'eau dans une petite ville… Oui, il avait beaucoup de mal à se faire une idée.

— Au fait, votre boutique, votre maison, elles se trouvent où ? reprit-il. Vous ne l'avez pas précisé.

— Ah oui, pardon, j'ai oublié ce détail. Je vis au cœur des montagnes de l'Utah, à Pine Lake. C'est à une heure de route au nord de Salt Lake City.

Reed éclata de rire.

— Vous me faites marcher ! Spring a toujours détesté la montagne, elle préférait la mer.

— C'est bien la preuve que les gens changent, rétorqua Lilah, un brin moqueuse.

Il ne releva pas. Elle devait avoir raison. Après tout, n'était-il pas en train de s'acheter une maison pour y élever un enfant ?

- 4 -

La journée qui suivit fut bien remplie. Tellement que Lilah n'eut presque pas l'occasion de croiser Reed. Parce qu'il était, comme il l'affirmait, débordé de travail ? Ou parce qu'il l'évitait, tout simplement ?

Dans les deux cas, elle allait vraiment regretter André. Comment aurait-elle pu survivre sans lui ? La vie à l'hôtel n'était toujours pas son idéal, mais ce merveilleux majordome s'était plié en quatre pour la lui rendre douce.

Sans compter qu'il n'avait pas été avare en informations sur Reed. Elle savait désormais que sa famille lui rendait rarement visite, qu'il n'avait jamais eu d'invités dans sa suite — autrement dit, des femmes — et qu'il était généreux en pourboires.

Elle pouvait donc en conclure que Reed était un célibataire authentique endurci et qu'il ne mentait pas quand il ne se disait pas très proche de sa famille. Ce n'était pas grand-chose, mais c'était toujours mieux que rien.

— Madame, j'ai préparé une nouvelle liste de mobilier, si vous voulez bien vous donner la peine de la vérifier.

En vrai gentleman, André s'était préalablement raclé la gorge pour attirer son attention.

Le majordome lui tendit la liste avec petit clin d'œil.

— Je me suis permis d'indiquer les objets qui trouveront le plus de grâce à vos yeux. Comme vous avez déjà commandé les meubles pour la petite Rosie, je suppose que le bureau de M. Reed est la dernière de vos priorités.

Cet homme ne cesserait donc jamais de la surprendre ?

— Mais comment réussissez-vous à vous souvenir de tous ces détails ? demanda-t-elle. J'ai moi-même du mal à garder la tête froide d'une heure à l'autre, avec tout ce qu'il faut faire.

— Oh ! Madame, dit-il en se penchant vers Rosie pour lui essuyer la purée de banane qui lui débordait de la bouche. Je n'ai aucun mérite, c'est l'habitude.

— Pourquoi travaillez-vous dans un hôtel, André ? Je vous verrais mieux au service de la famille royale d'Angleterre.

— De fait, j'ai été un temps au service d'un comte à Londres mais, si je peux vous parler franchement, le climat me convient beaucoup mieux ici. La pluie et le brouillard, on s'en lasse rapidement. Mais je reste tout à fait fier de mes origines, vous savez.

— Je n'en doute pas.

— J'y retourne néanmoins souvent pour rendre visite à ma famille et à mes amis. Et, pour tout vous dire, si la Californie a le soleil et la chaleur, il lui manque un ou deux pubs de qualité.

Lilah ne put s'empêcher de se précipiter vers lui pour le prendre dans ses bras.

— Et à moi, vous allez énormément me manquer, c'est certain. Vous êtes une perle, André.

Sentant qu'il se raidissait, elle mit fin à son étreinte.

— Moi aussi, vous allez me manquer, ainsi que la petite Rosie, avoua-t-il. Mais c'est mieux ainsi. Un hôtel n'est pas fait pour un bébé.

— Non, ce n'est pas un bon environnement pour grandir, vous avez tout à fait raison.

Elle consulta la liste qu'André lui avait remise.

— Vous savez, je ne connais absolument pas les marques et les magasins que vous me citez. Vous en avez des préférés ? Cela me serait d'un grand secours.

Manifestement heureux qu'on lui demande ainsi son avis personnel, le majordome indiqua un nom sur la liste.

— Ici, ils travaillent le cuir comme personne, et je suis certain que M. Reed me donnera raison.

— Merci beaucoup André, vous me sauvez la vie encore une fois.

Alors que le majordome tournait les talons et se dirigeait vers la porte, elle osa une dernière question.

— Si je peux me permettre, André, comment se fait-il qu'un majordome britannique ait un nom français ?

Les yeux d'André s'illuminèrent.

— Le père de ma mère était français, je porte son nom. Je dois vous dire que cela n'a pas été de tout repos avec mes petits camarades quand j'étais enfant.

— Je suis certaine que vous avez su les moucher.

— Je le crois bien, madame. Je vous souhaite une bonne fin de journée et de bonnes courses.

À ces mots, il quitta la suite.

Lilah se tourna avec Rosie.

— Oui, il va terriblement nous manquer, murmura-t-elle.

Quelques heures plus tard, elle déambulait dans les allées du magasin d'ameublement qu'André lui avait conseillé. Elle ne pouvait que se rendre à l'évidence : le majordome avait absolument raison, car tout ce qu'elle voyait était d'un goût exquis. Mais allait-elle pouvoir le partager avec Reed ?

Ils avaient beau vivre dans la même suite d'hôtel — certes, plus grande que bien des appartements qu'elle avait pu habiter —, ils réussissaient à quasiment ne jamais se croiser. Reed partait à l'aube et ne revenait qu'à la nuit tombée, soit à peu près à l'heure où elle mettait Rosie au lit.

Elle aurait mis sa main à couper qu'il faisait exprès de rentrer suffisamment tard pour rater le moment du bain. De la sorte, il n'avait plus qu'à prétendre qu'il ne fallait pas réveiller la fillette et qu'il la verrait le lendemain. Sauf que le lendemain, le manège recommençait.

Ce qui n'avait pas empêché l'attirance qu'elle ressentait pour Reed de se développer à son train de sénateur…

Toutefois, elle restait prudente et essayait de se faire une idée plus précise de la personnalité de Reed. Or, ce dernier était tout simplement impénétrable. Oui, il avait accepté de respecter les dernières volontés de sa sœur et avait adopté Rosie, mais il semblait ne vouloir faire que le strict minimum avec elle. Pourquoi ? À part la toute première nuit où il avait brièvement pris sa nièce dans ses bras, plus jamais il ne l'avait touchée, plus jamais il ne lui avait parlé…

Lilah sentit son cœur se serrer. Reed n'allait-il jamais changer ? Pour le bien-être et l'équilibre de Rosie, il le fallait, pourtant. Un enfant ne pouvait pas s'épanouir s'il ne se sentait pas aimé. Grâce à André, elle savait que Reed avait été élevé par des parents distants, mais cela n'avait rien d'une excuse !

Le seul espoir qu'il lui restait, c'était de briser le mur de glace qu'il avait patiemment construit autour de lui.

— Ce qui risque de me prendre dix ou vingt ans, marmonna-t-elle.

— Il y a un problème ?

Elle rougit violemment. Elle était tellement perdue dans ses pensées qu'elle ne s'était pas rendu compte que la vendeuse était arrivée à sa hauteur, et avait constaté qu'elle parlait toute seule. Quelle honte…

Pour se donner une contenance, elle offrit un grand sourire à l'employée.

— Non, non, aucun, assura-t-elle. Avons-nous bientôt terminé ?

Depuis une semaine, avec l'aide précieuse d'André, elle s'était rendue dans les magasins les plus chics de la région, pour meubler et décorer une maison dans laquelle elle n'allait pourtant jamais vivre. Évidemment, elle n'avait pas la moindre idée des goûts de Reed en la matière, mais comme il lui avait laissé carte blanche, elle s'en était donné à cœur joie !

À l'exception d'une seule pièce, celle qui allait devenir le bureau de Reed, elle avait choisi des meubles confortables, des couleurs douces, tout le nécessaire pour créer un foyer accueillant. Si Rosie devait grandir sans l'amour d'un père, qu'elle puisse au moins trouver du réconfort dans son lieu de vie.

Cette pensée la figea, comme si elle venait de prendre un coup de poing dans le ventre.

Et une autre pensée l'acheva. Bientôt, elle s'en irait… Elle laisserait Rosie aux bons soins de Reed — ou plutôt de la nounou qu'il allait embaucher. Elle ne serait pas là pour voir ses premiers pas, entendre ses premiers mots. Elle ne serait pas là pour essuyer ses larmes après un cauchemar, pour assister au spectacle de ses petits pieds s'agitant dans son berceau le matin. Quant à son premier jour d'école…

Un flot de tristesse l'envahit, et ses yeux se brouillèrent de larmes. Mais elle devait se reprendre, ou alors la vendeuse allait commencer à se faire des idées… Comme penser qu'elle stressait pour le prix de l'ensemble canapé et fauteuils en cuir qu'elle avait choisi pour le bureau de Reed. Alors qu'en réalité, c'était bien la première fois de sa vie que l'argent n'était pas un problème pour elle.

— Nous avons terminé, confirma l'employée d'une voix guillerette. Je n'ai plus qu'à vous éditer la facture et à vous laisser remplir les indications pour nos livreurs. Dans une minute ou deux, je vous libère !

Il était tout à fait logique que l'employée soit aux anges. Avec les fauteuils, les canapés, les tables, les lampes, les bibliothèques et les tapis que Lilah venait de commander, elle venait sans doute d'empocher la plus grosse commission de toute sa vie… et s'apprêtait probablement à prendre un mois de congé pour en profiter dès le lendemain !

Lilah, elle, serait en train de s'installer dans une villa donnant sur l'océan, où Reed aurait encore plus de place pour l'ignorer. Et ignorer la petite Rosie.

Elle devait mettre un terme à cette mascarade. Faire en sorte que Reed passe du temps avec sa nièce. Qu'il apprenne à la connaître, à l'aimer. Il n'en était quand même pas incapable… Si ?

C'était une question à laquelle elle devait rapidement obtenir une réponse.

Une image connue passa devant ses yeux. Celle de Reed, qui lui apparaissait à chaque fois qu'elle essayait de dormir. Ses cheveux bruns ébouriffés, sa chemise blanche ouverte sur son torse bronzé, son pantalon en lin tombant sur ses pieds nus… Depuis quand des pieds pouvaient être aussi sexy ? Elle secoua la tête et se frotta l'arête du nez, comme si le geste pouvait être suffisant pour effacer à tout jamais ce fantasme de son esprit…

Reed Hudson était un homme insupportable. Arrogant, autoritaire… et terriblement séduisant. Ce qui ne faisait que compliquer une situation d'ores et déjà incroyablement complexe. Pourquoi ne pouvait-elle pas tout simplement le haïr ?

Si seulement il n'avait pas accepté aussi spontanément la demande de Spring. Si seulement il ne s'était pas plié en quatre pour changer immédiatement de mode de vie et pour acheter une maison où élever Rosie. Il bouleversait son existence parce que c'était la meilleure chose à faire. Difficile de haïr quelqu'un dans ces conditions…

Reste que s'il ne pouvait pas ouvrir son cœur pour Rosie, quel intérêt ? Bon sang ! Cela faisait des jours qu'elle était en boucle sur ces questions, sans apercevoir le début du commencement d'une réponse, d'une issue…

Reed prenait bien trop de place dans son esprit, il fallait que cela cesse.

Elle jeta un regard à l'horloge trônant sur le comptoir du magasin. L'heure était largement venue de s'en aller. Il restait encore énormément de choses sur sa liste : les ustensiles de cuisine, l'électroménager, la literie, plus un million d'autres petits détails.

Elle aurait tellement aimé que son amie Kate soit dans les parages… Kate Duffy était une véritable artiste, avec un œil pour la décoration que Lilah n'aurait jamais. Kate aurait dévalisé les galeries d'art, les magasins de luminaires et de tissus d'ameublement pour trouver exactement ce qui rendrait une villa dans les collines surplombant la mer tout simplement magnifique.

Lilah poussa un profond soupir. Kate n'était pas là. Son militaire de mari était enfin rentré de mission, et ils étaient partis pour la lune de miel qu'ils attendaient depuis des mois. Lilah était donc seule, parfaitement seule.

Un babillage de Rosie la ramena à la réalité.

— Mais oui, c'est vrai, je ne suis pas seule, tu es là toi ! dit-elle en se penchant sur la poussette.

— Voilà, madame Strong, tout est en ordre, vous n'avez plus qu'à signer ici, lui expliqua la vendeuse qui venait de la rejoindre.

Lilah regarda brièvement le papier que lui tendait la jeune femme.

— Tout sera livré demain, n'est-ce pas ?

— Oui, entre 13 et 15 heures.

— Alors merci beaucoup.

— Merci à vous.

La vendeuse plia le reçu et le rangea dans une poche de son uniforme, avant de la raccompagner vers la sortie.

— Si vous avez besoin de quoi que ce soit, n'hésitez pas à m'appeler, dit-elle en lui tendant sa carte.

— Je n'y manquerai pas, répondit Lilah en rangeant

le petit carton dans son portefeuille et en prenant la direction du parking.

En Californie, comme le lui avait expliqué André, les mois de juin étaient noyés de pluie ou baignés de soleil. Elle avait eu de la chance, elle était tombée sur le grand beau temps. Les rues étaient noires de monde et les embouteillages au rendez-vous. Et pour trouver l'océan, nul besoin de carte ou de demander son chemin, elle n'avait qu'à suivre les grappes d'adolescents en combinaison de surf.

Un spectacle enchanteur, mais qui n'avait rien de familier.

Elle sentit une boule se former au creux de son estomac : le mal du pays. Qu'allait-elle devenir une fois rentrée dans l'Utah sans Rosie ? Qu'allait-elle faire seule dans une maison où le silence ne serait plus jamais dérangé par les cris d'un bébé qu'elle considérait comme le sien ?

Autant de questions auxquelles elle allait devoir répondre. Mais plus tard…

Tandis que Lilah courait les magasins, Reed s'empressait de remplir ses engagements professionnels et personnels. Deux dossiers de divorce à envoyer au tribunal, une facture à régler à l'hôtel et des déménageurs à contacter. Sans oublier tout le temps nécessaire pour rassurer Carson Duke qui lui avait demandé de passer le voir dès qu'il aurait un moment.

— Vous avez parlé avec Tia ? lui demanda Reed.

Carson faisait les cent pas dans le salon. Pour la première fois, Reed remarqua que la suite de Carson était en tout point identique à la sienne. En un peu plus grande, certes, mais l'ameublement et la décoration étaient pratiquement les mêmes.

— Non, bredouilla Carson en passant une main dans ses cheveux. Je ne lui ai pas adressé la parole depuis que j'ai quitté le domicile conjugal pour m'installer ici.

— C'est la meilleure chose à faire.

D'expérience, il savait que même les séparations les plus amicales au départ pouvaient vite se transformer en guerre de tranchées. Et dans le cas de stars du show-business, leur affaire serait réglée en place publique, à grand renfort de photos volées.

Carson s'arrêta un moment et fourra les mains dans les poches de son jean.

— Je sais que c'est la bonne stratégie, mais des fois je me dis que l'on pourrait quand même parler et…

— Est-ce que parler vous a aidé en quoi que ce soit, ces derniers mois ?

Carson fronça les sourcils.

— Non, non, pas du tout, vous avez raison.

Reed but une gorgée de café. Le sommeil n'avait pas été son meilleur ami, ces derniers jours, un renfort de caféine n'était jamais de trop.

— Je sais que c'est difficile, mais mieux vaut ne pas parler à Tia tant que la cour n'a pas statué sur votre dossier, reprit-il. Avec votre contrat de mariage, votre divorce risque d'être parfaitement indolore.

— Parfaitement indolore, répéta Carson d'une voix blanche.

— Je veux dire avec le moins de complications possibles.

— Je suppose que vous avez raison, murmura Carson avec un sourire forcé. Et dire que je n'aurais jamais imaginé me retrouver dans cette situation…

— Peu de gens pensent au divorce lorsqu'ils se marient, je vous rassure.

— Même pas à Hollywood ? répliqua son client avec ironie. Je viens de la campagne, vous savez, et là-bas les gens choisissent de rester ensemble. Mes parents en sont d'ailleurs à leur quarantième année de mariage, et ils sont toujours heureux comme au premier jour.

Carson avait donc été élevé par un seul couple de parents,

toujours le même ? Reed ne fit aucun commentaire. Pour lui, c'était de la science-fiction.

Naturellement, compte tenu de sa profession, il ne croisait pas beaucoup de mariages durables. Et sur un plan personnel, c'était aussi la plus parfaite des chimères. Il ne put s'empêcher de sourire. Il avait tellement de grands-parents, officiels et officieux qu'il aurait été bien incapable de tous les nommer si on le lui avait demandé ! Il était aussi bien conscient que le clan Hudson ne représentait en rien la normalité et encore moins un idéal. Mais c'était ce qu'il avait connu…

— Alors, je dois attendre encore combien de temps avant d'être un homme libre ? demanda Carson.

— Vous avez été marié depuis moins de deux ans, vous n'avez pas eu d'enfants, cela devrait aller assez vite. Vous avez des propriétés en commun ?

— Oui, une maison à Malibu et un chalet dans le Montana.

— Une fois que Tia aura signé les papiers, on pourra procéder à l'inventaire, c'est-à-dire à la liste de tous vos biens communs, de vos comptes en banque et ainsi de suite.

D'un air grave, Carson passa une main sur son visage.

— Et ensuite ? demanda-t-il dans un souffle, comme s'il s'attendait à une catastrophe.

— Ensuite, les avocats préparent un contrat de dissolution de communauté que les deux époux doivent signer pour que leur divorce soit acté. Six mois plus tard, votre mariage sera officiellement rompu.

— Je devrai passer devant un juge ?

— Cela dépend. Le juge peut aussi nommer un médiateur.

— C'est parfait. Je vous jure que je n'aurais jamais imaginé que l'on en arriverait là, Tia et moi, mais c'est quelque chose que vous devez entendre tout le temps, n'est-ce pas ?

— Pas vraiment. En réalité, mes clients ne sont pas du genre à louer leur couple comme vous le faites.

Carson laissa échapper un petit rire sec.

— Oui, je suppose, fit-il remarquer en se tournant vers la fenêtre et l'océan. J'étais persuadé que nous serions différents. Qu'on allait y arriver. Tia adore mes parents, vous vous rendez compte ? Je ne sais pas comment on a pu en arriver là.

— Vous ne le saurez probablement jamais, et il est inutile de ruminer.

— Qu'est-ce qui serait utile, alors ?

— Dès que je le sais, je vous fais signe, d'accord ? répliqua Reed en souriant.

— Ça marche, et merci encore de m'avoir porté les papiers.

— Aucun problème. Moi aussi je vis ici, vous savez ?

— Oui, je le sais, mais ce n'est pas mon cas. Je quitte l'établissement cet après-midi.

— Vous tournez un nouveau film ?

— Non, mais j'ai des scènes à rejouer pour celui que je viens de terminer. Aujourd'hui, je suis un type normal, demain je serai un Viking. Parfois je me dis que c'est une façon assez bizarre de gagner sa vie.

— Il y en a de plus étranges, je vous rassure, lui fit remarquer Reed en reboutonnant sa veste.

Être avocat spécialisé en affaires familiales et passer sa vie à dissoudre des mariages, par exemple. À côté, jouer les Vikings ou autres pouvait même sembler assez banal à bien des égards.

— Si vous avez besoin de quoi que ce soit, vous savez où me trouver, conclut-il. Sinon, je vous appelle dès que j'ai du nouveau.

— D'accord.

— Et n'oubliez pas, ajouta Reed en ouvrant la porte de la suite. Vous gardez vos distances avec Tia !

— Oui, c'est entendu. Dommage que vous ne m'ayez pas donné ce conseil il y a quelques années.

Oui, Reed était bien placé pour savoir que ce conseil était effectivement le meilleur. Pour éviter un divorce, le mieux était encore de garder ses distances avec le mariage. Si sa famille n'avait pas réussi à le lui faire comprendre, son travail aurait fait le nécessaire. Et assister aux tourments de Carson Duke confirmait encore un peu plus l'évidence : en choisissant de rester célibataire, Reed avait fait le meilleur choix du monde.

Une heure plus tard, contemplant le travail que Lilah avait effectué dans la nouvelle maison, Reed devait se rendre à l'évidence : il ne s'était pas trompé en lui demandant de s'occuper de l'ameublement et de la décoration. Tout avait l'air si… évident, stable, installé. Comme si les objets étaient là depuis des années. Pas des jours, non, des années.

Encore un peu, et il allait sentir des racines pousser sous ses pieds. Ou même des chaînes. Raison pour laquelle il ne s'était encore jamais acheté de maison jusqu'à présent. Tout cela lui semblait si définitif ! Non, l'engagement n'était pas pour lui, que ce soit avec des femmes ou avec des lieux.

Sa règle de vie avait toujours été de laisser le champ des possibles ouvert au maximum. Même s'il n'avait pas l'habitude de faire son sac et de partir sur un coup de tête à l'autre bout de la planète, au moins il savait qu'il le pouvait. Mais aujourd'hui, tout avait changé. Il était devenu propriétaire — il le serait officiellement le lendemain.

Pour la première fois de sa vie, il allait avoir un port d'attache, une référence, un repère. Et l'idée rendait sa respiration de plus en plus difficile, comme si un nœud coulant se refermait lentement autour de son cou.

Ce qui n'avait rien de surprenant. Entre les pensionnats, les maisons de vacances, les changements d'adresse à chaque fois que ses parents se remariaient, il n'avait jamais connu de foyer à proprement parler. Et surtout pas de ceux dont sont faits les souvenirs d'enfance.

Aucun lieu n'était particulièrement cher à son cœur car nulle part il n'avait vécu quelque chose d'important, quelque chose à quoi se raccrocher. Et vivre à l'hôtel lui permettait de partir quand il le voulait, ou du moins de croire qu'il en avait la possibilité. Une époque désormais révolue.

Le brouhaha des déménageurs s'affairant à l'étage le sortit de ses pensées. Ils devaient installer la nursery où une surprise de taille attendait Lilah. Après toute l'énergie qu'elle avait déployée en si peu de temps, il lui devait bien ça. Sans compter qu'elle avait refusé l'argent qu'il lui avait proposé, alors qu'il savait qu'elle aurait très bien su l'employer.

Ces derniers jours, il avait mené sa petite enquête sur la femme qui allait provisoirement partager sa vie. Dans l'Utah, sa boutique, Le bouquet de Lilah, générait un chiffre d'affaires confortable et régulier, notamment grâce à un site Internet tournant à plein régime — et il devait bien l'admettre : qu'autant de gens se ruent sur des bougies et des savons parfumés avait de quoi surprendre !

Il savait aussi que Lilah avait acheté sa maison à crédit, que sa voiture dépasserait bientôt les dix ans et qu'elle était très appréciée dans sa communauté. Elle n'avait pas d'autre famille que ses parents et, quelques années après la mort de son père, sa mère s'était remariée avec un millionnaire. La raison pour laquelle elle avait refusé son argent ?

Qu'importe ! Lilah n'était pas restée parce qu'il le lui avait demandé, mais parce qu'elle voulait s'occuper de Rosie. S'assurer que la transition se passe au mieux. Comment pouvait-il lui en vouloir ? Le seul problème, c'était qu'il lui devait désormais quelque chose, et il détestait devoir quoi que ce soit à quelqu'un. Que ce quelqu'un soit d'aussi séduisant qu'une Lilah Strong n'y changeait rien.

— Vous avez eu la meilleure idée du monde. Elle est merveilleuse !

Un large sourire éclairait le visage de Lilah, confirmant la joie intense que Reed lut dans ses yeux. La surprise qu'il avait préparée pour elle faisait visiblement son petit effet. Oui, il avait eu une idée de génie de sortir de sa préretraite l'ancienne gouvernante de sa mère.

Connie Thomas venait d'entrer dans la soixantaine, adorait les enfants et possédait les talents d'organisation d'un général quatre étoiles. Pendant près de vingt-cinq ans, elle avait été l'un des rares points fixes de l'existence de Reed.

Elle était restée au service de sa mère malgré les remariages et les déménagements. Et elle avait été la seule oreille bienveillante qui avait su écouter les malheurs plus ou moins gros de tous les rejetons Hudson et compagnie. Elle avait néanmoins quitté le clan lorsque sa mère avait décidé que son plus jeune fils, âgé alors de sept ans, n'allait pas quitter son pensionnat pendant les vacances d'été.

Sa mère n'était effectivement pas la femme la plus maternelle de l'univers, mais même en sachant cela, Reed ne pouvait s'empêcher de ressentir une pointe de culpabilité lui agacer le plexus. Elle aimait ses enfants, c'était une certitude, mais d'une manière abstraite, qui ne nécessitait pas forcément la présence desdits enfants. D'ailleurs, Selena Taylor-Hudson-Simmons-Foster-Hambleton n'avait jamais compris comment Connie Thomas pouvait se montrer si patiente avec la chair de sa chair.

— Rosie l'adore déjà, ajouta Lilah. Et moi aussi.

Reed hocha la tête.

— Parfait. Je pensais bien que vous alliez l'aimer.

— Je ne vois pas comment l'inverse aurait pu être possible ! s'exclama Lilah. Au fait, elle apprécie beaucoup que vous ayez placé sa chambre à égale distance de la cuisine et de la nursery, elle tenait à ce que je vous le dise. Elle m'a aussi dit que vous aviez tout arrangé pour qu'elle puisse s'installer dès ce soir.

— Oui, il n'y avait aucun intérêt à attendre.

Elle éclata de rire.

— Évidemment ! Vous n'êtes pas du genre à attendre, c'est quelque chose que je commence à comprendre. J'ai laissé Rosie avec Connie qui supervise les déménageurs dans leur agencement de la nursery.

Ce qui n'étonna pas Reed. Connie n'était pas non plus du genre à attendre les bras croisés que les choses se fassent. Elle adorait contrôler le cours des événements.

— Je pense que les déménageurs deviendront fous avant la fin de la journée, fit-il remarquer, moqueur. Mais c'est pour la bonne cause.

— À vous entendre, ce n'est pas une gouvernante que vous avez employée, mais un sergent instructeur.

Reed éclata de rire.

— C'est vrai que parfois, elle s'en approche ! Sous son commandement, il fallait que les bains soient pris, les devoirs faits et les dents lavées à l'heure dite. Mais elle avait aussi toujours sa boîte de cookies magiques à disposition.

— Magiques ?

— À l'époque, ils m'avaient l'air magiques. Je crois que je n'ai jamais mangé quelque chose d'aussi bon.

Et dire qu'il pensait ne pas avoir de vrais souvenirs

d'enfance… La mémoire pouvait décidément se montrer capricieuse.

Maintenant, tout son esprit se peuplait d'images de Connie en train de faire la cuisine, de jouer à des jeux de société avec les plus jeunes de la famille, de leur apprendre comment faire leur lit, de leur rappeler que le personnel de maison travaillait pour leurs parents et pas pour eux.

Tous les enfants du clan savaient qu'ils pouvaient se rendre dans la cuisine pour trouver du réconfort auprès de Connie, quel que soit leur chagrin ou leur préoccupation. Et dans un climat d'honnêteté et de sincérité. Plus d'une fois, Reed avait su profiter des conseils avisés de la gouvernante.

— Oui, ajouta-t-il en souriant. Ils étaient magiques, je vous l'assure.

Lilah le regardait, la tête légèrement penchée sur le côté.

— Je suis impatiente de les goûter. Mais je crois deviner que ces gâteaux appellent d'autres souvenirs, n'est-ce pas ?

Reed fronça les sourcils. Que Lilah réussisse à lire ses pensées aussi facilement ne lui plaisait pas du tout.

Il se raidit.

— Connie est une belle personne, voilà tout, conclut-il.

— D'accord.

— Bon, écoutez, ce n'est pas la peine de chercher midi à 14 heures, Connie est juste la solution la plus logique à notre problème.

Lilah haussa les épaules et soupira.

— Nous y revoilà ! Rosie n'est pas un problème, c'est un bébé.

— S'occuper d'un bébé est un problème qu'il convient de régler, oui, je le maintiens, rétorqua-t-il.

— Et maintenant que Connie est dans les parages, vous pouvez donc vous délester de ce problème, c'est ça ?

En un clin d'œil, voilà qu'il était passé du héros qui avait eu l'idée du siècle au sale type qui voulait se débarrasser d'un fardeau. Les sous-entendus de Lilah commençaient réellement à jouer avec ses nerfs.

— Bon, si vous avez quelque chose à dire, autant me le dire, vous ne pensez pas ? lança-t-il sèchement.

Lilah plissa les yeux et l'observa un instant en silence.

— Je ne sais pas par où commencer, je vous l'avoue.

— Par ce qui vous vient spontanément à l'esprit, on fera le tri plus tard.

À ces mots, il croisa ses bras sur sa poitrine et se posta au centre de son nouveau salon.

Lilah prit une profonde inspiration.

— Bon, très bien, alors je commence. Cela fait une semaine que Rosie est arrivée dans votre vie, et vous n'avez quasiment pas passé une seconde avec elle.

Il leva les yeux au ciel.

— Je ne sais pas si vous avez remarqué, mais j'ai énormément de travail.

— Oh ! Ce n'est pas très difficile à remarquer, non, je vous rassure. Mais ce qui m'inquiète, c'est que les rares moments où nous avons été ensemble dans votre suite, vous avez maintenu une réelle distance entre vous et Rosie.

Elle ne mâchait pas ses mots.

— Quelle distance ? demanda-t-il, sentant qu'il s'engageait sur un terrain glissant. Je suis son oncle, elle est la fille de ma sœur. Je viens tout juste de lui acheter une maison. Vous ne croyez pas que je l'intègre dans ma vie ?

— Pourquoi devrait-elle être intégrée ?

— Je ne sais pas, peut-être parce qu'elle n'en a jamais fait partie ?

— Oui, mais vous ne pouvez pas la faire entrer dans votre vie avec un pied-de-biche, c'est ce que je voulais dire. Vous devez construire une nouvelle vie avec et pour elle. C'est super d'acheter une maison, mais si c'est tout ce que vous êtes prêt à faire pour elle, ce n'est pas suffisant.

Pas suffisant ? Depuis que cette femme et ce bébé étaient

entrés dans sa vie, une semaine plus tôt, tout y avait été bouleversé. Et ce n'était pas suffisant pour Lilah Strong ?

Il la gratifia d'un regard qu'il réservait aux témoins hostiles ou aux clients qui essayaient de lui mentir.

— Elle a huit mois, que lui faut-il de plus ? Une voiture ? Un bateau ?

— Non, répondit Lilah d'une voix douce. Un foyer.

— Et qu'est-ce que cela veut dire ?

Un début de migraine commençait à lui vriller les tempes. Sans doute à cause de son intention de ne pas hausser le ton. Il savait que Connie et les déménageurs étaient à l'étage, et il n'avait pas du tout envie qu'ils entendent sa dispute avec Lilah.

— Je veux dire qu'une maison n'est pas forcément un foyer, précisa-t-elle.

— Vous êtes amusante ! Vous perdez votre temps à faire des savons et des bougies, vous devriez rédiger des poèmes et en faire des cartes de vœux.

— Cela n'a rien d'amusant, répliqua-t-elle d'une voix blanche.

— Là-dessus, nous sommes d'accord.

Elle s'avança vers lui. Ses yeux semblaient lancer des éclairs.

— Votre vie n'a pas été la seule à être chamboulée, monsieur Hudson. Rosie a perdu sa mère, j'ai perdu ma meilleure amie, je suis à des centaines de kilomètres de chez moi et je cherche simplement le bonheur de cette petite fille que la vie a déjà suffisamment malmenée, c'est si difficile à comprendre ?

— Non, je le comprends parfaitement. Mais si…

— Je n'ai pas fini. Vous évitez Rosie depuis une semaine.

— Je ne l'évite pas.

— Vous l'ignorez, alors. Cela revient au même. Une maison n'est pas suffisante et, si Connie est magique, elle n'est pas suffisante non plus.

Les rayons du soleil faisaient ressortir l'or et le cuivre dans les cheveux de Lilah. Aujourd'hui, elle sentait la fleur d'oranger, une fragrance obsédant ses narines et brouillant son esprit.

Il n'y avait pas d'autre explication au fait qu'il reste planté là et tolère le genre de leçon qu'il n'avait pas reçue depuis ses dix-huit ans, lorsqu'il avait eu le malheur de décevoir son père.

— Elle a besoin d'amour, poursuivit Lilah. D'affection, de sentir qu'elle fait partie de votre famille, qu'elle a sa place avec vous.

— Elle aura tout ce dont elle a besoin.

— Vous en êtes sûr ? Qu'est-ce qui vous permet de l'affirmer alors que vous l'avez à peine regardée depuis le premier jour ?

— Bon, je ne crois pas avoir besoin de vous pour me dire comment m'occuper d'un enfant.

Là, il poussait peut-être le bouchon un peu loin…

Lilah prit une longue et profonde inspiration.

Visiblement, elle était aussi dans un état de tension extrême. Comme lui. Les traits de son visage ne laissaient que peu de place au doute, comme si elle était en train de se dire « Calme-toi, lui hurler dessus ne changera rien ». Elle avait raison, d'ailleurs : cela ne pouvait même qu'aggraver les choses.

— Tout ce que je suis en train de vous dire, articula-t-elle lentement et posément, c'est que je resterai jusqu'à ce que je puisse être sûre que Rosie est en sécurité, aimée et heureuse. Ce qui n'arrivera jamais si vous ne commencez pas à interagir un peu avec elle.

— C'est un bébé, elle est heureuse quand elle a à manger et le derrière sec.

— Elle a besoin de davantage, voyons ! D'une vraie famille !

— Vous vous répétez, et moi je vous répète qu'elle ne manquera de rien.

— Grâce à qui, Connie ?

— Oui, grâce à Connie. J'ai fait appel à la seule femme que je connaissais pour être parfaite avec un bébé, c'est mal ? Je croyais que j'avais eu la meilleure idée du monde ?

— Pas si Connie est une béquille et vous dédouane de vos responsabilités envers Rosie.

— Mais qui vous a dit que je voulais me dédouaner de quoi que ce soit ?

— Vous n'avez rien dit, vous avez agi, et les actions en disent souvent bien plus long que des mots. Vous avez ignoré votre nièce !

Reed n'en pouvait plus. Il fallait qu'il expose la vraie raison de ses agissements. Lilah l'ignorait-elle ? N'avait-elle pas senti la tension sensuelle qui s'était développée entre eux quasiment depuis qu'elle était entrée dans son bureau ?

— Je n'ai pas ignoré Rosie, répliqua-t-il d'une voix sourde. C'est vous que j'évitais.

Lilah écarquilla les yeux.

— Mais pourquoi ?

Les actions en disent bien plus long que des mots ? Alors agissons.

— Parce que…

Il la serra contre lui et l'embrassa comme il en rêvait depuis des jours.

Lilah ne s'attendait vraiment pas à ça.

Reed s'était avancé vers elle si vite, l'avait serré si fort… Et ce baiser…

Reed l'avait embrassée comme on dévore, quelque chose qu'elle n'avait encore jamais connu. Pendant un quart de seconde, elle avait été incapable de parler, de réagir, voire de respirer. Et le quart de seconde suivant, c'était elle qui l'embrassait avec une ardeur qui la surprit.

Son corps avait été réanimé, comme électrisé. Ses bras s'étaient enroulés autour de son cou, elle avait pressé ses seins contre son torse, entrouvert ses lèvres, laissé leurs langues se rencontrer et entamer un affolant ballet.

Au creux de son ventre, le désir pulsait de plus en plus fort. Elle en voulait encore, elle en voulait davantage.

Les mains de Reed, larges et puissantes, couraient sur son corps avec insistance, comme s'il essayait d'en retenir les contours, d'en apprivoiser les courbes. Lorsqu'il la fit tomber sur le canapé, elle l'enserra de ses jambes. Le souffle court, elle perçut le rythme affolé de son cœur, en accord parfait avec le sien. Tremblante de la tête aux pieds, elle aurait pu rester là pour toujours…

Sauf que des bruits de pas et le brouhaha d'une conversation se faisaient de plus en plus proches. Connie et Rosie ! Les déménageurs ! Elle n'était pas seule dans cette maison !

Elle repoussa Reed et se releva, essayant de reprendre son souffle et ses esprits.

Elle savait à quoi elle devait ressembler : les yeux brillants, les joues rougies, les cheveux décoiffés par les doigts de Reed, la bouche gonflée par un baiser à nul autre pareil. Il fallait que son cœur reprenne un rythme à peu près normal, qu'elle reprenne les rênes de son existence. Pas facile quand vous aviez l'impression que toutes les cellules de votre corps s'étaient réveillées d'un très, très long sommeil…

Elle n'avait pas connu les bras d'un homme depuis… trop longtemps pour qu'elle puisse s'en souvenir. C'était sans doute l'explication de sa réaction pour le moins exaltée. S'occuper d'une entreprise ne laissait pas beaucoup de temps pour les sorties et la recherche de l'amour. Une excuse dont elle était devenue la spécialiste. La vérité, c'était qu'elle n'avait jamais rencontré d'homme assez intéressant pour qu'elle ait envie de lui donner sa chance.

Reed était-il cet homme-là ? Au fond d'elle, elle savait pertinemment que leur histoire était vouée à l'échec. Mais après leur baiser, elle devait admettre… qu'il ressentait forcément quelque chose pour elle. Il n'avait pas pu le cacher sous l'étoffe de son pantalon.

Et alors ? Il était riche et vivait en Californie. Elle avait souvent du mal à joindre les deux bouts, et sa vie était dans les montagnes de l'Utah. Ils venaient de deux mondes complètement différents. Un baiser, même aussi passionné que celui qu'ils venaient d'échanger, n'était pas suffisant pour combler un tel fossé.

— C'est terminé.

La voix grave d'un homme annonça l'arrivée des déménageurs.

Lilah jeta un regard rapide vers Reed. Ses yeux reflétaient un désir si intense qu'elle se promit de ne plus jamais les croiser. Au moins, pas avant que le feu qui s'était allumé au fond d'elle ne soit complètement éteint. Ce qui allait probablement lui demander… entre deux et trois semaines.

Mais dans quoi s'était-elle embarquée ? Comme si les choses n'étaient pas suffisamment compliquées comme cela !

Le mieux était encore que Reed continue à l'ignorer. Mais ils allaient devoir discuter de ce qui venait de se passer et se mettre d'accord pour ne plus jamais recommencer.

Une pointe de tristesse lui chatouilla la poitrine. Ne plus jamais recommencer, vraiment ? Oui. Quel autre choix avait-elle ? Il fallait qu'elle pense avant tout à Rosie. La fillette devait être la première des priorités pour Reed comme pour elle.

Sans plus tarder, elle attrapa au vol l'excuse que les déménageurs lui tendaient sans le savoir.

— Très bien, dit-elle en se dirigeant vers l'escalier montant à l'étage. Je vais y jeter un petit coup d'œil.

Elle croisa Connie qui sortait de la nursery, Rosie dans les bras. Voyant Lilah, la petite fille tendit ses petites mains potelées vers elle, ce qui la remplit de joie. Sentir le poids et la chaleur de cet enfant contre elle était l'antidote parfait au brasier qui couvait sous sa peau. Si elle était là, c'était à cause de Rosie. L'enfant de sa meilleure amie qu'elle aimait comme le sien était la raison de sa présence. La seule et l'unique.

Prétextant le besoin de vérifier si les déménageurs n'avaient rien oublié, elle prit de longues minutes pour se calmer avant de redescendre.

Dans le salon, elle vit que les déménageurs étaient repartis. Reed discutait avec Connie.

— Tout va bien ? demanda la gouvernante lorsqu'elle entra dans la pièce.

— Oui. Rien à signaler, bredouilla-t-elle. Les déménageurs ont fait du super boulot.

— Oui, oui, aucun souci, confirma Reed.

Connie éclata de rire.

— Vous êtes de très mauvais menteurs, tous les deux, dit-elle en s'approchant de Lilah pour lui reprendre Rosie. Je vais dans la cuisine préparer le dîner de ce petit ange, profitez-en pour discuter de ce qui ne vient pas d'arriver.

Connie disparut, et Lilah sentit le rouge lui monter aux joues.

— Qu'est-ce qui se passe ? demanda Reed.

Lilah se raidit.

— C'est une plaisanterie ? s'exclama-t-elle. Tu me demandes vraiment ce qui se passe ? Tu m'embrasses comme un mort de faim, et ta gouvernante n'a besoin que d'un regard pour le comprendre ? Tu ne crois pas qu'il y a un problème ?

Le désir dans les yeux de Reed s'était éteint, il était revenu à son agaçante impassibilité.

— Oh ! Ce n'était qu'un baiser, dit-il en haussant les épaules.

— Certes, et Godiva n'est que du chocolat.

Elle se passa une main sur le visage et ferma un court instant les yeux. Lorsqu'elle les rouvrit, elle les posa sur les lèvres de Reed. Il était plus que temps qu'ils aient une conversation.

— Pourquoi ? demanda-t-elle.

Reed soupira.

— Et pourquoi pas ?

Quelle nonchalance... L'homme avait encore des efforts à faire, s'il voulait qu'elle se sente unique. C'est alors qu'une idée germa dans son esprit.

— Tu ne m'as quand même pas embrassée pour me faire taire ?

Reed fronça les sourcils.

— Quoi ?

— Oui, précisa-t-elle. Nous étions en train de nous disputer, et tu étais sur le point de perdre.

Il éclata de rire.

— Chérie, je suis avocat, je te rappelle, c'est mon métier de me disputer, et je n'étais pas en train de perdre.

Sa morgue masquait difficilement son malaise. Elle sourit.

— Oh ! Je t'en prie, pas de ça avec moi, rétorqua-t-elle.

Connie avait raison : Reed était un piètre menteur. Exactement comme elle, mais ce n'était pas le sujet.

— Nous savons tous les deux que j'avais raison, poursuivit-elle. Tu m'évitais et tu ignorais Rosie. J'ai vu clair dans ton jeu, et tu n'as pas apprécié, alors pour me faire taire, tu m'as embrassée.

Il s'avança d'un pas vers elle. Elle recula d'un pas.

Elle n'avait pas peur de lui. C'est juste qu'elle ne voulait pas être trop proche de lui en cet instant. Mais en reculant, elle lui donnait l'impression qu'elle n'avait pas confiance en lui. Ce qui n'était pas du tout le cas.

— Je n'ai pas à embrasser une femme pour gagner une discussion, je te rassure. Je me fais beaucoup d'argent en remportant des débats, tu sais.

Elle vit son regard parcourir son corps comme ses mains l'avaient fait quelques minutes auparavant. Elle frissonna.

— Tu veux que je te dise la vérité ? ajouta-t-il. Je t'ai embrassée parce que j'en avais envie, et comme je te l'ai déjà dit, lorsque je veux quelque chose, je fais en sorte de l'obtenir.

Ce qui était à la fois flatteur… et très insultant.

— Reed, je ne suis pas un trophée que l'on gagne à une compétition et que l'on pose ensuite sur une étagère. Et si je n'ai pas envie que tu m'embrasses une nouvelle fois, crois-moi, tu n'y arriveras jamais.

— Je n'ai pas trop peur de tes menaces, car je sais que tu en as furieusement envie.

La tonalité de sa voix, devenue chaude et rugueuse, se répercuta au plus profond d'elle… Elle prit une profonde inspiration.

Que devait-elle faire ? Mentir ? Cela ne servait absolument à rien, car Reed savait quelle avait été sa réaction dès que sa bouche avait effleuré la sienne. Il n'avait qu'à la regarder dans les yeux pour comprendre ce qu'elle ressentait. Elle fit donc le choix de la sincérité.

— Oui, j'ai peut-être envie de t'embrasser et alors ?

Il s'avança de nouveau, et elle s'éloigna tout autant. Il ne fallait pas qu'il la touche. Pas maintenant, pas ici. Car elle ne pensait qu'à une seule chose depuis leur étreinte : si elle ne savait plus où elle était après un baiser, qu'allait-elle devenir après le sexe ?

— Contrairement à toi, ajouta-t-elle, quand je veux quelque chose, je ne me précipite pas forcément dessus.

Il sourit, et elle crut fondre, mais il fallait qu'elle se contienne.

— C'est vrai ? lança-t-il, moqueur.

Elle bloqua ses épaules, releva le menton et se répéta qu'il s'agissait de la meilleure chose à faire.

— Oui, absolument, assura-t-elle. Nous ne voulons pas toujours ce qui est bon pour nous.

Reed éclata de rire.

— Tu es philosophe, fit-il remarquer.

— Oui, cela m'arrive.

— Bon, d'accord. Alors revenons à notre discussion. Comme je te l'ai dit, mon père ne veut pas du bébé et la mère de Spring non plus, car elle lui rappellerait trop sa fille, sans compter qu'elle n'a pas envie de devenir grand-mère. Alors je garde cet enfant et je vais l'élever.

— Et l'aimer ?

Elle se devait de le lui demander. Elle devait lui faire comprendre que de l'argent et une maison n'étaient pas suffisants pour rendre les gens heureux. Que Rosie méritait une vie pleine et entière.

Il plissa les yeux.

— Mais qu'est-ce vous avez tous à être obsédés par l'amour ?

— Obsédés ? Vous ? répéta-t-elle. De quoi parles-tu ?

— J'ai vu bien trop de gens anéantis par l'amour. Par un amour qui s'était enfui, par un amour qui leur avait été refusé. L'amour est la source de toutes les souffrances dans le monde.

— C'est bien triste de le penser.

— C'est ce que m'a appris la vie.

À ces mots, il s'avança vers la fenêtre donnant sur la terrasse et le jardin.

Il resta silencieux un long moment, assez pour que Lilah décide de le suivre.

N'avait-elle pas entrevu une fissure dans le mur qu'il

avait construit autour de lui ? Il fallait qu'elle en ait le cœur net et, le cas échéant, qu'elle continue de creuser.

— Pourquoi, Reed ? De quel droit penses-tu que l'amour n'est que souffrance ?

Il la dévisagea. Son regard avait recouvré sa froideur.

— Parce je suis bien placé pour le savoir, rétorqua-t-il. Toute ma vie, j'ai vu mes parents partir à la chasse au véritable amour, pour en revenir de plus en plus désabusés, aigris et malheureux. Ils ont changé de mari et de femme plus souvent que d'autres changent de voiture et n'ont jamais trouvé ce qu'ils cherchaient.

Les yeux dans le vague, il reprit sa respiration, puis poursuivit :

— Avec mes frères et sœurs, nous avons dû gérer les conséquences chaotiques de cette quête. Alors non, je ne peux pas te promettre l'amour et je n'ai pas non plus besoin que tu valides ma façon d'élever ma nièce.

— Je sais, murmura-t-elle.

Deux mots qui la remplirent d'amertume.

— Mais je ne parle pas seulement de toi, Reed. Je te parle de Rosie et de ce qui est le mieux pour elle.

— Oui, et c'est justement pour cela que tu n'es pas encore partie.

À ces mots, il desserra sa cravate et alla s'asseoir sur le canapé.

— Je crois que tu commences à comprendre à quoi ma vie avec Rosie va ressembler, dit-il en levant les yeux vers elle. Et j'ai un scoop pour toi. L'enfance parfaite n'existe pas. J'ai un boulot qui me prend beaucoup de temps et d'énergie, je ne sais pas s'il me restera grand-chose pour construire un nid.

Lilah désigna le salon de la main.

— Pour cela, tu n'as pas à t'en faire, je m'en suis occupée. Mais tu vas devoir changer certaines choses pour Rosie.

Il laissa échapper un petit rire.

— Je crois que beaucoup de choses ont déjà changé, tu ne penses pas ?

— Oui, mais…

— Et Connie est là, maintenant. Tu peux me faire confiance quand je te dis que personne n'est aussi doué qu'elle avec les enfants.

Elle n'avait encore passé que peu de temps avec la gouvernante, mais elle savait qu'il disait vrai.

— Je te crois. Reste que si Rosie passe beaucoup de temps avec Connie, elle aura aussi besoin de toi. Un enfant ne peut s'épanouir sans figure paternelle.

Elle le vit serrer les dents. À l'évidence, il n'avait pas pu compter sur beaucoup de figures paternelles, dans sa vie.

— Tu sais, dit-il d'une voix blanche, je n'aime vraiment pas que l'on me donne des ordres.

— Ce n'était pas un ordre, c'était…

— Si, c'en était un !

Cherchait-il à l'intimider ? Si c'était le cas, il ne savait vraiment pas à qui il avait affaire.

En silence, elle soutint son regard durant un long moment, jusqu'à ce qu'il demande :

— Pourquoi as-tu une odeur différente chaque jour ?

Elle ouvrit de grands yeux, cherchant à comprendre ce brusque changement de conversation.

— Quoi, mon odeur ?

— Oui, ton odeur. Elle est tout le temps différente. Aujourd'hui c'est la fleur d'oranger, hier c'était des pommes au caramel.

Essayait-il de la déstabiliser ? De lui faire perdre ses moyens pour qu'il l'embrasse à nouveau, alors qu'elle venait d'affirmer que cela ne se reproduirait plus jamais ?

Il poussa un long soupir.

— En fait, ça me rend fou, voilà, avoua-t-il. Chaque jour, ton sillage est différent, et la première chose à laquelle je pense au réveil, c'est à cela. À quoi ton odeur ressemblera aujourd'hui ? Et ensuite, tout ce dont j'ai envie, c'est de te goûter pour voir si ta saveur est la même ou pas.

Ses jambes ne la tenant plus, elle fut bien obligée de s'asseoir.

— Ce sont mes savons, murmura-t-elle.

— Oui, c'est ce que je me suis dit. Ce qui fait que je t'imagine sous la douche, nue, à t'enduire le corps de ces divines senteurs…

— Bon, Reed, bredouilla-t-elle. Je crois que cela va trop loin, trop vite, et… Et nous devrions arrêter.

Il se pencha vers elle.

— Je suis d'accord, ma chérie. Nous devrions arrêter, mais je crois que nous allons continuer.

- 6 -

Ce n'est pas une bonne idée, non, arrête, garde tes distances. Mais face aux sensations délicieuses qui avaient pris possession de son corps, la petite voix dans la tête de Lilah, la petite voix de la raison, ne faisait pas le poids. Trop de désir pour que la logique gagne la bataille.

C'était ridicule, et elle le savait.

Sauf qu'elle était incapable de stopper la course folle de ses sens. Son cœur tambourinait dans sa poitrine, son souffle se faisait de plus en plus court et sa peau lui donnait l'impression d'être en feu. Reed avait bien trop d'ascendant sur elle. Il suffisait qu'il la touche pour qu'elle sente la terre se dérober sous ses pieds.

— Cela ne résoudra rien, chuchota-t-elle.

— Oui, je le sais.

À ces mots, il reprit sa bouche dans un baiser encore plus puissant que le premier. Comme s'il était désespéré, presque rageur. Elle perdit pied et fut incapable d'arrêter les envies folles qui se succédaient dans son esprit… et dans son ventre. Le moindre argument rationnel qu'elle aurait pu trouver pour résister semblait s'envoler aussi vite qu'il était apparu, comme soufflé par le vent de la passion soudaine qui venait de fondre sur elle.

Les mains de Reed couraient sur son corps avec une intelligence rare… Autant essayer d'éteindre un incendie avec de l'essence ! Du haut au bas de son dos, sur ses seins, ses cuisses, ses doigts semblaient omniprésents.

La chaleur de son souffle caressait sa bouche, son cou, sa nuque. Elle sentit sa langue courir vers ses épaules, sa poitrine. Son cerveau sonnait l'alerte rouge, elle n'en avait que faire.

Puis, comme un cruel rappel à la réalité, les cris de Rosie brisèrent leur moment de passion.

— Mais qu'est-ce qui se passe ? s'exclama Reed, visiblement horrifié. On dirait que quelqu'un la torture !

Lilah crut s'étouffer de rire.

— Mais non, répondit-elle, encore tremblante. Elle est juste grognon, on a passé l'heure de sa sieste.

— Juste grognon ? C'est impressionnant. Quel coffre !

À lui seul, le regard ébahi de Reed était un ressort comique. Le pauvre ne connaissait manifestement rien aux bébés. Le moment n'aurait pas pu mieux tomber pour parfaire son éducation.

— Je reviens tout de suite, dit-elle en se levant, sans bien savoir si elle allait pouvoir mettre un pied devant l'autre.

Contre toute attente, ses jambes réussirent à la porter jusqu'à la cuisine. Avant d'entrer, elle prit une profonde inspiration afin de calmer les battements de son cœur et passa une main dans ses cheveux pour les remettre à peu près en place. Près de l'évier, elle trouva Rosie dans les bras de Connie.

— La pauvre chérie, elle est épuisée, lui fit remarquer la gouvernante en tapotant doucement le dos de la fillette.

— Oui, on a dépassé l'heure de sa sieste. Ses affaires sont encore à l'hôtel, je vais la coucher là-bas.

— Excellente idée et, pendant ce temps, je m'occupe des courses pour que vous n'ayez rien à faire demain matin.

Lilah prit Rosie des bras de Connie, et berça doucement la fillette en lui caressant la tête.

— Connie, je suis vraiment heureuse que vous soyez entrée dans la vie de Rosie, vous savez.

La gouvernante la gratifia d'un large et bienveillant sourire.

— Moi aussi, je ne me sens pas encore assez vieille pour la retraite, alors tant que je peux rendre service. Et pour tout vous dire, je m'ennuyais à mourir avant de recevoir l'appel de Reed.

Joignant le geste à la parole, elle commença à s'affairer en chantonnant, et ne sembla pas remarquer que Lilah quittait la pièce.

Dans le couloir menant au salon dans lequel elle avait laissé Reed, Lilah, la fillette serrée contre sa poitrine, fut soudain prise d'une bouffée de mélancolie.

Comment allait-elle faire pour rentrer chez elle et laisser Rosie aux bons soins de Reed ?

Elle sentit les larmes lui monter aux yeux.

— Tout va bien, ma chérie, murmura-t-elle à l'oreille de Rosie. Tout va bien.

Qui essayait-elle de convaincre ? Rosie ou elle-même ? La maison dans laquelle la petite fille allait grandir était chaleureuse. Grâce à Reed, son enfance se ferait à l'abri du besoin. Les graines de son bonheur étaient semées, alors pourquoi Lilah se sentait-elle aussi oppressée ? Parce qu'elle n'allait pas pouvoir surveiller leur croissance ? Parce qu'elle allait devoir quitter la vie d'un être qu'elle aimait plus que tout ?

Elle cligna les yeux pour refouler des sanglots qui n'auraient été de toute manière d'aucun secours. Les sombres pensées devaient quitter son esprit au plus vite. Une mission d'importance se présentait à elle, qu'elle ne devait ni bâcler ni rater.

Lorsqu'elle entra dans le salon, Reed se retourna. Il semblait soucieux et jeta aussitôt un regard à Rosie.

Parfait ! Il n'était donc pas totalement indifférent au sort de sa nièce, il fallait juste qu'il apprenne à baisser sa garde, à ouvrir quelques portes dans le mur de glace qu'il avait construit autour de lui.

Certes, il lui avait confié que grandir dans une famille pour le moins versatile comme la sienne avait joué sur ses capacités affectives, mais le temps n'était-il pas venu de laisser le passé derrière lui ?

— Elle est malade ? demanda-t-il.

— Non, tout va bien, elle est juste épuisée. Il faut qu'elle dorme.

— Alors nous devons partir, dit-il en attrapant sa veste. Donne-moi les clés de ta voiture, je vais la garer devant. Tu n'auras plus qu'à installer Rosie dans son siège, et on file à l'hôtel.

À ces mots, elle s'avança vers lui et lui mit Rosie dans les bras. Il n'eut pas d'autre choix que d'accepter l'offrande.

— On va plutôt faire l'inverse, décréta-t-elle. Je vais chercher la voiture, et tu installes Rosie.

Reed avait le regard de l'homme qui se sent piégé et le sait parfaitement. Basculant la petite fille sur son épaule d'un geste gauche, il la fixa d'un œil mauvais.

— Je ne crois pas que…

— Que quoi ? Regarde, c'est magique, à peine tu la prends, elle arrête de pleurer !

La scène avait eu effectivement quelque chose de surréaliste, comme si Rosie avait attendu d'être dans les bras de son oncle et père adoptif pour se calmer.

— J'en ai pour une minute, ajouta-t-elle avant de s'éloigner.

Juste avant de quitter le salon, elle se retourna. Dans la lumière du soir, Reed et Rosie se dévisageaient. Comme s'ils se rencontraient pour la première fois. Comme si l'un et l'autre découvraient un nouveau monde. Le dégel avait commencé.

*
* *

L'installation dans la nouvelle maison se déroula sans la moindre anicroche.

Entre les documents de l'agence immobilière et les dossiers de ses futurs divorcés, Reed passait le gros de ses journées noyé sous la paperasse. Et pendant tout ce temps, il était obnubilé par la femme qui vivait sous son toit. Il se rendait au tribunal, recevait des médiateurs, ses clients, mais il y avait toujours un coin de son esprit embouteillé par Lilah Strong. Et, plus précisément, par ce qu'elle était en train de lui faire.

Les souvenirs de baisers qui n'auraient jamais dû exister ne cessaient d'éclore dans sa mémoire, comme des bulles de champagne. Une véritable torture, de jour comme de nuit. Il n'arrivait plus à dormir, ni à se concentrer sur son travail.

Sa vie avait été bouleversée, chamboulée, révolutionnée, et il détestait cette sensation d'avoir perdu son équilibre et ses repères. Il n'y avait qu'une seule façon pour que les choses rentrent dans l'ordre : que Lilah rentre chez elle. Or elle avait accepté de repartir chez elle une fois certaine que Rosie connaîtrait une enfance épanouie. En d'autres termes, quand elle serait sûre qu'il offrirait amour et dévouement total à la petite fille.

C'était donc à cette tâche qu'il devait s'atteler. Il fallait qu'il apprenne à connaître Rosie, même si cela lui demandait de se pencher sur une baignoire pour lui donner le bain.

— À nous deux, dit-il au bébé en lui arrosant doucement le dos d'eau tiède et savonneuse. Tu vas devoir m'aider, car j'en connais une qui ne va pas me louper si tu ne sors pas d'ici propre comme un sou neuf.

Rosie l'éclaboussa en agitant ses petites jambes potelées dans l'eau. À la voir éclater de rire, il se dit que son visage subitement trempé devait être du plus haut comique.

Il passa la main sur son front pour s'essuyer tandis que deux minuscules billes vertes le fixaient.

Une sensation nouvelle naquit au creux de sa poitrine. Jusqu'à présent, cette toute petite fille était une sorte de fantôme pour lui. Il savait qu'elle existait, bien évidemment, mais de loin, de manière abstraite. Et il avait délibérément minimisé les contacts avec elle parce qu'il ne voulait justement pas s'attacher. Pour ne pas ouvrir la porte à la peur, à la tristesse et à la souffrance, entre autres sombres possibilités.

À mesure que son cœur se serrait, il comprit. Voilà, il était ferré. Quelques minutes seul en compagnie d'un humain miniature qui le regardait comme s'il était tombé du ciel avaient suffi pour l'orienter sur un chemin qu'il avait consciencieusement évité toute sa vie durant.

Rosie était minuscule, oui, mais sa personnalité était déjà bien dessinée. Son sourire vous ravageait le cœur. Ses colères vous tenaillaient les nerfs. À n'en pas douter, elle n'allait pas se laisser faire, dans la vie !

Ce qui l'emplissait de fierté. Et qu'importe ce que pouvait penser Lilah, il savait que sa vie ne serait plus jamais comme avant. Qu'elle avait dévié de sa course et qu'aucun retour en arrière n'était possible.

— Toi, tu vas me mener par le bout du nez, n'est-ce pas ? dit-il en passant un gant de toilette sur le petit corps.

Rosie répondit en l'éclaboussant de plus belle. Sa chemise était désormais bonne à essorer.

— Oh oui, ajouta-t-il, tu es un bourreau des cœurs. Je le vois dans tes yeux, et tu m'as déjà à ta botte.

Il soupira. Tout cela était écrit d'avance, c'était inévitable. Au moment où Lilah était entrée dans son bureau, dès qu'il avait compris que la petite fille était sa nièce et qu'il allait s'en occuper comme de sa fille, il avait su qu'elle allait briser ses défenses. Désagréger l'une des seules règles qu'il s'était données : ne jamais trop se soucier de quiconque.

Bien sûr, il aimait ses frères et sœurs, demis comme entiers, mais il avait toujours veillé à garder ses distances.

Pour se protéger. Pour ne jamais mettre sa liberté en péril. Et voilà qu'il avait suffi d'un seul petit bébé, d'un seul petit sourire concentrant tout le bonheur du monde, de petits yeux verts reflétant une confiance aveugle pour le faire chavirer.

— C'est l'heure de sortir.

Il attrapa le peignoir en modèle réduit que réchauffait le sèche serviettes et le passa autour de Rosie avant de la frictionner tendrement.

La fillette plissa les yeux, et il comprit qu'un cri strident allait bientôt le rendre sourd.

— Ah c'est moins rigolo que de m'éclabousser, ça, je peux totalement le concevoir.

Il vit alors son reflet dans le miroir du lavabo. Les cheveux ébouriffés, la chemise détrempée, un bébé dans les bras. Et il n'avait peut-être jamais été aussi satisfait de toute sa vie.

Maintenant qu'il avait réussi à donner le bain à Rose, et sans aide extérieure, par-dessus le marché, est-ce que Lilah allait être satisfaite ? Avoir enfin confiance en lui ? Se dire qu'il avait tissé des liens suffisamment solides avec sa nièce et fille adoptive ? Allait-elle enfin partir et le laisser reprendre le cours de son existence normale, là où aucune femme ne venait perturber ses pensées ?

— C'est absurde, n'est-ce pas ? dit-il à Rosie.

— Qu'est-ce qui est absurde ?

Il n'avait pas vu que Lilah se tenait dans l'entrebâillement de la porte…

Par l'intermédiaire de miroir, il plongea les yeux dans les siens. Elle était toujours aussi belle. Même en jean délavé et T-shirt trop grand, n'importe quel homme aurait eu l'eau à la bouche en la voyant. Et il ne faisait pas exception. Chose qu'il ne pouvait pas lui dire, bien évidemment. Alors il préféra mentir.

— Oh rien, on discutait avec Rosie de la prochaine

Ligue des Champions. Elle pense que le Bayern de Munich pourrait avoir ses chances contre le Real de Madrid cette année. Je lui expliquais que Madrid allait triompher.

Lilah éclata de rire, puis le regarda en faisant la moue. Sa fameuse moue qui lui donnait la fièvre.

— Ah tiens, ironisa-t-elle. Rosie est passionnée de foot ?

— Qui ne l'est pas ?

Ses grands yeux bleus avaient la couleur d'un ciel d'été, d'un lac de montagne. Ses cheveux blond vénitien ne cessaient de le captiver. Que n'aurait-il pas donné pour plonger une nouvelle fois ses doigts dans cette masse soyeuse au parfum entêtant. Il vit ses lèvres s'arrondir en un sourire mutin et résista difficilement à l'envie de goûter une nouvelle fois à sa bouche…

Il prit une profonde inspiration. Un effluve de chèvrefeuille vint taquiner ses narines.

Sérieusement ? Comme s'il avait encore besoin de ça pour devenir fou ! Cette femme ne pouvait-elle pas choisir un parfum une fois pour toutes et s'y tenir ?

Il secoua machinalement la tête.

— Tout va bien ? demanda-t-elle. Tu me parais bien silencieux.

— Oui, oui, très bien.

Il savait qu'elle voyait désormais clair en lui, qu'il ne pouvait plus rien lui cacher. Raison de plus pour qu'elle retourne au plus vite dans ses montagnes et le laisse reprendre le cours de son existence.

— Tu voulais quelque chose ? s'enquit-il.

— Juste te dire que ta sœur est arrivée.

Il écarquilla les yeux.

— Ma sœur ?

— Savannah.

— Oui, je suis là, intervint sa sœur en les rejoignant.

Encore un peu et la salle de bains allait se transformer en hall de gare !

— Ça alors ! s'exclama-t-elle, un large sourire aux lèvres. Reed Hudson qui donne son bain à un bébé, j'aurais dû prendre mon appareil photo !

Reed grimaça et jeta un regard noir à sa sœur. Sa nouvelle coupe courte mettait en valeur la finesse de son visage, et ses cheveux noirs faisaient ressortir le vert de ses yeux, le même que partageaient plusieurs membres du clan. Avec son frère James et lui, Savannah faisait partie de la première fournée de la famille. Ils étaient aussi soudés que les doigts d'une main, même s'ils ne se fréquentaient pas au quotidien.

Il aurait pu être surpris de la visite impromptue de sa sœur, mais après le message qu'il avait envoyé à toute sa famille pour l'informer de sa nouvelle adresse, il se doutait qu'elle débarquerait. Comme le reste de la fratrie d'ailleurs, chacun ayant forcément quelque chose à lui demander, à plus ou moins brève échéance.

— Salut Savannah, qu'est-ce que tu racontes ?

Il s'évertua à maintenir son regard sur sa sœur. S'il déviait trop sur Lilah, Savannah allait se douter de quelque chose, car elle avait un talent d'observatrice hors pair. Du reste, il était de moins en moins sûr de sa capacité à masquer ses sentiments. Depuis que Lilah était entrée dans sa vie, il avait l'impression de se transformer en livre ouvert. Et si Lilah parvenait à le déchiffrer après deux semaines à peine de cohabitation, sa sœur avait la faculté de récolter ses pensées directement dans son cerveau.

— Pas grand-chose, répondit Savannah en haussant les épaules. Je voulais te dire bonjour, voir ta nouvelle maison, le bébé de Spring et…

— Et ?

Bingo ! Il y avait forcément une raison réelle à sa visite. Aucun de ses frères et sœurs ne venaient le voir gratuitement.

— OK, j'avoue, répondit Savannah, un grand sourire

aux lèvres. J'aurais bien utilisé le jet familial mais le pilote n'acceptera jamais de décoller sans ton aval.

Il fronça les sourcils.

— Tu vas où ?

— À Paris, pendant deux semaines, j'ai besoin de changer d'air.

Elle arqua sa bouche en une moue qu'elle utilisait toujours face à leur père lorsqu'elle avait quelque chose à lui demander. Dommage, la manœuvre ne marchait pas sur lui, se dit Reed. Son air de pauvre petite fille triste ne lui faisait ni chaud ni froid.

— Avec Sean, c'est fini, poursuivit-elle. Il faut que je prenne du temps pour moi, tu vois ce que je veux dire, n'est-ce pas ?

Comme il restait silencieux, Savannah se tourna vers Lilah, à la recherche de son assentiment. Cette dernière ne lui accordant pas ce plaisir, sa sœur insista :

— Allez, Reed, s'il te plaît… Je sais bien que tu n'en as pas besoin, ces prochains jours.

— Hum… Non, répondit-il laconiquement.

— Mais pourquoi ? s'exclama Savannah, indignée. Lilah, dis quelque chose ! Tu sais ce que ça fait d'avoir besoin de changer d'air, non ?

Lilah secoua la tête.

— Je ne sais pas, non, répondit-elle. Quand j'ai besoin d'air, je vais faire du shopping en ville, je ne suis jamais allée à Paris.

Savannah écarquilla les yeux, comme si elle faisait face à une meurtrière en série qui venait de lui avouer ses crimes.

— Non, c'est une plaisanterie ? Mais il faut absolument que tu y ailles ! Demande à Reed, il se fera un plaisir de t'y accompagner. Après mon voyage, bien sûr. J'ai tellement hâte de retrouver mon café préféré près du Sacré-Cœur, ils y font un brunch à tomber par terre !

Reed s'extirpa mentalement de la conversation — il avait entendu probablement un millier de fois sa sœur se pâmer sur Paris. La petite Rosie gazouillante dans les bras, il la secoua légèrement et lui tapota sur le dos. C'est alors qu'il sentit un liquide chaud lui couler sur le ventre et se rendit compte qu'il avait oublié quelque chose à la sortie du bain : une couche-culotte.

— Oh zut, marmonna-t-il.

— Qu'est-ce qui se passe ? demanda Lilah, alarmée.

— Rien, rien, elle vient de…

L'éclat de rire de Savannah lui coupa la parole.

— Oh mon Dieu ! Elle t'a fait pipi dessus ! Spring serait morte de rire si elle te voyait !

À ces mots, le visage de Savannah se ferma, et le silence s'abattit sur la petite assemblée tel une couverture de glace. Sous la lumière crue du néon de la salle de bains, Reed vit le chagrin raidir les traits de sa sœur, une douleur qu'elle s'était évertuée à cacher jusqu'ici.

Elle soupira.

— Je n'arrive pas à croire qu'elle n'est plus là, murmura-t-elle d'une petite voix. À chaque fois que j'en prends conscience, c'est comme un coup de poing dans le ventre.

Lilah baissa les yeux.

— Oui, moi aussi, avoua-t-elle en s'essuyant une larme.

Elle s'avança vers Savannah et posa une main sur son bras.

— C'était ma meilleure amie et c'était votre sœur, je suis terriblement désolée. Elle nous manquera toujours.

Perdu face à la douleur de sa sœur, Reed fut content de pouvoir compter sur la présence de Lilah. Aider Savannah — ou n'importe quel autre membre de sa famille — à gérer le deuil de Spring était une épreuve insurmontable à ses yeux, vu qu'il ne réussissait toujours pas à le gérer lui-même.

— En fait, demanda-t-il, c'est la véritable raison de ton voyage à Paris, n'est-ce pas ?

— Oui. La séparation d'avec Sean n'est rien à côté de la disparition de Spring. Tu te souviens quand on était parties toutes les deux, il y a cinq ans ?

Le goût doux-amer de la nostalgie l'envahit aussitôt.

— Oui, répondit-il en souriant. Je me souviens surtout d'avoir été réveillé au milieu de la nuit par un policier qui me demandait de payer l'amende que vous aviez récoltée en vous baignant dans une fontaine publique.

Savannah éclata de rire.

— Mais oui, c'est vrai ! Qu'est-ce qu'on avait ri durant ce séjour ! Qu'est-ce que je donnerais pour y retourner...

Dans les yeux de sa sœur, Reed vit toute la peine qu'elle ressentait. Et qu'il ressentait aussi. Que n'aurait-il pas donné pour revenir en arrière, revivre le passé, l'enfance, l'innocence des premiers jeux. La facilité. Un passé à tout jamais inaccessible.

À l'évidence, Savannah voulait aller à Paris pour remplacer la veillée mortuaire qu'elle n'avait pu avoir avec sa sœur, et il ne pouvait que la comprendre. Que Spring soit morte était une chose, qu'elle leur ait été arrachée sans préavis, sans cérémonie, sans possibilité de recueillement en était une autre. Atrocement plus difficile à accepter, à surmonter.

Il demeura songeur un long moment. Les « jamais plus » étaient trop nombreux... Trop de choses avaient été laissées en suspens, trop de portes ouvertes, trop d'erreurs qu'il n'aurait jamais la possibilité de rectifier. Cette prise de conscience le torturait.

La voix de Lilah le sortit de ses noires pensées.

— Si cela peut vous aider, il faut que vous sachiez qu'elle aura été heureuse jusqu'au bout. Elle avait beaucoup d'amis, elle était aimée.

Savannah lui prit la main.

— Oui, ça m'aide beaucoup, merci. À moi de me dire que chaque fois que j'avais ma sœur au téléphone ces derniers temps, elle me parlait toujours de toi. Pour me dire comment elle t'adorait, comment tu l'avais sortie du ruisseau avec le travail que tu lui avais offert.

Reed se raidit. Savannah connaissait l'existence de Lilah ? Était-il le seul de la famille avec qui Spring avait coupé les ponts ?

Savannah se retourna vers lui.

— Eh bien je ne regrette vraiment pas d'avoir fait le déplacement, dit-elle. Cela m'a fait beaucoup de bien de vous voir, toi et le bébé. Spring aussi aurait adoré. Surtout ça !

Elle désigna l'auréole d'urine sur sa chemise.

— Oh ! j'en suis certain, confirma-t-il en riant.

Il regarda sa sœur, sa nièce, Lilah. Voilà qu'il était entouré de femmes, et cela sans compter Connie qui s'affairait en cuisine. Oui, Spring aurait adoré le spectacle, à n'en pas douter. Une pensée qui lui réchauffait le cœur.

Sa vie avait tellement changé en si peu de temps.

— Et donc ? s'enquit Savannah en le fixant.

— Et donc quoi ?

— Est-ce que je peux me servir de l'avion ?

Il hocha la tête.

— J'appelle le pilote dans cinq minutes pour le prévenir.

À ces mots, Lilah le gratifia d'un large sourire, et il eut le sentiment d'avoir gagné une médaille.

Un peu plus tard dans la soirée, Connie invita Lilah à prendre le thé dans la cuisine. Comment pouvait-elle refuser ? La gouvernante venait de terminer une fournée de ses fameux cookies.

— Savannah a l'air sympathique, dit-elle en prenant une autre bouchée.

Reed avait vraiment raison : ces gâteaux étaient tout bonnement magiques.

Elle se sentait particulièrement à son aise, dans la cuisine. C'était sans doute sa pièce préférée de la maison. Avec ses murs blanc cassé, son comptoir en granite et son sol en béton ciré, elle aurait eu sa place dans un magazine de décoration. De nombreux placards blancs donnaient une impression d'opulence à l'ensemble, que confirmait la vaste baie vitrée s'ouvrant sur le jardin. Les deux femmes s'étaient installées sur la banquette en chêne posée dans un coin de la pièce, comme une invitation à des repas des plus conviviaux.

Connie éclata de rire.

— Oh ! Savannah, c'est tout un poème ! Elle a une âme généreuse, mais un cœur sauvage. Elle a toujours une petite idée en tête. Toujours en train de manigancer quelque chose. Elle n'arrête jamais. Je me souviens que pendant son adolescence, ses parents lui faisaient faire la vaisselle pour la punir de ses transgressions. À une époque, elle n'a quasiment jamais quitté l'évier !

Lilah sourit.

— Reed m'a expliqué que vous aviez été sa vraie mère.

La gouvernante rougit et prit une gorgée de thé avant de poursuivre :

— Il exagère, mais je comprends qu'il puisse le penser. Dans tous les cas, ça m'a fait très plaisir de revoir Savannah. C'est dommage qu'elle n'ait pas pu rester plus longtemps.

En effet, sa visite avait été pour le moins expéditive. À peine Reed avait-il raccroché d'avec l'aérodrome qu'elle filait comme si elle allait manquer son train. Quant à Reed, après avoir mis Rosie en pyjama, il s'était enfermé dans son bureau. Il n'en avait pas passé la porte depuis.

Lilah avait dû se forcer pour le laisser à sa solitude. Dans son regard, elle avait lu comme une lueur de regret après le départ de Savannah. Comme s'il avait voulu que sa sœur ne parte pas tout de suite, qu'elle prenne le temps de dîner avec eux, qu'ils puissent encore parler de Spring… Mais il était resté silencieux. Il ne lui avait même pas proposé un café, une visite de la maison. Rien.

Avait-il toujours été aussi fermé ? Ou s'agissait-il d'un mécanisme d'autodéfense ? Et dans ce cas, de quoi pensait-il se protéger ? De qui ? Une nouvelle fois, les questions se précipitèrent dans son esprit, sans qu'elle ait le moindre début de commencement d'une réponse. Avoir à portée de main la femme qui avait pratiquement élevé Reed Hudson allait peut-être lui permettre d'en entrevoir quelques-unes.

— Reed n'a pas eu l'air surpris de voir sa sœur passer en coup de vent.

— Oui, confirma Connie. Tous ses frères et sœurs ont l'habitude de passer une tête et de repartir dès qu'ils ont obtenu ce qu'ils voulaient. Ils s'adorent tous, mais ils ont le gène de la solitude chevillé au corps. Ils sont élevés comme ça par leurs parents.

Lilah sentit son cœur se serrer. Imaginer l'isolement de Reed enfant était un déchirement pour elle. Et quel contraste avec sa propre enfance, où elle avait toujours pu compter sur la présence de deux parents aimants.

— Mais Reed a une forme de solitude particulièrement exacerbée, précisa Connie. À dix ans, il est devenu le chef intérimaire de la famille, tout le monde venait le voir en cas de problème.

— Mais ce n'était qu'un enfant ! s'exclama Lilah, indignée.

La gouvernante posa une main sur la sienne.

— Oh ! ne vous inquiétez pas. Reed est né vieux, il n'a jamais été un enfant comme les autres. Il était tellement sage, tellement discipliné. Il a toujours fait ce qu'on lui demandait, sans rechigner, sans faire de vagues. Comme s'il avait une sorte de code de conduite et qu'il s'y tenait coûte que coûte. Pour tout vous avouer, j'aurais aimé qu'il soit un peu plus rebelle. Mais je suppose qu'avec des parents aussi immatures que les siens, il fallait qu'il prenne le relais et équilibre les choses.

Lilah visualisa un petit garçon réfléchissant aux règles qui allaient cadrer son existence. Un code pour se protéger du monde et de ses aléas. Son mur de glace…

— Vraiment ?

— Ses parents n'ont pas vraiment un mauvais fond, vous savez, et ils aiment sincèrement leurs enfants. Ils sont juste un peu trop nonchalants, notamment avec ce qui compte le plus. Ce qui est dommage, c'est qu'il sera trop tard lorsqu'ils s'en rendront compte.

Connie soupira et poursuivit :

— Quand ils seront vieux, ils se demanderont pourquoi personne ne vient plus les voir. Ils n'ont pas de vrais liens avec leurs enfants, ce qui est assez triste à constater.

Lilah acquiesça.

— Oui, ça l'est.

Elle ne pouvait imaginer le genre d'enfance qu'avaient connue Reed et ses frères et sœurs. Le tableau commençait tout doucement à se dessiner dans son esprit, mais elle devait en savoir davantage.

— Est-ce qu'il voit souvent sa famille ? demanda-t-elle.

— En réalité, je ne sais pas trop ce qui s'est passé dans la vie de Reed, ces deux dernières années, mais à chaque fois que les enfants venaient me voir, ils me parlaient de lui.

— Ses frères et sœurs continuent à vous rendre visite ?

— Bien sûr ! C'est moi qui leur ai donné la fessée, qui ait séché leurs larmes lorsqu'ils avaient le cœur brisé et qui me suis occupée d'eux quand ils étaient malades !

Lilah se sentit subitement rassurée. Avec Connie dans les parages, Rosie allait avoir beaucoup de prévenance et d'amour à disposition.

— Oui, murmura-t-elle. Reed m'a expliqué combien

il tenait à vous. Combien tout le monde dans la famille vous adorait.

Des mots qui firent à nouveau rougir Connie.

— Ce sont mes chéris, murmura-t-elle. Et je sais que Spring leur manque à tous atrocement. Comme à moi, d'ailleurs…

Elle resta silencieuse un instant, les yeux plongés dans sa tasse.

— Mais en fait, poursuivit-elle d'une voix sombre, c'est à Reed que sa mort a fait le plus de mal, je pense. Je le vois dans ses yeux.

— Je le vois aussi, confirma Lilah.

Et ce soir plus qu'un autre jour. Dans la salle de bains, avec Savannah, le frère et la sœur avaient eu une manière bien à eux de manifester leur douleur. Celle de Savannah avait été évidente, celle de Reed plus subtile. Mais elle avait vu ses grands yeux verts se voiler, ternis par un profond chagrin teinté de regret. Et elle en avait eu mal au cœur bien plus qu'elle n'aurait pu l'imaginer.

Lorsqu'elle était arrivée en Californie, elle pensait qu'elle allait détester Reed Hudson. Parce qu'il allait lui prendre Rosie. Mais désormais, ses sentiments pour lui ne cessaient de se développer. Ce qui ne manquait pas de l'effrayer.

— Reed est quelqu'un de fort, reprit la gouvernante. Il a très tôt veillé à le devenir. Mais il n'y a qu'un pas entre la force et la dureté, et je crains qu'il n'en ait pas conscience.

Ce que Lilah craignait aussi.

Le mur de glace qu'il avait construit autour de lui était solide, pratiquement impénétrable, mais à une ou deux occasions, elle avait senti qu'il se fendillait.

Connie leva les yeux vers l'horloge.

— Il se fait tard, je vais aller me coucher. Ne vous embêtez pas avec la vaisselle, laissez tout comme ça et je m'en occuperai demain matin.

À ces mots, elle se leva et vint l'embrasser sur le front. Un geste qui l'étonna, mais qui prouva une nouvelle fois toute la tendresse que la gouvernante était capable de transmettre aux autres.

— Bonne nuit !

Après le départ de Connie, Lilah resta de longues minutes dans la cuisine, seule, dans un silence que seul le ronronnement du réfrigérateur dérangeait. Oui, à plus de 11 heures du soir, il se faisait tard, et Lilah savait que le réveil allait être rude. Rosie n'était pas du genre à faire la grasse matinée.

Pour autant, elle n'avait pas du tout sommeil. Elle se sentait même… particulièrement agitée.

Elle revoyait la scène avec Savannah dans la salle de bains, notait mentalement les mots que venait de lui dire Connie. Son esprit bifurqua alors vers Reed. Rien d'étonnant à cela, il commençait littéralement à l'obnubiler.

En plus de l'attirance physique qu'elle avait ressentie pour lui dès leur rencontre, il y avait désormais un brin d'admiration et quelque chose d'encore plus profond qu'elle n'arrivait pas encore à pointer du doigt. Ce n'était pas de la pitié, non, pas de la compassion non plus, mais son cœur se serrait en imaginant que ses frères et sœurs passaient en coup de vent dans sa vie, et seulement lorsqu'ils avaient un service à lui demander.

Plus elle pensait à lui, plus elle avait envie de le voir. De lui parler. De s'assurer qu'il ne s'était pas enfermé dans son bureau à ressasser des idées noires. Et c'est tout naturellement qu'elle se dirigea vers le bout du couloir, d'un pas assez alerte pour ne pas se donner le temps de changer d'avis, et frappa à la porte de son bureau.

7

— Qu'est-ce qu'il y a ?

La voix tranchante de Reed lui donna presque l'envie de repartir. Mais elle se souvint de ses yeux lorsqu'il parlait de Spring avec Savannah. Non, elle ne le laisserait pas seul avant de s'assurer qu'il allait bien.

— Tu es occupé ?

Elle vit à l'état de son bureau qu'il ne l'était pas. Aucun de ses dossiers n'était ouvert, et son ordinateur n'avait pas quitté sa sacoche. La pièce était quasiment plongée dans le noir. Seule la lueur d'un lampadaire, près de la cheminée, baignait les lieux d'un halo feutré. Et Reed n'était pas assis à sa table, mais dans un épais fauteuil en cuir, à l'autre bout de la pièce.

Les ombres sur son visage lui donnaient un air énigmatique. Sur la table basse, un verre de scotch était vide.

Elle remarqua que ses cheveux, normalement soigneusement peignés, étaient ébouriffés. Comme s'il avait passé la soirée à se gratter la tête.

Après le bain de Rosie, il s'était changé et avait troqué son pantalon de costume et sa chemise pour un T-shirt à manches longues noir et un cargo anthracite. Il était pieds nus, toujours aussi sexy, les jambes étendues devant lui.

— Parfait, ajouta-t-elle. Je vois que tu te détends.

— Qui a dit que je me détendais ?

Par un sourire, elle essaya d'alléger l'atmosphère.

— Tu n'es pas à ton bureau, tu bois un verre en fixant le mur. D'accord, si tu ne te détends pas, c'est que tu rumines.

— Je ne rumine pas, rétorqua-t-il. Je réfléchis.

— À quoi ?

Il fronça les sourcils.

Bizarrement, elle trouva sa grimace plutôt séduisante. Voire attendrissante. Dans tous les cas, elle n'était pas du tout intimidante, ce qui était visiblement son intention.

— Mais qu'est-ce que tu peux être curieuse, marmonna-t-il.

— Il faut bien être un peu curieux dans la vie, sinon on n'apprend rien.

Elle s'approcha du bar et se servit un verre. L'alcool fit rapidement son effet. Une douce chaleur l'envahit, et la tension dans ses épaules s'évanouit.

— Je n'ai jamais goûté un whisky pareil, fit-elle remarquer. C'est japonais ?

— Non, écossais, mais je pense bien que tu n'en as jamais goûté. Il a un siècle.

Sans doute espérait-il la faire fuir en se montrant le plus infect possible. Il la connaissait bien mal !

— Ta sœur a l'air très sympathique.

Il éclata de rire.

— Savannah est une force de la nature, un peu comme un ouragan. Et les ouragans sont rarement sympathiques.

Lilah lisait en lui comme dans un livre ouvert : il adorait sa sœur mais ne l'avouerait jamais.

— Tu la vois souvent ? demanda-t-elle.

Il lui lança un regard noir.

— Tu écris un roman sur moi ?

Elle ne se démonta pas.

— Et toi, tu as des secrets à me raconter ?

Il soupira. Il n'abdiquait pas encore, mais il en prenait le chemin.

— Oui, de temps en temps, il lui arrive de passer me voir en coup de vent, dit-il.

— Quand elle a besoin de quelque chose ?

Sa bouche s'étira en un léger sourire ironique.

— Oui, en général. Mais qu'est-ce que c'est que toutes ces questions ? Qu'est-ce que ça peut bien te faire ?

— Cela m'intéresse, voilà tout.

Elle s'approcha de son fauteuil et fit courir ses doigts sur le cuir.

— Je voulais simplement savoir si tu voyais souvent tes frères et sœurs.

— Et ? Je ne vois toujours pas en quoi cela te concerne.

— Cela ne me concerne pas directement, non, mais je voudrais savoir si Rosie verra souvent ses oncles et ses tantes.

Il se leva pour aller se servir un autre verre, puis retourna dans son fauteuil, l'air plus contrarié que jamais.

— Je t'ai dit que j'allais m'occuper d'elle, laissa-t-il sèchement tomber.

— Et je n'en doute pas.

En réalité, elle en doutait encore un peu, mais elle n'était pas venue là pour se disputer avec Reed. Elle voulait juste lui parler. S'assurer qu'il allait bien, qu'il ne se noyait pas dans son amertume.

— Première nouvelle, je crois que tu doutes de moi depuis notre rencontre, fit-il remarquer.

Ce qui n'était pas faux. Mais leur relation n'était pas exactement née sous les meilleurs auspices.

— On ne peut pas non plus dire que tu me fais une confiance aveugle, riposta-t-elle.

Il la dévisagea un instant sans un mot.

Ses yeux étaient aussi sombres et ténébreux qu'une forêt à minuit, ce qui était terriblement excitant. Quel étrange pouvoir avait Reed Hudson sur elle ? Comment arrivait-il à lui donner envie de lui sauter au visage et en même temps et de se pendre à son cou pour des baisers à faire fondre l'univers ?

— Et donc ? demanda-t-il, visiblement étonné. Maintenant c'est un point partout la balle au centre ? Nous sommes amis ?

— Nous pourrions l'être.

Elle mentait.

Il y avait bien trop de tension sexuelle entre eux pour qu'ils puissent entretenir une amitié saine et sincère. Jamais elle ne s'endormait en imaginant un ami nu sur une plage de sable chaud et…

Elle secoua la tête. Quand ces satanées pensées allaient-elles la laisser tranquille ?

Reed se leva et s'avança vers elle. Tout son corps se raidit, mais elle fut incapable de bouger, comme s'il l'avait transformée en statue de sel.

— Non, nous ne pourrons pas l'être, murmura-t-il.

L'estomac noué, la bouche sèche, elle l'observa faire un pas de plus vers elle, puis un autre.

— Pourquoi, Reed ?

Il lui sourit. Elle crut se dissoudre.

— Parce que je ne veux pas être ton ami, Lilah. Mes amis ne sentent pas aussi divinement bon que toi. Ils n'ont pas des cheveux d'or comme les tiens, ni une peau aussi soyeuse que la tienne qui me donne envie de…

Il plongea la tête dans son cou.

— De la vanille aujourd'hui, j'adore.

Elle frissonna.

Elle savait mieux que personne que c'était la véritable raison de sa venue…

Depuis maintenant deux semaines, elle était obnubilée par Reed Hudson. Il était la dernière chose à laquelle elle pensait en s'endormant, la première au réveil. Et toute la journée durant, son cœur s'emballait dès qu'il était dans la même pièce.

— Moi non plus, je ne veux pas être ton amie, avoua-t-elle dans un soupir.

— Alors nous perdons un temps précieux à parler alors que nous aurions quelque chose de bien plus intéressant à faire, tu ne crois pas ?

Ils étaient désormais si proches que le tissu de leurs vêtements froufroutait l'un contre l'autre.

— Tu ne veux pas me montrer ? répliqua-t-elle.

Elle venait de donner le top départ d'une nuit dont elle se rappellerait jusqu'à la fin de ses jours.

Reed prit sa bouche comme il aurait bu à une source d'eau claire après des jours de canicule.

Et elle s'abandonna. Le feu qui couvait sous sa peau vint lécher les recoins les plus intimes de son âme et consumer les derniers grammes d'hésitation qui lui restaient. Son cœur s'affolait, son souffle était sur le point de lui manquer.

Ses lèvres entremêlées à celles de Reed, elle comprit qu'il voulait l'amener vers le bureau. Elle se laissa conduire, victime consentante d'un déchaînement des sens. Sa langue se faisait tour à tour curieuse, taquine, exploratrice, timide et effrontée.

Elle sentit ses seins se durcir tels des mines de graphite. Ses tétons pointaient au travers de son chemisier. Un détail qui n'échappa nullement à Reed, qui s'en empara de ses doigts experts. Elle poussa un petit cri, mais il ne ralentit pas la course de ses mains. Au contraire, il se glissa sous son chemisier et caressa ses seins. Longtemps, patiemment. Une torture, un délice.

Et ce n'était pas encore assez pour calmer son appétit ! Elle voulait ses mains partout sur elle. Sur son dos, ses reins, ses fesses. Elle voulait qu'il lui agrippe la nuque et la dévore. Qu'il suive la ligne de ses hanches et lui écarte les cuisses. Qu'il la bascule contre la table après l'avoir balayée de ses dossiers. Elle voulait qu'il lui arrache ses vêtements, qu'il la plaque contre son bassin et ne cesse de murmurer son prénom alors qu'il se glisserait en elle.

Ses rêves furent exaucés. Et même plus.

Une seconde plus tard, comme s'il avait lu dans ses pensées, il la débarrassa de son chemisier en en faisant sauter tous les boutons. Avant même que le vêtement ne touche le sol, elle tirait déjà sur son T-shirt qu'il envoya voler Dieu sait où. Ses chaussures partirent dans deux directions opposées, et le reste de leurs vêtements fut dispersé aux quatre coins de la pièce.

Reed l'embrassait fougueusement tandis que ses mains voyageaient sur elle. Elles revinrent sur ses seins, passèrent sur ses jambes, trouvèrent le delta déjà humide de sa féminité. Il y fit jouer délicatement ses doigts, poussant de petits grognements de satisfaction.

Il l'attira tout contre lui, peau contre peau. Une sensation indescriptible l'envahit lorsqu'elle sentit le duvet de son torse lui frôler les seins de la plus érotique des manières. Elle se recula un peu pour pouvoir caresser le contour de ses muscles et effleurer son téton avec son pouce. Il laissa échapper un grognement.

— Un problème ? lança-t-elle, taquine.

— Non, sauf si tu t'arrêtes.

Sa voix était rauque.

Elle recommença, et il poussa un nouveau grognement avant de la repousser sur le dos. Il embrassa son cou, puis descendit et prit le bout de son sein dans sa bouche.

— Tu sens si bon, tu me donnes faim.

— Mes savons sont bio, ne te gêne pas, tu ne risques rien, chuchota-t-elle.

Il caressa alors le téton avec sa langue, puis le lâcha pour souffler sur l'aréole humide. Cela la rendit folle. Il continua de l'embrasser et de mordiller tout son corps jusqu'à ce qu'elle se tortille de désir.

Elle n'en pouvait plus. Jamais elle n'avait ressenti une telle attirance charnelle avec un homme. Le désir qui la ravissait avait le goût du destin.

Et l'attente n'avait que trop duré. Elle bascula ses

hanches pour l'accueillir et le sentir en elle. Si dur, si fort et à la fois si doux.

De délicieux frissons s'emparaient d'elle, devenant plus intenses alors qu'il accélérait son rythme. Dans la pénombre, elle vit qu'il la fixait avec attention, à la fois attentif à ses réactions et vaincu par l'intensité de leur étreinte.

— Tu es si belle, Lilah, tu me rends fou. Je ne vais pas pouvoir tenir très longtemps.

— Moi non plus, gémit-elle, pantelante. Viens… Maintenant.

Elle haletait sous ses coups de reins, perdant peu à peu la notion du temps, le contrôle d'elle-même sous la montée inexorable des sensations. C'est alors qu'elle se cambra brutalement et laissa Reed exploser en elle.

Le monde vacilla, et ils furent noyés l'un en l'autre, absents à tout ce qui n'était pas leur merveilleux apogée.

Quelques minutes ou quelques heures plus tard, Lilah se dégagea à regret des bras de Reed. Elle aurait pu rester contre lui une éternité, mais elle ne sentait plus une de ses jambes sur laquelle se pressait le corps endormi de son amant. La fougue de leurs ébats avait été telle qu'ils avaient glissé sur le tapis sans s'en rendre compte.

— Reed Hudson, murmura-t-elle en se mettant debout avant de sautiller pour se débarrasser des fourmis qui ankylosaient sa cuisse. Si j'étais préparée à ça.

Elle vit Reed secouer la tête et revenir à lui.

— Oh pardon, je t'écrasais ? marmonna-t-il.

— Oui.

Elle sourit. Quelle satisfaction pour une femme de donner tellement de plaisir à un homme qu'il en vienne à en perdre la notion du réel.

— Si tu veux, proposa-t-il en roulant sur le côté et en plaçant les mains sous sa tête, on peut aller finir la nuit dans ma chambre. Ce sera plus confortable, et tu risqueras moins de prendre froid.

Elle le regarda un moment puis, en silence, alla récupérer ses vêtements avant de se rhabiller en hâte.

— Non, je ne préfère pas Reed, répondit-elle en passant les doigts dans ses cheveux pour les démêler. Ma chambre est plus proche de celle de Rosie, c'est mieux ainsi.

— Alors je peux venir dans la tienne ?

— Non, Reed, répéta-t-elle en se dirigeant vers la porte. Nous allons terminer la nuit dans nos lits respectifs. Et demain, nous achèverons notre conversation. Bonne nuit.

À ces mots, l'esprit encore embrumé par la jouissance, elle gagna l'escalier menant à l'étage.

Elle se mordit les lèvres et y reconnut le goût de Reed. Elle soupira. Leur petit interlude avait été spectaculaire, mais rien n'avait changé. Les choses étaient toujours aussi compliquées.

Quand Reed se réveilla, il sut exactement ce qu'il allait dire à Lilah. Le genre de mise au point qu'il faisait toujours avec les femmes qui partageaient son lit — ou un coin de son bureau. Non, le sexe n'était pas une passerelle vers une relation. Il ne voulait pas d'engagement, pas de couple, pas de promesses.

Sauf que Lilah était aux abonnés absents ce matin. Cette nuit, elle avait tenu parole et ne l'avait pas rejoint dans sa chambre. Il n'avait pas non plus osé aller gratter à la porte de la sienne. Lilah n'était pas le genre de femme que l'on faisait changer d'avis.

Et aujourd'hui… disparue. Lorsqu'il était descendu à la cuisine pour prendre son café, Connie lui avait expliqué que Lilah était sortie se promener avec Rosie. Bon. Il allait devoir attendre ce soir pour lui parler, quand il rentrerait à la maison après sa journée de travail.

La maison…

Voilà qu'il avait un port d'attache, maintenant, chose qui ne lui était jamais arrivée jusqu'à présent. Et il devait admettre que la sensation d'avoir un vrai chez-soi était plutôt agréable ; à chaque fois qu'il poussait la porte de sa maison, il se sentait plus relaxé que jamais. D'autant plus que son nouveau foyer portait la marque de Lilah partout où il posait le regard. Ce qu'aucune chambre d'hôtel ne lui avait permis, malgré le luxe offert. Au caractère impersonnel des suites qu'il habitait, Lilah avait répondu par un aménagement cosy où sa personnalité se dessinait sur tous les murs.

Sa personnalité, l'influence qu'elle avait sur lui…

Une boule d'appréhension se forma au creux de sa poitrine. Lilah Strong était un sacré personnage. Comment allait-il se défaire de la fascination qu'elle suscitait en lui ? Et, surtout, comment allait-il pouvoir de nouveau travailler à son bureau, après tout ce qui s'y était passé ?

La tornade sexuelle qui avait soufflé entre eux avait été tout simplement exceptionnelle. Dans tous les sens du terme. Jamais il n'avait ressenti un tel déferlement de plaisir avec aucune autre femme. Mais il devait garder la tête sur les épaules : ce n'était que du sexe. Cela ne voulait rien dire d'autre. N'invitait à rien d'autre, et sûrement pas à ce dont il avait mis un point d'honneur à se préserver toute sa vie : la passion amoureuse.

Oui, il avait construit un mur autour de ses sentiments. Qui pouvait l'en blâmer ? Son existence se devait d'être toujours sous contrôle, organisée au millimètre et à la seconde près. Il ne supportait pas d'être pris au dépourvu et, avec la famille qu'il avait, la distance affective avait aussi été une question de survie. Ainsi, il avait résisté aux multiples tempêtes que son clan avait traversées sans laisser trop de plumes au passage. Et même pas de plumes du tout.

Il avait la discipline chevillée au corps. Ses pensées et ses émotions, il les gardait pour lui et ne montrait au monde que le strict nécessaire. Une maîtrise qui lui avait permis de se bâtir une fortune, de s'assurer une carrière et d'éviter les ennuis. Sa réputation le précédait, ce qui le gonflait de fierté et, il le savait aussi, suscitait parfois la jalousie de certains membres de sa famille.

Sauf que depuis que Rosie et Lilah étaient entrées dans sa vie, il sentait bien que ce self-control n'était plus aussi puissant qu'auparavant. Ce qui ne lui plaisait pas du tout, mais quel intérêt avait-il de se mentir à lui-même ?

En vérité, sa nièce avait bien vite trouvé le chemin de son cœur. Elle l'avait tout simplement harponné, et il ne voyait pas comment les liens qu'ils avaient déjà tissés allaient pouvoir un jour se rompre. Lorsqu'on a des enfants, c'est pour toujours, disait l'adage.

Et il y avait Lilah…

Il s'enfonça dans son fauteuil en soupirant.

Lilah et son parfum changeant. Lilah et ses yeux envoûtants. Les cheveux, la peau de Lilah. Le goût de ses lèvres, la chaleur enveloppante de sa…

Il se racla la gorge et essaya de se libérer de cette emprise mentale en fixant son regard sur l'océan. Mais bien vite, l'image de Lilah revint lui agacer les sens…

Lilah, nue, la peau encore rougie de ses baisers, qui ramassait ses vêtements dans la pénombre de son bureau.

Lilah qui, quelques minutes auparavant, s'abandonnait à lui. Entièrement. Sauvagement.

Avant l'irruption de Lilah Strong dans son quotidien, son existence était bien rangée. Rien ne dépassait. Ce n'était pas comme ses frères et sœurs qui passaient leur temps à courir le monde à la recherche de l'aventure et de l'imprévu, la plupart du temps pour se casser le nez et l'appeler pour qu'il les sorte de l'embarras.

Un sourire lui vint aux lèvres.

Oui, il devait l'admettre, sa vie à lui pouvait être parfois ennuyeuse. Mais était-il pour autant devenu un vieux barbon qui se plaignait du bruit des voisins et se couchait avec les poules ?

— Non, ce n'est pas ce que je suis, murmura-t-il.

Il savait prendre du bon temps quand il en avait besoin, mais toujours avec des limites. Toujours de manière responsable.

Le bruit de l'Interphone le tira de ses pensées.

— Oui Karen, que voulez-vous ?

— Vous avez un appel, monsieur, c'est Mlle Strong, elle veut absolument vous parler.

Quand on pensait au loup…

Il prit une profonde inspiration. Après tout, c'était peut-être l'occasion d'une franche et claire discussion avec Lilah Au téléphone ou en personne, l'essentiel était qu'elle ne se fasse pas d'illusions.

Elle allait peut-être crier, pleurer, supplier. Lui faire des grandes déclarations enflammées. Mais il n'allait pas se démonter. Leur histoire n'avait aucun avenir, il fallait qu'elle le sache.

— Très bien, Karen, passez-la-moi.

— Reed ?

L'inquiétude qu'il décela dans la voix de Lilah le mit subitement sur ses gardes et lui fit craindre le pire.

— Lilah, qu'est-ce qu'il y a ? Il est arrivé quelque chose à Connie ? À Rosie ?

— Non, non, tout va bien. Je n'aime pas te déranger au travail, mais…

— Mais quoi ?

L'intérêt de leur franche et claire conversation s'était totalement évanoui. Désormais, il ne pensait plus qu'à une chose : pourquoi Lilah avait pris la peine de l'appeler à son bureau alors qu'elle n'aimait pas le déranger ?

Comme elle ne répondait pas, il s'inquiéta.

— Lilah ?

— Il y a un petit garçon qui est arrivé, répondit-elle enfin.

Son cœur fit un bond dans sa poitrine.

— Quoi ?

— Un petit garçon. Tu sais un enfant de sexe masculin. Il dit s'appeler Micah et…

Il se leva d'un bond.

— Micah ? Mon frère ? Mais qu'est-ce qu'il fait là ? Il devrait être à l'école !

— Je ne sais pas, Reed, il dit qu'il ne parlera à personne à part toi, et en attendant, il engouffre les cookies de Connie plus vite qu'elle ne les sort du four. Je crois qu'il n'a pas mangé depuis des jours.

— Qu'il ne bouge pas, j'arrive tout de suite ! s'exclama Reed avant de raccrocher.

Il se précipita vers le portemanteau pour y récupérer sa veste, puis sortit en trombe.

Manifestement, sa vie ne connaîtrait plus un instant de repos.

Et encore moins d'ennui.

8

Lilah aimait beaucoup Micah Hudson.

Le garçon avait douze ans, les mêmes yeux verts que Reed et une touffe de cheveux noirs qui lui tombait constamment dans les yeux. Et il avait une faim de loup. Il avait déjà fait un sort à deux sandwichs, un demi-paquet de chips, trois cookies magiques de Connie et deux grands verres de lait.

Et malgré tout cela, Lilah lisait dans son regard le même genre de dureté que celle qui se reflétait dans celui de Reed. À cet âge, aucun enfant n'aurait dû avoir ce regard-là.

— Reed va bientôt arriver, lui dit-elle.

Assise en face de lui, sur la banquette de la cuisine, elle accompagna sa phrase d'un sourire rassurant.

— Ouais, d'accord, répondit le petit garçon en se mordillant les lèvres. Il avait l'air énervé, au téléphone ?

— Non, pas du tout. Surpris, oui, mais pas en colère. Il a juste dit que tu devrais être à l'école.

Micah se prit la tête dans ses mains.

— Mais moi je ne voulais pas rester, je voulais juste voir le bébé de Spring.

Il regarda Rosie qui le gratifia d'un magnifique sourire baveux. Micah pouffa, mais son expression se figea de nouveau lorsqu'il recroisa le regard de Lilah.

— Ils ne voulaient pas me laisser venir, précisa-t-il. Ils disaient que mon père devait signer une autorisation.

Pour un enfant qui avait insisté pour ne parler qu'à son frère, il était bien bavard, songea Lilah.

Il prit un autre cookie, mais au lieu de le manger, il l'émietta consciencieusement sur la table à mesure que les paroles sortaient de sa bouche.

— J'ai appelé mon père pour lui dire que je voulais venir, mais il a refusé. Selon lui, je ne pouvais pas voir le bébé, je devais rester à l'école pour être surveillé.

Un mot qu'il articula avec soin, tandis qu'un voile d'obstination ternissait un instant ses yeux.

— Mais Spring était aussi ma sœur ! s'exclama-t-il, indigné. Elle m'aimait et je l'aimais. Et maintenant elle est morte. J'ai le droit de venir voir son bébé, non ?

Lilah réfléchit à ce qu'elle allait lui répondre. Elle voulait lui faire comprendre qu'elle était de son côté, mais sans critiquer son père.

— Oui, je serais aussi de cet avis, dit-elle prudemment.

Elle tendit le bras et posa quelques secondes la main sur le poing serré du petit garçon.

— C'est ce que je pensais, répondit Micah avec un hochement de tête satisfait. Alors comme j'avais un peu d'argent, je suis parti de l'école et je me suis acheté un billet de bus pour venir jusqu'ici.

En imaginant cet enfant voyager seul, Lilah sentit son sang se glacer. Mais il était inutile d'en rajouter.

— Et tu vas où à l'école ? demanda-t-elle.

— Dans l'Arizona, et c'est atroce.

Micah n'avait peut-être pas parcouru les États-Unis, mais il y avait une bonne trotte entre l'Arizona et la Californie. Surtout pour un petit garçon livré à lui-même. Heureusement qu'il ne lui était rien arrivé !

Quel courage il lui avait fallu pour prendre une telle décision ! Sauf que ce n'était pas de l'audace qu'elle lisait dans les yeux de Micah, mais de l'angoisse. L'enfant ressemblait à un petit animal blessé.

Elle soupira.

Quelle chance elle avait eue de connaître une enfance idyllique… Jamais elle n'avait eu envie de fuguer pour s'extraire de son malheur, parce qu'elle n'avait jamais été malheureuse. Elle avait toujours pu compter sur ses parents qui étaient à son écoute dès que quelque chose la chagrinait. Elle pensa soudain à ce que Micah avait enduré, avec la mort de Spring, à ce que Connie lui avait dit au sujet des parents Hudson.

Oui, ils étaient irresponsables avec ce qui aurait dû être, pour eux, le plus important au monde : leurs enfants.

Comment le père de Micah avait-il fait pour ne pas comprendre la souffrance de son fils ? Avait-il seulement pris le temps de l'aider à surmonter le deuil de sa sœur ? Lui en avait-il seulement parlé ?

Son cœur se serra. Reed allait-il vraiment se montrer compréhensif avec son jeune frère ? En attendant d'avoir la réponse à cette question, elle devait faire tout son possible pour calmer le petit garçon. L'apaiser. Faire en sorte qu'il se sente en confiance et se confie à elle.

— Tu n'aimes pas l'Arizona ? demanda-t-elle, tout en tendant un bout de banane à Rosie qui l'écrasa dans sa petite main potelée avant de se lécher les doigts.

— L'Arizona, ça va, répondit Micah en fronçant les sourcils. C'est mon école que je déteste, elle est débile.

Le garçon semblait coincé entre l'enfance et l'âge adulte. Son visage était encore poupin, mais ses traits d'homme commençaient à se dessiner. À n'en pas douter, il serait un bourreau des cœurs, plus tard. Pour le moment, il ressemblait à un petit garçon manquant cruellement de confiance en lui.

Il portait un costume noir arborant un blason rouge sur sa poche passepoilée. Cet uniforme, sûrement en parfait état au départ de son périple, était désormais froissé et taché.

Lilah n'en croyait toujours pas ses oreilles. Comment un

gamin de douze ans avait-il pu échapper à la surveillance de ses professeurs ? Quel genre d'école laissait ses élèves prendre un bus par leurs propres moyens ?

Installée dans sa chaise haute, Rosie choisit cet instant pour attraper une poignée de céréales et la jeter à la figure de Micah.

D'abord surpris, le petit garçon éclata de rire.

— Je crois qu'elle m'aime bien, fit-il remarquer.

— C'est évident, confirma Lilah alors que le téléphone sonnait.

Elle se leva pour y répondre.

— Résidence Hudson, j'écoute.

La froideur de la voix qu'elle entendit à l'autre bout du fil faillit la faire sursauter.

— Robert Hudson à l'appareil. Qui êtes-vous je vous prie ?

Était-ce le père de Reed ?

— Je m'appelle Lilah Strong et je suis là pour…

— Je sais pourquoi vous êtes là. C'est vous qui avez emmené le bébé de Spring à Reed.

Elle entendit le bruit des touches d'un clavier. L'homme n'était visiblement pas du genre à s'arrêter de travailler lorsqu'il passait un coup de fil. Ce qui était particulièrement irritant.

— Mon fils Micah est là ? Je sais qu'il voulait se rendre chez Reed.

Lilah hésita.

Devait-elle dénoncer le garçon dont elle essayait de gagner la confiance ? Mais en même temps, elle se voyait mal mentir…

— Oui, il est là.

— Alors je veux lui parler tout de suite ! Son pensionnat m'a laissé au moins une dizaine de messages. Vous me le passez immédiatement !

— Un instant, je vous prie.

Elle tendit le combiné à Micah qui s'avança les épaules rentrées et l'air plus misérable que jamais.

— Bonjour, papa, murmura-t-il dans un souffle.

Robert Hudson parlait tellement fort qu'il aurait pu être en chair et en os dans la pièce. Il traita son fils d'irresponsable, d'enfant gâté, de morveux, d'égoïste, d'inconscient. Lilah n'était pas loin d'en avoir les larmes aux yeux. Micah, lui, éclata en sanglots. Elle n'allait pas pouvoir le supporter bien longtemps.

— Micah, donne-moi le téléphone, ordonna-t-elle.

L'enfant s'exécuta.

Ignorant les cris qui émanaient du combiné, elle ajouta :

— Va plutôt finir tes cookies et surveiller Rosie, d'accord ?

Micah écarquilla les yeux. Manifestement, il ne savait pas trop si elle était courageuse ou complètement folle. Ni l'un ni l'autre. Elle voulait juste défendre un enfant contre un adulte qui n'y connaissait visiblement rien en éducation. Et qui continuait à hurler.

— Monsieur Hudson, dit-elle d'un ton décidé.

— Mais qu'est-ce que c'est que cette histoire ? Repassez-moi mon fils immédiatement !

— Impossible, il prend son goûter.

— Je peux savoir pour qui vous vous…

Résolue, elle raccrocha le combiné.

Ce qui était peut-être un peu lâche de sa part — et tout à fait impoli —, mais le geste la remplit d'une étrange satisfaction. Maintenant, elle comprenait pourquoi les frères et sœurs de Reed venaient toujours le voir lorsqu'ils avaient un problème. Comment demander de l'aide à quelqu'un comme Robert Hudson ? Tout ce dont semblait être capable cet homme, c'était de colères homériques qui ne résolvaient absolument rien.

Le téléphone sonna de nouveau. Elle décrocha, et les cris reprirent de plus belle.

— Je suis désolée, monsieur Hudson, Micah est toujours occupé. Je vous conseille de rappeler lorsque vous vous serez calmé.

— Je vous demande pardon ?

— Au revoir, monsieur Hudson, passez une bonne journée.

Et elle lui raccrocha au nez une nouvelle fois.

Connie applaudit. Lilah éclata de rire, un rire néanmoins gêné. La gouvernante était fière d'elle, mais elle venait quand même de raccrocher au nez du patriarche Hudson. Et deux fois de suite ! Mais elle ne le regrettait absolument pas, surtout en voyant les yeux rougis de Micah.

— C'était cool ! s'exclama le petit garçon. Personne ne parle à notre père comme cela à part Reed.

Lilah vint se rasseoir en face de lui.

— Eh bien peut-être que davantage de gens le devraient !

Micah perdit soudain tout son enthousiasme.

— Tu es sûre que Reed ne va pas m'en vouloir ? demanda-t-il.

— Je ne pense pas.

Et s'il se fâchait contre son petit frère, elle s'interpo-serait, voilà tout.

En réalité, elle était presque sûre que Reed n'allait pas s'énerver. Au cours des deux dernières semaines, elle l'avait souvent vu agir comme un vieux monsieur guindé, mais jamais il n'avait haussé la voix comme son père venait de le faire. Et si son flegme avait quelque chose d'irritant parfois, c'était sûrement tout ce dont Micah avait besoin.

Connie s'avança et prit le petit garçon dans ses bras.

— Reed va être très heureux de te voir, le rassura-t-elle. Tout comme moi, je te le promets.

Micah se tourna vers Lilah.

— Et si Reed se met en colère, tu lui parleras comme tu viens de parler à mon père, n'est-ce pas ?

Elle lui sourit, avant de lui remplir son verre de lait.

— Oui, tu peux compter sur moi, confirma-t-elle.

Micah poussa un profond soupir de soulagement et essaya visiblement de se détendre en jouant avec Rosie.

Quelques minutes plus tard, lorsque Reed entra dans la cuisine, Micah se figea. Un spectacle qui serra le cœur de Lilah. Pauvre petit bonhomme, toujours sur ses gardes.

Reed se débarrassa de sa veste et desserra le nœud de sa cravate tout en jetant un regard à toutes les personnes présentes, Rosie comprise. Lilah aurait donné cher pour savoir ce qu'il pensait à cet instant précis. Allait-elle devoir s'interposer ?

Elle décida de lui laisser sa chance. Après tout, sa réaction serait une bonne indication sur le comportement qu'il allait adopter avec Rosie. Vu son caractère à huit mois, elle ne promettait vraiment pas d'être une enfant docile. Et une fois arrivée à l'adolescence…

Reed allait-il se montrer patient ou colérique ? Compréhensif ou dictatorial ? L'appréhension la torturait. Elle était persuadée qu'un homme doux et chaleureux se cachait derrière le mur de glace qu'il avait érigé entre lui et le monde extérieur. Mais si elle se trompait ?

— Il reste du café, Connie ? demanda-t-il négligemment.

— Vu que je respire encore, oui, répondit la gouvernante. Assieds-toi, je t'apporte une tasse accompagnée de quelques cookies.

Il la gratifia d'un clin d'œil.

— Eh bien je devrais rentrer plus tôt tous les jours.

Il fixa son regard sur Lilah.

— Je vois que tu as fait la connaissance de mon petit frère, poursuivit-il. Qu'est-ce que tu en penses ?

— Que c'est un jeune homme particulièrement courageux. À son âge, jamais je n'aurais pris le bus seule, et surtout pas depuis aussi loin que l'Arizona.

Reed prit place sur la banquette en soupirant, les yeux rivés sur son frère.

— Oui, oui, c'est un petit bonhomme courageux, mais aussi tout à fait stupide. Tu as vraiment de la chance d'être arrivé en un seul morceau, tu sais ?

Micah haussa les épaules.

— Non, je ne suis pas stupide, rétorqua-t-il.

— D'accord. Ce n'est pas le bon mot. Il n'empêche que t'enfuir de ton pensionnat n'était peut-être pas la chose la plus maligne à faire. Ils ont appelé papa, tu es au courant ?

Micah hocha vigoureusement la tête et jeta un regard rapide à Lilah.

— Oui, il vient juste de téléphoner, répondit-il. Lilah lui a conseillé de se calmer et lui a raccroché au nez.

Lilah sentit le rouge lui monter aux joues alors que Reed se tournait vers elle, haussant un sourcil interrogateur.

— Alors comme ça, on raccroche au nez des gens ? demanda-t-il avec un léger sourire.

Elle choisit de le prendre comme un bon signe et leva les mains en l'air.

— Oui, je plaide coupable mais, pour ma défense, il hurlait sur ce pauvre garçon.

Reed éclata de rire, Micah et Connie l'imitèrent.

— Qu'est-ce que j'aurais aimé être là ! ajouta-t-il. Et mieux encore, qu'est-ce que j'aurais aimé voir la tête de mon père à l'autre bout du fil !

— C'était super cool ! s'exclama Micah, alors que Connie déposait le café et un supplément de gâteaux sur la table. Je ne veux pas retourner en pension, ajouta-t-il dans un soupir. Je déteste ce pensionnat. Ils nous obligent à porter cet uniforme débile, il y a toujours quelqu'un pour te dire quoi faire, et la cantine est atroce. Ils ne font que des trucs bio et sains, et on n'a jamais le droit de manger quand on en a envie.

À l'entendre, on le forçait à manger de l'herbe et des racines ! songea Lilah en se retenant de rire.

126

Reed observa les miettes dans l'assiette de Micah et les traces de lait dans son verre.

— Je vois que tu t'es bien rattrapé, fit-il remarquer, très sérieux.

Connie se posta derrière la chaise du petit garçon, comme pour le protéger.

— Tu peux rester, dit Reed.

Les yeux de Micah s'écarquillèrent comme s'il arrivait à Disneyland.

— C'est vrai ?

— Oui, c'est vrai, confirma Reed. Moi aussi je détestais l'internat, tu sais. C'était lugubre la nuit, et encore plus durant les vacances, quand la plupart de mes camarades étaient partis. La maison est assez grande pour que tu y passes l'été. Je me charge de papa, on verra ensuite en septembre ce que l'on fait de toi.

Micah éclata en sanglots, mais il s'agissait cette fois-ci de larmes de joie. Une manière de relâcher la pression.

Reed tendit le bras pour ébouriffer les cheveux de son frère.

— Mais à une seule condition, ajouta-t-il.

— Laquelle ? demanda Micah, de nouveau inquiet.

— Tu te débarrasses de cet atroce uniforme et tu portes des jeans et des baskets. Je ne veux pas de cette horreur sous mon toit !

Lilah crut que son cœur allait exploser sous le coup des émotions. Et elle en reconnut une qui n'avait pas du tout sa place ici...

Elle était en train de tomber amoureuse de Reed Hudson. Une histoire qui ne pouvait pas bien se terminer.

Quelques heures plus tard, Reed essayait de raisonner son père au téléphone.

— Écoute, lui dit-il, Micah peut rester avec moi. Il

déteste le pensionnat, et je ne vais pas lui donner tort. Tu ne vas quand même pas l'obliger à y passer l'été alors que je t'offre une alternative ?

Une part de lui-même, la plus cartésienne, se demandait pourquoi il proposait cela. Mais une autre, la plus sentimentale, le savait pertinemment. Parce que l'enfance de Micah lui rappelait la sienne, et ses souvenirs d'internat étaient encore si vivaces qu'il n'avait eu aucun mal à se mettre dans la peau de son jeune frère. La vie loin de chez lui, à part pour un rapide séjour à Noël et parfois durant les vacances scolaires, ce n'était pas quelque chose qu'il aurait souhaité même à son pire ennemi. Sans compter que les sanglots de Micah lui avaient déchiré le cœur. Quel genre de frère aurait-il été s'il avait accepté de le replonger dans une telle souffrance ?

— Nous passerons l'été ensemble, poursuivit-il, et si la région lui plaît, je l'inscrirai ici à l'école à la rentrée.

Il parlait avec le seul ton qui pouvait fonctionner avec son père : une voix ferme, assurée, ne laissant pas la moindre place à la contestation.

— Il y a un excellent collège à proximité de la maison, précisa-t-il.

Il avait rapidement consulté les établissements scolaires sur Internet avant d'appeler son père ; cela ne pouvait que jouer en sa faveur.

Il entendit son père se racler la gorge. Le moment était venu de le laisser s'exprimer.

— Imaginons que je sois d'accord, le problème c'est que sa mère ne dira jamais oui.

— Allons, allons ! répliqua Reed en riant. Tu sais parfaitement que Suzanna est heureuse tant que Micah n'est pas dans ses pattes.

Son père s'esclaffa à son tour.

— Tu as raison. Je ne sais pas ce qui m'est passé par la tête quand je l'ai épousée.

Le mystère était tout aussi entier pour Reed, mais là n'était pas la question. Il devait cependant admettre que son père avait rapidement recouvré la raison. Son mariage avec Suzanna n'avait même pas duré un an avant que la femme vénale qu'elle était révèle son véritable visage et disparaisse de leur vie. Ce qui n'avait vraiment pas été une grosse perte.

— Donc cela veut dire que tu es d'accord ? insista Reed. Micah peut rester avec moi ?

Son père resta silencieux une bonne minute avant d'abdiquer.

— Oui, faisons comme cela. J'appellerai l'internat demain pour leur dire que Micah ne reviendra pas, puis je le dirai à ton frère.

— Parfait, répondit Reed, soulagé. Et sinon, comment va Nicole ? Des nouvelles de l'accouchement ?

— Elle va très bien, mais le médecin pense qu'il lui faut encore deux semaines.

Reed avait toujours du mal à comprendre comment son père trouvait encore le temps et l'énergie de faire des enfants. Mais le fait qu'il se marie avec des femmes plus jeunes que lui et désireuses de fonder leur propre famille devait y être pour quelque chose.

— Passe-lui le bonjour de ma part.

— Je n'y manquerai pas, assura son père d'une voix douce. Merci beaucoup. À moi de changer de sujet. Je peux savoir qui a dit à la femme que j'ai eue au téléphone qu'elle pouvait me raccrocher au nez ?

Reed ne put s'empêcher d'éclater de rire.

— Lilah ? Oh je t'assure que personne ne peut lui dire quoi que ce soit ! Il faut croire que cette solution s'est imposée à elle durant votre conversation.

— Elle me plaît. Elle a du cran.

Ce qui était un euphémisme.

Une fois l'appel terminé, Reed s'enfonça dans son

fauteuil et contempla le bord de son bureau. La veille au soir, Lilah et lui… Ce souvenir ardent le fit se raidir. Il grommela et secoua la tête. Il avait bien trop de problèmes à régler pour se permettre de telles obsessions.

Un petit mois auparavant, il vivait dans un palace. Ses seuls soucis se limitaient aux dossiers de ses clients et aux appels sporadiques de ses frères et sœurs. Maintenant, il était propriétaire d'une maison où vivaient une gouvernante, un bébé et un garçon de douze ans. Connie était parfaite, mais allait-elle réussir à s'occuper de deux enfants ? Il fallait qu'il songe à embaucher une nounou. Et avant qu'il ne déniche la perle rare, Lilah allait devoir rester.

Une idée qui plaisait à son corps, mais qui inquiétait son cerveau. Quelle autre possibilité avait-il ? Il devait travailler et subvenir aux besoins de deux enfants. Lilah comprendrait forcément qu'elle allait devoir rester plus longtemps que prévu.

Déterminé comme jamais, il se leva de son fauteuil et quitta son bureau. Arrivé à l'étage, il alla frapper à la porte de la chambre de Lilah. La maison était calme, prête à s'endormir. La porte de la chambre de Micah était fermée, celle de Rosie entrouverte, la lumière de sa veilleuse éclairant le couloir d'une lumière douce.

Lilah lui ouvrit. Elle portait une nuisette jaune descendant à mi-cuisses. Ses cheveux étaient mouillés, elle venait manifestement de prendre une douche. Elle sentait la fraise. Son visage était nu, sans maquillage, mais il n'en avait jamais connu d'aussi beau.

Sa peau nacrée… La fragrance sucrée de son parfum… Son cœur fit un tel bon dans sa poitrine qu'il en eut le souffle coupé.

— Qu'est-ce qui se passe ? demanda Lilah, visiblement inquiète. Il y a un problème avec les enfants ?

Quelle idée avait-il eu de venir la déranger aussi tard ?

Leur conversation aurait très bien pu attendre le lendemain. Mais maintenant qu'il était là…

— Tout va bien Lilah. Il faut qu'on parle, c'est tout.

Lilah crut que son cœur dégringolait dans sa poitrine. « Il faut qu'on parle » n'étaient jamais de bons mots pour débuter une conversation. Mais elle savait aussi qu'ils devaient parler.

Depuis la veille et l'étreinte royale qu'ils avaient partagée, elle attendait que Reed fasse un gigantesque pas en arrière. La mise au point n'était pas venue, mais elle avait de toute façon décidé de partir. Au plus vite. Les sentiments qui se développaient en elle n'appelaient pas d'autre solution.

D'autant plus qu'elle pouvait repartir la conscience tranquille. Elle avait vu Reed à l'œuvre. Non seulement avec Rosie, mais avec Micah, et si elle ne se faisait pas trop d'illusions sur sa capacité à enlever son armure avec des adultes, ses capacités à être père n'étaient plus un sujet de préoccupation. Avec un peu de temps et de persévérance, il allait s'en sortir, et Rosie allait connaître une enfance heureuse.

Lorsqu'elle referma la porte, Reed commença par faire les cent pas dans la chambre. Après une longue inspiration, il se retourna vers elle.

— On n'a pas encore parlé de ce qui s'est passé. Hier soir, je veux dire.

— Je sais. Mais est-ce qu'il y a tant de choses à en dire ?

Probablement pas qu'elle était en train de tomber amoureuse de lui !

Elle n'avait pas du tout envie d'entendre que leur nuit n'était qu'une nuit sans lendemain, que ce n'était que du sexe, qu'il ne fallait pas se faire d'illusions, imaginer que leurs vies allaient changer et *tutti quanti*.

Dans l'idéal, c'est elle qui aurait dû aller le trouver. Lui dire qu'elle n'attendait rien, qu'elle ne voulait rien de lui. Que son cœur allait se briser en mille morceaux lorsqu'elle repartirait pour l'Utah n'était pas quelque chose qu'il devait savoir. Jamais. C'était son secret.

— C'est vraiment ce que tu penses ? demanda-t-il.

Il avait l'air sincèrement surpris de sa réponse.

— Moi je voudrais quand même te dire que cette nuit ne ressemble à aucune de celles que j'ai pu partager avec d'autres femmes.

— Qu'est-ce que je dois en déduire ?

Elle aurait pu le prendre comme une insulte, mais il semblait si satisfait en le disant.

— Que…

En silence, il s'avança vers la fenêtre et tira les rideaux. Le clair de lune inonda la pièce.

— Que chaque femme avec qui j'ai pu passer la nuit se réveillait avec des envies de diamants et de mariage.

Lilah laissa échapper un petit rire nerveux. Elle devait sans doute se sentir flattée d'être différente. Au moins, il ne risquait pas de l'oublier ! De toute façon, si ses rêves pouvaient effectivement être aussi romantiques, jamais elle n'allait les lui confier. Elle savait pertinemment que leur histoire n'avait pas le moindre avenir, alors pourquoi se bercer d'illusions ?

— Tu ne risques rien, je te jure, assura-t-elle. Cette nuit était magnifique, Reed, et je ne l'oublierai sans doute jamais, mais cela n'ira pas plus loin.

Il plissa brièvement les yeux, comme s'il ne s'attendait pas à une telle indifférence de sa part. Mais elle n'était pas indifférente, elle se protégeait.

— Alors si nous sommes tous les deux sur la même longueur d'onde, c'est parfait, dit-il. Mais il y a autre chose dont je voulais te parler.

— Je t'en prie.

Elle s'assit sur le bord du lit et tira sur sa nuisette autant que la finesse du tissu pouvait le supporter.

— Voilà, Lilah, je vais avoir besoin de toi un peu plus longtemps que prévu.

— Oh.

Si elle s'attendait à cela... Après la nuit qu'ils venaient de partager, elle était persuadée qu'il avait affrété son jet pour le lendemain matin, et bon vent, Lilah ! Visiblement, elle s'était trompée.

Il s'avança d'un pas vers elle.

Elle fit tout son possible pour ne pas croiser son regard. Avec la lune dans le dos, son visage à moitié dans l'ombre, il semblait dangereux, mystérieux... et sexy à tomber. Comment allait-elle pouvoir résister ? D'autant plus que maintenant, elle savait quel était le goût de l'amour dans ses bras. Elle savait ce que lui faisaient ses mains courant sur sa peau nue, sa bouche au creux de ses...

Elle frissonna. Son esprit s'affolait.

— En réalité, poursuivit-il, vu que Micah va vivre chez moi, Connie aura énormément de travail, avec les deux enfants et la maison à tenir.

— C'est vrai.

— Bien. Alors si tu es d'accord avec moi, j'aimerais que tu restes...

Son idiot de cœur s'emballa de plus belle. Qu'était-il en train de lui demander ? Aurait-elle le droit de rêver ? De... ?

— ... Jusqu'à ce que je trouve une nounou.

Ces mots déchiquetèrent ses espérances aussi vite qu'elles avaient germé dans son esprit. Comment avait-elle pu être aussi naïve ? Il fallait qu'elle parte, elle le savait. Non seulement elle avait abandonné sa boutique depuis trop longtemps mais, en restant auprès de Reed, son cœur n'allait pas cesser de lui faire des fausses joies. Et son départ n'en deviendrait que de plus en plus difficile, de plus en plus douloureux.

— Qu'est-ce que tu en penses ?

Elle sourit et resta silencieuse un long moment.

— Alors ? insista-t-il.

— Il va vraiment falloir que tu travailles ta patience.

Et elle, qu'elle s'applique à mettre de la distance avec un homme qui la faisait chavirer. Comment pouvait-il être aussi irrésistible alors qu'il la regardait comme si elle était en train de lui parler martien ? Tout en lui la ravissait. Du soin qu'il mettait à jouer les sévères à ses talents d'amant, en passant par la tendresse et la bienveillance qu'il manifestait avec les deux enfants de la maison. Elle brûlait d'amour pour lui, elle ne pouvait plus se le cacher, même si elle ne lui révélerait jamais ce secret.

Poussant un profond soupir, elle se releva, en prenant soin de garder une distance de sécurité entre elle et Reed. Non, elle n'allait pas le laisser tomber. Il fallait qu'elle se reprenne et oublie ses fantasmes, mais elle ne pouvait pas rentrer chez elle avant l'arrivée de la nounou. Elle devait penser en priorité aux enfants, tout le reste était accessoire.

— D'accord, je reste.

Elle lut un immense soulagement sur le visage de Reed.

— C'est merveilleux, merci Lilah.

— Mais…

Il grommela.

— Je m'en doutais, il y a toujours un « mais » avec toi. Quel est-il, cette fois ?

— J'ai délaissé ma boutique depuis trop longtemps.

En réalité, elle avait passé deux ou trois heures par jour à surveiller ses activités sur Internet et à briefer ses employés sur la gestion des stocks et de la comptabilité. Mais rien ne valait sa présence.

— Il faut que je rentre chez moi ce week-end, pour une réunion avec mes employés, conclut-elle.

Reed prit un air songeur quelques secondes, puis proposa :

— Et si nous venions tous avec toi ?

Elle éclata de rire. Quelle plaisanterie !

— Alors quoi ? marmonna-t-il en haussant les épaules. Je ne blague pas. Micah, Rosie et moi on t'accompagne. On pourrait même prendre le jet familial, ce sera plus rapide et confortable.

Ses arguments n'étaient pas loin d'être imparables.

— Et on pourra même en profiter pour faire un peu de tourisme. Tu nous montreras tes montagnes que tu aimes tant. Et on reviendra tous ensemble en début de semaine.

L'idée la séduisait au plus haut point. Imaginer Reed Hudson dans sa ville, dans sa maison la réjouissait. Ainsi, elle allait pouvoir se créer des souvenirs, pour les chérir une fois la date de péremption de leur histoire dépassée. Et ainsi…

Mais quelle idiote ! Graver Reed dans sa mémoire n'allait que rendre encore plus difficile sa vie loin de lui.

— Il ne faut pas que tu te sentes obligé, dit-elle.

— Je ne me sens pas du tout obligé. En vérité, j'adorerais voir la petite boutique où tu fabriques tous tes délicieux parfums.

Baissant la garde, elle le laissa tendre la main vers elle et lui ramener une mèche de cheveux derrière l'oreille. Le contact de sa peau l'électrisa. Il fallait qu'il arrête, mais elle était incapable de la moindre résistance.

— Ce soir, c'est la fraise des bois, n'est-ce pas ? demanda-t-il.

À ces mots, il plongea le visage dans son cou.

— J'adore les fraises, je crois que ça me rend encore plus fou que la vanille…, murmura-t-il.

Elle sentit une tempête de feu éclater sous sa peau. Son cœur s'emballa. Que pouvait-elle faire ?

Elle répondit, sa bouche à un souffle de distance des lèvres Reed :

— Tu penses vraiment que c'est une bonne idée ?

— Non.

Mais le mot ne fut suivi d'aucun geste de recul. Au contraire, Reed se pencha encore un peu plus près et l'embrassa, un baiser frénétique. La course de ses mains débuta. D'abord sur ses épaules, ensuite sur ses seins et ses tétons durcis par le désir. Ensuite dans son dos, sur sa taille, sous sa nuisette, entre ses cuisses. Sa langue dansait avec la sienne, comme si elle cherchait à lui donner un aperçu de ce qu'elle comptait faire plus tard, plus bas…

Et elle perdit ce qui lui restait de raison. Leur histoire était vouée à l'échec, alors pourquoi ne pas en profiter, tant qu'elle durait ?

Elle entoura Reed de ses bras et le serra contre son cœur. Reed poussa un petit grognement de satisfaction et la garda un instant contre lui avant de la repousser doucement sans toutefois la lâcher. Reprenant sa respiration, elle plongea ses yeux dans les siens, ces deux émeraudes dont elle allait rêver toutes les nuits jusqu'à la fin de ses jours…

— Tu es incroyable, chuchota-t-il en prenant son visage en coupe.

Elle ferma les yeux. Les pincements de son cœur étaient aussi douloureux que délicieux. Ces rares moments de fusion seraient tout ce qu'elle garderait de Reed Hudson. Alors autant emmagasiner le plus de souvenirs possible. Se concentrer sur le moindre geste, le moindre frôlement, le moindre non-dit.

La pièce baignait dans la lueur argentée de la lune. Le silence, total, soulignait leurs gémissements. Leurs corps s'apprivoisaient, se répondaient.

Et un cri de bébé vint rompre ce ballet charnel.

Lilah se releva brusquement, baissa sa nuisette et s'empara du babyphone.

— Je crois que quelqu'un veut nous dire quelque chose, dit-elle, le souffle court. Je vais voir ce qu'elle a, mais ne m'attends pas. Va te coucher.

Il s'allongea alors dans le lit.

— Dans ta chambre, précisa-t-elle.

Il se releva, manifestement déçu.

— Oui, tu as probablement raison, murmura-t-il, peu convaincu toutefois. C'est mieux comme ça.

Elle le laissa néanmoins lui prendre la main et l'accompagner jusqu'à la chambre de Rosie où elle entra, seule.

9

Reed détestait viscéralement Los Angeles. Mais il était obligé de s'y rendre plusieurs fois dans le mois et devait prendre son mal en patience.

Aujourd'hui, il avait un rendez-vous avec un juge fédéral avec qui il avait fait ses études de droit, rendez-vous qui serait suivi d'un déjeuner avec un futur client potentiel. Le tout entrecoupé des célèbres embouteillages de la cité des anges.

Ce qui lui donnait aussi le temps de réfléchir. La nuit inachevée avec Lilah obsédait ses pensées. Il avait beau adorer sa nièce, il devait admettre que la petite fille avait le chic pour pleurer au mauvais moment.

Oui, il adorait ce petit être qui pleurait quand il ne fallait pas, aspergeait sans vergogne ses chemises hors de prix — d'eau ou de purée — et lui faisait pipi dessus.

Étrange, il n'en avait encore jamais pris conscience. Ou, du moins, n'avait encore jamais mis ce fameux mot sur ce qu'il ressentait avec sa nièce et fille adoptive. Ce qui n'avait rien de surprenant. Il n'était pas un robot, après tout, et il aimait aussi ses parents, ses frères et sœurs. Il n'y avait que l'Amour avec une majuscule qu'il évitait comme la peste.

Et quelle chance avait-il que Lilah soit sur la même longueur d'onde que lui ! La discussion qu'il redoutait tant s'était déroulée sans la moindre anicroche. Lilah était une femme sensée. Depuis quand s'était-il senti aussi en phase avec une femme ? Probablement jamais.

Son cœur se serra. Lilah n'avait-elle pas accepté un peu trop facilement de tirer un trait sur leur histoire ? N'aurait-elle pas pu exprimer un peu de regret à voir leurs chemins se séparer prochainement ? De son côté, il savait la séparation inexorable, mais ce n'était pas pour autant qu'il sautait de joie à l'idée de voir la jeune femme rentrer chez elle. Au contraire, il appréhendait le départ de Lilah. Elle s'était si rapidement intégrée à sa vie… Comment allait-il vivre sans elle ?

Jamais une femme ne l'avait repoussé avec un tel calme. Du moins, aucune femme pour laquelle il se consumait de désir. En général, il était le premier à se lasser et à rappeler à ses maîtresses les termes de leur contrat. Avec Lilah, c'était l'inverse qui s'était passé. Alors pourquoi n'était-il pas heureux ?

— Même quand elle n'est pas là, elle me rend fou, grommela-t-il en déboîtant derrière une Corvette. Maintenant, elle se concentre sur les enfants comme si je n'existais plus.

Ces derniers jours, il ne l'avait quasiment pas vue.

Micah prenait doucement ses marques, commençait à se faire des copains dans le voisinage, tout en passant beaucoup de temps à jouer avec Rosie et Lilah, qu'il avait manifestement adoptée. Le trio vivait sa vie sous le regard bienveillant de Connie, et Reed avait dû trouver sa place dans ce nouvel environnement familial qui définissait désormais son existence.

Et il devait bien l'admettre : il adorait cette nouvelle vie. Jamais il n'aurait pu s'imaginer dans une maison, avec des enfants, mais étonnamment, il s'y sentait comme un poisson dans l'eau. La suite à l'hôtel était pratique et impersonnelle. La villa était bruyante, désordonnée, débordante de vie. Le calme… n'existait pratiquement plus. Un contraste saisissant avec sa vie qui jusque-là avait baigné dans le silence et la solitude.

Les gens pouvaient visiblement changer. Il avait changé.

Mais le plus surprenant dans tout cela, c'était qu'il redoutait réellement le départ de Lilah. Il s'en faisait en priorité pour les enfants, mais aussi pour lui. Que deviendrait sa vie lorsque Lilah serait repartie dans ses montagnes ? Le premier jour où il rentrerait du travail sans entendre son rire, sans sentir son parfum ?

La sonnerie du téléphone le tira de ses mornes pensées. À la bonne heure ! Il risquait de devenir fou, s'il continuait à trop penser à Lilah.

— Salut, Reed, je ne te dérange pas ?

Il reconnut immédiatement la voix de son demi-frère, du côté de sa mère. Ses appels ne disaient rien qui vaille.

— Salut Cullen, ça va, je suis en route pour Los Angeles.

— Eh bien justement, en parlant de voiture, tu connaîtrais un bon avocat à Londres ?

Reed retint un juron.

— Pourquoi, Cullen, qu'est-ce que tu as encore fait ?

— Moi, rien. Mais ma voiture si, justement, et je n'étais pas au volant.

Le conseil de Lilah sur sa patience lui revint en mémoire. Il compta jusqu'à dix et répéta lentement :

— Cullen. Qu'est-ce que tu as fait ?

— Une amie conduisait la Ferrari, elle a mal négocié un tournant et…

— Une amie ? Quel genre d'amie ?

— Le genre que tu adorerais, je t'assure. Elle a beaucoup de qualités, sauf pour la conduite.

— Personne n'a été blessé ?

Reed serra les dents et retint sa respiration. Cullen était le représentant le plus casse-cou du clan Hudson élargi. Il avait vingt-six ans et était promis à une grande carrière dans la banque de son père, Gregory Simmons.

— Aucun blessé, non, à part un buisson, répondit Cullen.

Reed fronça les sourcils, persuadé d'avoir mal compris ce que venait de lui dire son demi-frère.

— Un buisson ? Mais qu'est-ce que tu me chantes ?

— Oui, Juliet a tondu une haie centenaire et des massifs de dahlias primés à divers concours de jardinage. À entendre les lamentations de leur propriétaire, on aurait cru qu'elle avait écrasé son chien.

— Mais bon sang, Cullen, quand vas-tu te calmer ?

— Oh ! frérot, pas de sermon, d'accord ? J'ai juste besoin d'un bon avocat.

Reed prit quelques instants pour passer mentalement son carnet d'adresses en revue.

— Tristan Marks devrait faire l'affaire. Appelle mon cabinet et demande à Karen qu'elle t'envoie ses coordonnées.

En espérant que Tristan lui pardonne le boulet qu'il venait de lui envoyer dans les jambes.

— Super Reed, merci beaucoup ! Je savais que je pouvais compter sur toi ! Je t'appelle demain chez toi pour qu'on discute plus longuement, d'accord ?

— Non, pas demain, je pars pour le week-end.

À l'autre bout du fil, Cullen se mit à rire.

— Encore un passionnant séminaire de juristes ?

— Non, corrigea Reed. Je prends quelques jours de repos, voilà tout.

Un long silence s'installa. Tellement long que Reed pensa que la communication avait été coupée.

— Cullen, tu es là ?

— Oui, oui, pardon, je crois que mes neurones n'ont pas totalement capté ce que tu viens de dire. Toi ? Deux jours de repos ?

Au loin, Reed aperçut le panneau annonçant sa sortie d'autoroute. Il mit son clignotant et s'apprêta à prendre la bretelle.

— Quoi ? Quel est le problème ? lança-t-il sèchement.

Il entendit Cullen éclater de rire.

— Oh rien, aucun problème. Visiblement les miracles existent.

— Tu n'es pas aussi drôle que tu penses l'être, Cullen, je t'assure.

— Sans doute, sans doute. Alors comment s'appelle-t-elle ?

— Qui ?

— La magicienne qui a le pouvoir d'éloigner Reed Hudson de son bureau durant un week-end entier.

— Laisse-moi tranquille, Cullen. Appelle Karen.

À ces mots, il raccrocha.

Oui, Lilah était une magicienne. Et le problème était le suivant : qu'allait-il devenir sans elle ?

Les paysages de l'Utah étaient plus beaux que ce qu'avait imaginé Reed. Il y avait beaucoup d'arbres et de grands espaces des deux côtés de la route et, chose extraordinaire pour un Californien, aucun embouteillage ! Le trajet de l'aérodrome à Pine Lake avait été un enchantement.

Le vol n'avait pas duré longtemps, et Reed avait loué une voiture à leur arrivée, dotée évidemment d'un siège bébé. La quantité de matériel nécessaire pour une si petite personne ne cesserait sans doute jamais de l'étonner. Heureusement qu'ils avaient pu profiter du jet privé ! Avec tous ces bagages, ils auraient attendu des heures aux contrôles de sécurité, s'ils étaient montés à bord d'un vol commercial.

— Alors tu fais du ski l'hiver ? demanda Micah, installé à l'arrière du break.

— Bien sûr, répondit Lilah en se retournant vers lui. Si tu reviens cet hiver, je serai ton guide personnel si tu veux.

Dans le rétroviseur, Reed vit le visage de son frère s'illuminer.

— Super ! On reviendra cet hiver alors, n'est-ce pas Reed ?

— Peut-être, peut-être, bredouilla-t-il.

Comment pouvait-il dire oui ? Lilah parlait de l'hiver prochain, et il savait qu'elle ne ferait plus partie de leur vie, à ce moment-là. Cette pensée lui laissa comme un grand vide à la place du cœur.

— Là, c'est à gauche, indiqua Lilah. On n'a qu'à s'arrêter chez moi d'abord pour poser les affaires, ensuite on ira à la boutique.

Reed jeta un regard vers elle et se rendit compte qu'elle avait l'air aussi excitée que Micah, qui n'avait que douze ans. Manifestement, sa maison lui avait manqué. Sa maison, ses montagnes, ses amis. C'était normal, sans doute. Elle lui avait déjà offert plus de trois semaines de sa vie. Comment avait-il pu lui en demander davantage ? Il allait lui être sacrément redevable, lui qui détestait devoir quoi que ce soit à quiconque…

Suivant les conseils de Lilah, il se gara devant ce qui ressemblait à une boîte à chaussures géante. Et même, pas si géante que cela. Comment pouvait-on vivre dans un espace aussi minuscule ?

Le bâtiment était un cube parfait en bois, avec des volets noirs et une galerie faisant tout le tour. Donnant sur une sombre forêt de pins, le jardin tenait davantage de la prairie ou de la clairière. Le naturel de l'ensemble s'accordait parfaitement à la personnalité de Lilah.

À peine le moteur éteint, cette dernière descendit de la voiture, libéra Rosie de son siège et se dirigea vers la maison, Micah les suivant de près. Reed, lui, prit le temps de savourer le spectacle qui s'offrait à lui, celui d'une paire de fesses délicatement moulées dans un jean…

Une fois à l'intérieur, le sentiment d'exiguïté qu'il avait ressenti en voyant la maison fut remplacé par quelque chose de chaleureux et accueillant. La maison de Lilah était un véritable écrin de bonheur, un petit cocon.

— Je n'ai que deux chambres, précisa-t-elle. Micah, ça ne te dérange pas de dormir avec Rosie ?

— Pas du tout, répondit le garçon avec un haussement d'épaules. C'est où ?

— Sur la mezzanine, à droite.

Reed regarda son frère disparaître, son sac à dos à la main. Il avait beaucoup changé en quelques jours. Disparu, l'adolescent craintif et taciturne. Il était désormais à l'aise dans ses baskets.

Une fois seuls, Reed se tourna vers Lilah.

— J'aime beaucoup, dit-il.

— Merci. Je sais que c'est petit, mais avec l'atelier et le magasin, je ne pouvais pas mettre davantage. Quand j'aurai gagné au loto ou vendu des millions de savons, je pense faire construire un chalet annexe dans le jardin.

Hochant la tête, Reed ne put s'empêcher de penser que sa villa était bien assez grande pour y installer un laboratoire de cosmétiques. Il était même assez riche pour offrir à Lilah toute une usine de savons et de bougies. Mais à quoi bon, vu qu'elle n'allait pas s'installer en Californie ?

— Il n'y a pas que Rosie et Micah qui devront dormir dans la même chambre ce soir, ajouta-t-elle.

La nuit s'annonçait prometteuse…

— Ah oui ? répliqua-t-il d'un ton badin. Je crois que j'aime ta maison encore plus !

Une fois les bagages défaits, ils partirent tous les quatre à pied pour le centre-ville.

Reed, qui n'avait aucune affinité avec la campagne, dut admettre que ces montagnes avaient leur charme. Pine Lake ne comptait qu'une seule avenue, mais elle était adorable, avec ses fûts en bois d'où dégringolaient de généreux plants de géraniums. Et lorsque Lilah leur fit passer la porte de son magasin, il fut saisi d'admiration.

La boutique était lumineuse et parfaitement agencée. Chaque chose semblait y avoir sa place. Sur une étagère, les fameux savons multicolores attendaient le client. Sur une autre, il y avait des coffrets enrubannés aux parfums entêtants. Des bougies, des bijoux, des lotions pour le corps, des shampooings ou encore des déodorants se succédaient dans les trois rayons que comprenait la petite boutique.

Lilah pouvait être fière de ce qu'elle avait accompli.

Quand ses employés la rejoignirent pour une rapide réunion, Reed prit conscience de tout ce qu'elle avait abandonné pour venir s'occuper de Rosie. Les gens qui se pressaient autour d'elle semblaient tellement l'aimer.

Comme ils avaient sûrement aimé Spring.

Soudain il comprit qu'il ne se trouvait pas uniquement dans l'univers de Lilah, mais aussi dans celui de sa sœur. Il évoluait là où Spring avait travaillé, il voyait ses amis, ses collègues. Respirait l'air qu'elle avait respiré juste avant que le destin ne l'arrache à lui. Si seulement il avait pu se réconcilier avec elle avant…

Le reste de l'après-midi passa aussi vite qu'une étoile filante. Ils revinrent en ville, s'arrêtèrent dans un restaurant pour le dîner, puis poursuivirent par une petite balade digestive autour d'un lac où Micah eut tout le loisir de jeter du pain à des canards déjà bien nourris. Pour la première fois depuis de longues années, Reed prenait le temps de ne rien faire. De simplement savourer l'instant. En compagnie de Lilah et des enfants, il se laissa bercer par un sentiment de sérénité comme il en avait rarement connu. Et peut-être même jamais.

Ce qui ne manqua pas de l'inquiéter. Sans s'en rendre compte, il s'habituait à Lilah. Il en devenait même dépendant. Mauvaise idée. Très mauvaise idée. Elle n'allait pas rester auprès de lui. Leur histoire n'avait aucun avenir, il ne fallait pas qu'il l'oublie.

— Tout va bien ? lui demanda Lilah à voix basse, en

redescendant de la mezzanine où elle venait de coucher les enfants.

— Oui, pourquoi ?

— Je ne sais pas, tu m'as l'air distrait.

— Non, non, tout va bien, je pensais au travail, voilà tout.

Lilah lui sourit et l'invita à le suivre dans sa chambre.

— Détends-toi, Reed, tu as le droit de ne pas penser à tes dossiers pendant quarante-huit heures, tu sais.

— Aussi longtemps ? Tu es sûre que je vais survivre ?

Mais son cœur n'était pas à la plaisanterie. Et l'heure n'était plus à la discussion.

En silence, il la rejoignit sur le lit et, sans plus attendre, se pressa contre elle et l'embrassa. Enivré par le goût de ses lèvres, il s'efforça de ne plus penser à rien d'autre qu'au moment présent. Les soucis, les angoisses, les peurs et les doutes pouvaient attendre. Pour le moment, seul son désir impérieux pour Lilah comptait.

Lilah se lova contre lui à mesure que ses mains descendaient le long de ses cuisses et exploraient ses courbes à l'affolante sensualité. Elle était si réactive, si réelle, si certaine de vouloir l'accueillir en elle qu'il craignit de ne pas pouvoir contrôler ses ardeurs. Elle s'agrippa à son dos, à ses reins, et la sensation de ses ongles dans sa chair lui sembla aussi torride que des charbons ardents.

Quand il la pénétra, elle étouffa un cri en se mordant les lèvres. Suivant la partition que lui dictait son souffle, il cala le rythme de son bassin sur une mesure lente, ample, profonde, terriblement tendre. Et, tel un volcan se réveillant après des siècles de léthargie, l'éruption de l'extase ne put que les anéantir.

La plainte étouffée de Rosie le sortit de son coma. À côté de lui, dans le noir, Lilah dormait à poings fermés. Sans faire de bruit, il se glissa hors du lit pour monter dans la mezzanine. Il devait agir vite, sinon Rosie risquait de réveiller Micah.

Lorsqu'il revint dans le lit, la petite fille dans les bras, Lilah avait ouvert les yeux.

— Installe-la entre nous, murmura-t-elle. Quand elle se sera rendormie, je la remonterai.

Il s'exécuta et déposa un baiser sur le front du bébé. Ému, il se laissa griser par son odeur délicate de brioche toastée. Jamais il n'avait ressenti une telle quiétude. Étaient-ce là les sentiments qu'une famille pouvait faire naître dans le cœur d'un homme ? Le véritable amour ? Celui avec un grand A ?

Alors que les premières lueurs de l'aube pointaient derrière les volets entrouverts, il ferma les yeux. Le lendemain et son retour à la réalité viendraient bien assez vite. Trop vite.

— J'ai de très mauvaises nouvelles, annonça Reed en posant son attaché-case sur la chaise la plus proche.

Ce faisant, il examina le salon de la villa où Carson Duke s'était installé depuis la séparation d'avec sa femme. Située sur la plage de Malibu, la maison donnait l'impression d'être construite sur le sable. Et avec la grande porte-fenêtre ouverte, c'était comme si l'océan avait été convié à leur réunion.

L'air inquiet, Carson fronça les sourcils.

— Quoi ? Quelque chose est arrivé à Tia ?

Extraordinaire ! Même si son divorce était déjà bien engagé, son client réagissait toujours comme si rien n'avait changé. Comme si sa femme était toujours dans sa vie, comme au premier jour.

Reed le rassura sans attendre.

— Non, non, tout va bien. C'est juste qu'elle ne veut pas signer l'inventaire immobilier, alors nous allons devoir en passer par une médiation judiciaire.

Carson poussa un profond soupir de soulagement.

— Ah très bien. Tant pis pour la médiation, tout me va, tant que Tia va bien.

À ces mots, il s'avança vers la terrasse. Reed le suivit.

Malgré un temps nuageux, la plage était parsemée de surfeurs attendant la vague et leur shoot d'adrénaline.

Le regard perdu au loin, Reed déclara :

— Sauf votre respect, votre état d'esprit ne me semble pas trop celui d'un futur divorcé.

Carson laissa échapper un petit rire gêné.

— Oui, je crois que vous avez raison, mais je vous avais prévenu, jamais je n'aurais pensé que mon histoire avec Tia puisse se terminer ainsi. Et même se terminer tout court. Pour tout vous avouer, je ne comprends toujours pas comment on a pu en arriver à cet enfer.

En général, Reed serait parti dans sa tirade sur les mariages malheureux qui font des divorces heureux, sur la casse qu'il fallait limiter, et autres formules à l'emporte-pièce mais utiles dans un tel contexte. Sauf qu'il savait qu'elles n'allaient être d'aucun secours à Carson qui n'allait pas les entendre.

Bizarrement, il ne s'était encore jamais senti aussi proche d'un client durant toute sa carrière. Comme si l'acteur était devenu son ami et qu'il ne pouvait rien lui offrir d'autre que son entière franchise.

— Je ne sais pas, Carson, reprit-il en fourrant les mains dans les poches de son pantalon. Je crois que, parfois, les choses tournent tout simplement mal sans que l'on puisse savoir où elles ont dérapé.

Carson lui jeta un rapide coup d'œil.

— Vous parlez d'expérience ? Je croyais que cela ne vous était jamais arrivé.

— À moi non, pas directement, mais j'ai eu tout le temps d'observer mes parents, vous pouvez me croire. Ils adorent se marier. J'ai maintenant dix frères et sœurs, et le petit dernier devrait arriver d'un jour à l'autre.

Carton siffla lentement et longuement. Par admiration ou compassion, Reed ne put le dire.

— J'ai été aux premières loges de nombreux divorces, ajouta-t-il, et je peux vous jurer que mes parents n'ont jamais pu comprendre ce qui n'avait pas fonctionné. Encore aujourd'hui, lorsqu'ils font le compte, ils tombent tous les deux des nues.

Une pensée qui lui serra le ventre. Pourquoi ses parents avaient-ils autant persévéré ? Pour pourrir la vie de leurs enfants ? Si c'était à cela que l'amour ressemblait, autant le jeter d'emblée aux orties.

— La procédure de divorce est enclenchée, poursuivit-il. Et peut-être que vous ne vous rappelez pas la raison de votre séparation, mais il y en a eu une, c'est certain. Désormais, il faut que vous acceptiez la situation. C'est la meilleure façon de passer à autres choses, et vite.

Des paroles qui pouvaient parfaitement s'appliquer à son propre cas. Malheureusement.

Lilah raccompagna la troisième nounou à la porte.

— Merci d'être venue, j'appellerai l'agence quand la décision sera prise.

Une fois la candidate partie, elle poussa un profond soupir.

Honnêtement, ces entretiens étaient une épreuve qu'elle n'aurait jamais imaginée. Trouver la femme qui allait devoir s'occuper d'enfants qu'elle aimait comme les siens la tiraillait de part en part. Sur quels critères devait-elle la choisir ? Devait-elle sélectionner la plus âgée, avec plus d'expérience, mais moins d'énergie ? Ou la plus jeune, dynamique, mais risquant de perdre plus facilement patience ? La perfection n'était pas de ce monde et rien ne garantissait que l'élue apprécierait Micah et Rosie. Ni d'ailleurs que les enfants l'apprécieraient en retour.

En passant devant la cuisine, elle vit que Connie était en train de faire déjeuner Rosie. Elle aurait dû probablement entrer, mais elle avait envie d'un peu de solitude. La matinée avait été réellement éprouvante.

Dans le salon, elle prit place sur le canapé et sortit son téléphone de sa poche. Dans la galerie d'images, elle repassa les photos prises le week-end précédent, dans l'Utah. Son cœur s'emplit de bonheur. Il y avait Micah et les canards. Rosie essayant de manger une pomme de pin. Reed et Micah sur les montagnes russes, à la fête foraine du lac. Rosie et sa première glace à l'italienne, qu'elle avait voulu partager avec Reed… en la lui mettant dans la figure.

La dernière photo, qu'elle avait demandée à un passant de prendre, les montrait tous les quatre. Tous arboraient leur plus beau sourire. Lilah tenait Reed par le bras. Micah avait la petite Rosie dans ses bras et se penchait vers Reed. La belle équipe.

Pendant quarante-huit heures, ils avaient été une véritable famille. C'était du moins ce qu'elle avait ressenti. Mais tout cela n'était qu'éphémère, comme une tête de pissenlit avant un coup de vent.

La tristesse l'étreignit brusquement. Comment allait-elle faire pour partir ? Elle aimait ces enfants. Elle aimait Reed. Mais elle savait mieux que personne qu'il n'allait pas vouloir l'entendre.

Et si elle se trompait ? Après tout, il avait déjà énormément changé depuis leur rencontre. Peut-être qu'il avait aussi changé sur ce plan ? Il avait accepté de faire entrer Rosie et Micah dans sa vie. Est-ce qu'il pouvait l'y faire entrer, elle aussi ? Que risquait-elle à ouvrir son cœur ? Elle devait lui parler. Les remords valaient toujours mieux que les regrets.

Son regard s'arrêta sur une photo de Reed prise le

dimanche, après leur langoureuse nuit. Le soleil se reflétait dans ses yeux. Il avait l'air si heureux, si serein.

— Peut-être que tu n'as pas envie de l'entendre, mais moi je dois te le dire, murmura-t-elle.

Sur ce, elle se leva, remit son téléphone dans sa poche et retourna vers la cuisine. Elle y trouva Connie, les cheveux pleins de purée verte, en train d'essuyer la bouche de Rosie qui riait et tournait la tête dès que Connie s'approchait.

— Alors ? dit cette dernière sans se retourner. Comment était la numéro trois ?

Lilah alla se servir une tasse de café, puis vint s'asseoir sur la banquette.

— Sympathique, répondit-elle, mais le fait qu'elle ne cesse de loucher sur son téléphone m'a un peu agacée, je dois l'avouer.

Connie dénoua son tablier et s'avança vers l'évier pour se nettoyer.

— C'est la jeunesse d'aujourd'hui, fit-elle remarquer en remettant son chignon en place. Les smartphones annoncent la mort de la civilisation.

Lilah éclata de rire.

— Vous y allez un peu fort, vous ne pensez pas ? Dans tous les cas, la jeunesse n'excuse pas l'impolitesse. Soit elle passe un entretien d'embauche, soit elle envoie des SMS à son petit ami, mais elle ne fait pas les deux choses en même temps.

Elle jeta un œil à la terrasse, puis au jardin.

— Où est Micah ? demanda-t-elle.

— Il est sorti jouer au basket avec Carter et Cade.

— C'est super qu'il se soit fait des amis aussi vite. Il en avait besoin.

La gouvernante lui sourit.

— Et toi, de quoi as-tu besoin ?

Lilah haussa les épaules.

— Moi ? De la paix dans le monde, je suppose.

— C'est amusant, tu trouves toujours le moyen d'esquiver les questions.

Existait-il au monde quelqu'un de plus lucide que Connie Thomas ? Lilah soupira.

— Je ne sais pas quoi faire, Connie, je t'assure. Je n'ai toujours pas trouvé la bonne nounou, je ne peux pas rester ici indéfiniment et…

Elle s'arrêta et repensa à l'attitude de Reed depuis leur retour en Californie. Comme à son habitude, il était débordé, et elle ne l'avait quasiment pas vu. Était-ce en réaction à ce qu'ils avaient partagé dans l'Utah ? Une manière de lui dire que le bonheur familial dont elle avait eu un aperçu n'était définitivement pas fait pour lui ? Voulait-il qu'elle parte au plus vite ?

Connie s'approcha et lui prit la main.

— Je sais, c'est le « et » qui est le plus difficile, là-dedans, dit-elle.

— C'est le moins qu'on puisse dire…

Connie fronça les sourcils.

— Mais j'ai quand même mon petit mot à dire, dans cette histoire de recherche de nounou, décréta-t-elle avec force.

— Connie ? Quelque chose ne va pas ?

— Je vais être tout à fait franche. Je me sens insultée, voilà ce qu'il y a. Si Reed croit que je ne suis pas capable de m'occuper d'un adolescent et d'un bébé aussi adorables l'un que l'autre tout en tenant la maison, c'est qu'il a perdu le sens commun. Il croit que je suis bonne pour la casse ou quoi ? Que je suis trop vieille pour veiller sur deux enfants ? Non ! Nous n'avons pas besoin de nounou. En revanche, ce qui est sûr, c'est que ces enfants ont besoin d'une maman. Et en attendant, ils auront une Connie.

Une maman. Connie avait mis un soin particulier à détacher les deux syllabes du mot, et Lilah ne sut que répondre à cela.

152

En réalité, elle était comme la nounou qu'elle venait de raccompagner : reçue pour un travail dont elle rêvait, mais qu'elle ne pouvait obtenir. Elle n'était pas la maman de Rosie, ni de Micah. Jamais elle ne le serait.

Du moins, pas avant qu'elle ait parlé à Reed. Cette fois-ci, elle ne pouvait plus reculer.

La nuit était tombée depuis longtemps, mais Reed n'était toujours pas sorti de son bureau. Plusieurs dossiers méritaient un dernier coup d'œil. S'il avait eu sa capacité de concentration d'antan, sa tâche aurait sans doute été terminée depuis longtemps. Mais désormais, tout était devenu laborieux.

Lorsqu'il entendit frapper à la porte, il abandonna tout espoir : sa journée de travail était bel et bien terminée.

— Entrez.

C'était Lilah. Son cœur fit un bond dans sa poitrine.

Elle était vêtue d'un short blanc et d'un T-shirt rouge, et portait des sandales de plage aux pieds. Comment faisait-elle pour être aussi belle en restant aussi simple ? Aussi naturelle ? Elle se mouvait avec une grâce innée et la légèreté d'une ballerine. Sous la lumière du plafonnier, sa chevelure semblait en feu. Mais c'est sur ses yeux qu'il arrêta son regard.

Des yeux qui recelaient assez de secrets et de mystères pour captiver un homme toute une vie durant.

Toute une vie ?

Reed se raidit. Non, il ne devait pas penser au « toujours ». Il devait se focaliser sur le « maintenant ». Le moment présent. C'était bien ce qu'il avait fait toute sa vie, alors pourquoi cette ligne de conduite lui était aujourd'hui si difficile à suivre ?

— Je te dérange ? demanda-t-elle.

Il tourna la tête vers les dossiers ouverts sur son bureau et l'écran de son ordinateur.

— Non, non, pas vraiment, j'avais fini, de toute façon. J'ai du mal à me concentrer, ce soir.

— J'ai quelque chose pour toi.

À ces mots, elle lui tendit un cadre photo.

Il ne put retenir son sourire en voyant l'image.

— L'homme qui s'est pris une glace à la fraise dans l'œil, dit-il.

Lilah se mit à rire.

— Oui, je me suis dit que ça te ferait plaisir, comme souvenir.

— Et tu as eu raison.

Le week-end dans l'Utah ne datait que de quelques jours, mais Reed avait le sentiment qu'il remontait à une éternité. Les souvenirs se précipitèrent dans son esprit... Micah courant après les canards du parc. Son insistance à faire tous les manèges de la fête foraine. La petite Rosie qui mettait tout et n'importe quoi dans sa bouche, y compris des pommes de pin. Et Lilah, dans son élément, rayonnante. Ces quarante-huit heures avaient tout simplement été... parfaites.

Ce soir, Lilah souriait toujours, mais son regard semblait lointain, comme voilé.

Elle s'assit sur le bord de son bureau. Il sollicita tout ce qu'il put de force mentale pour ne pas tendre la main vers ses jambes nues.

— Il faut que je te parle de Connie. Elle veut te dire que...

— Oui, je sais. Elle est venue me voir cet après-midi et m'a exposé tous ses arguments et plus encore sur l'inutilité d'embaucher une nounou.

Lilah le gratifia d'un clin d'œil.

— Oui, dit-elle d'un ton amusé, je pense qu'elle ne va

pas lâcher le morceau sur le fait qu'elle est encore capable de s'occuper d'une maison et de deux enfants.

— Cela ne fait aucun doute. À vrai dire, elle n'avait même pas encore terminé son exposé que j'ai eu l'impression d'avoir de nouveau dix ans et qu'elle allait m'obliger à faire la vaisselle !

Les yeux de Lilah s'illuminèrent.

— Elle t'aime beaucoup, tu sais.

— Je le sais, confirma-t-il dans un soupir. Je voulais simplement lui simplifier la vie, en fait. Je n'avais pas conscience de lui faire de la peine. Jamais je ne l'ai considéré comme une vieille chose inutile.

— Donc le dossier nounou est clos ?

— Oui, il est clos.

Les mots de Connie résonnèrent dans son esprit. « Tu as vraiment été heureux dans ton enfance avec les nounous qui allaient et venaient ? Tu veux imposer cela à Micah et Rosie ? ». Elle n'aurait pas pu trouver de meilleur argument. Non, il ne voulait pas que les enfants connaissent ce qu'il avait vécu. Si Connie voulait s'occuper de tout, qui était-il pour lui enlever ce plaisir ?

Lilah baissa les yeux et se tordit nerveusement les mains.

— Bon, bredouilla-t-elle, je suis heureuse pour Connie, mais ce n'était pas la véritable raison de ma venue.

Il s'enfonça dans sa chaise et sentit une désagréable tension raidir sa nuque.

— Notre accord était que je reste jusqu'à l'embauche d'une nounou, poursuivit-elle, et comme tu n'en embauches pas…

Voilà, elle partait. Elle était entrée dans son bureau, belle comme un rêve d'été, avec son parfum de pommes vertes pour lui dire qu'elle allait quitter sa vie pour toujours.

La tension dans sa nuque augmenta. Son estomac se noua.

Il se racla la gorge ; il ne devait rien laisser transparaître.

— Tu n'es pas obligée de partir tout de suite, tu sais.

Les mots avaient dépassé sa pensée. Ou, du moins, étaient sortis bien trop vite de sa bouche.

Elle le fixa un instant sans rien dire. Elle semblait à bout de souffle, comme si elle venait de courir un marathon.

— Oui, à ce sujet, il faut que je te dise quelque chose.

Il sourit.

Allait-elle lui proposer de rester ? Certes, la fin de leur histoire était inévitable, mais cela n'empêchait pas de retarder encore un peu l'échéance.

— Je t'aime.

Il eut l'impression que l'on venait de lui renverser un seau de glace sur la tête. Il se leva de sa chaise comme un diable monté sur ressort.

— Quoi ? s'exclama-t-il.

— Je t'aime, Reed. Je t'aime et j'aime les enfants.

D'un geste, elle attrapa le cadre qu'elle venait de lui offrir.

— Regarde cette photo, Reed. Nous pouvons être une famille Nous le sommes.

Elle s'avança vers lui.

Il recula.

— Lilah, ce n'était pas ce que nous avions décidé.

Il la vit serrer les poings. Une larme coula sur sa joue.

— Je n'avais pas non plus décidé de tomber amoureuse de toi, rétorqua-t-elle d'une voix blanche. Mais c'est ainsi, la vie ne se déroule pas toujours selon nos prévisions.

Il crut s'étrangler.

Une famille ? De l'amour ? Tout ce dont avaient rêvé ses clients avant que leur mariage ne tourne au désastre ! Personne ne prévoyait jamais le pire, et pourtant, le pire arrivait toujours.

— Non, désolé Lilah, ce n'est pas fait pour moi.

Il accompagna ses mots d'un hochement de tête appuyé. Qui essayait-il réellement de convaincre ? Lilah ou lui ?

— Je ne me marierai jamais, précisa-t-il.

156

— Je ne demandais pas ta main.

— Cela revient au même. Écoute, que les choses soient claires. J'aime beaucoup ta compagnie, et le sexe entre nous est époustouflant. Qui plus est, tu es super avec les enfants et les enfants t'adorent. Mais tu savais qui j'étais depuis le début, Lilah, rien n'a changé.

Elle le fusilla du regard.

— Rien n'a changé, insista-t-il. J'ai trop souvent vu comment la souffrance pouvait naître de l'amour et je ne vais pas tomber dans ce piège, désolé. Mais tu peux rester, tu sais.

— Quoi ?

— Oui, reste. Je peux te payer si tu veux. Tu n'as qu'à devenir la nounou des enfants, aider Connie, et je te paye le salaire que tu veux. Je peux même te construire un atelier pour que tu fasses tes savons et tes bougies.

Lilah plongea son regard dans le sien, mais un regard qu'il ne sut déchiffrer.

— Tu me paierais ? murmura-t-elle.

— Oui, autant que tu veux.

— Et on continuerait à coucher ensemble, c'est ça ?

Elle croisa les bras sur sa poitrine.

— Oui, cela me ferait très plaisir, lui assura-t-il. Sans amour, sans engagement, sans risque.

— Tu plaisantes ?

— Non, je suis très sérieux.

Elle laissa échapper un petit rire nerveux.

— Sans risque, Reed, tu ne gagnes jamais rien. Tu peux me payer des millions, je ne serai jamais ta poule de luxe.

— Mais je n'ai jamais dit ça ! s'exclama-t-il, outré.

— Cela revient au même.

— C'est très insultant, Lilah, pour toi comme pour moi.

— Oui, tu as raison. Et c'est pour cela que je pars dès

demain. Je ne vais pas rester un jour de plus dans une maison où on ne me respecte pas.

À ces mots, elle sortit de la pièce.

Lorsque la porte se referma, Reed eut l'impression qu'une chape de plomb venait de s'abattre sur sa vie.

10

Le mois suivant fut une torture.

Lilah essayait de reprendre son ancienne vie, mais la nouvelle lui manquait terriblement. Et avec elle Rosie, Micah et Connie. Quant à l'absence de Reed, elle lui donnait l'impression que quelqu'un lui avait arraché le cœur.

Chaque respiration était douloureuse. Chaque souvenir lui redonnait à la fois le sourire et la faisait souffrir le martyre. Chaque instant où elle était privée de ceux qu'elle aimait la coupait en deux.

— Tu es sûre d'avoir pris la bonne décision, ma chérie ?

Lilah soupira et fixa le visage de sa mère sur l'écran de l'ordinateur.

Heureusement que l'on avait inventé les conversations vidéo, cela atténuait un peu le mal de la distance et permettait à Lilah de prendre des nouvelles de sa mère et de Stan qui poursuivaient leur interminable croisière. Le navire venait tout juste d'accoster à Londres, et Lilah savait que dès l'appel terminé, sa mère allait prendre Stan par le bras et partir à l'assaut des musées et des boutiques de la capitale britannique qu'elle adorait.

Mais pour le moment, Lilah lui parlait de Rose et de Micah… et de Reed.

— Je ne crois pas que j'avais réellement le choix, maman.

Elle avait retourné les choses dans sa tête encore et encore. Elle ne pouvait pas rester et conserver sa fierté, sa dignité, son amour-propre. Si elle avait accepté la proposition de Reed, elle savait pertinemment que, très vite, elle n'aurait pas pu se regarder dans une glace. Un jour, elle en aurait voulu à Reed, et la situation entre eux serait devenue intenable.

— Je sais bien, ma chérie, la rassura sa mère d'une voix douce. Visiblement, tu n'avais pas le choix, mais ce qui se voit aussi comme le nez au milieu de la figure, c'est que cet abruti est fou de toi.

Lilah éclata de rire un bref instant.

Depuis quand n'avait-elle pas profité d'un moment de joie ? Pas depuis qu'elle avait quitté la Californie, en tout cas.

Elle vit Stan arriver dans le champ de la vidéo et la saluer.

— Salut, ma belle, tu ne m'en voudras pas si je donne raison à ta mère sur ce coup ? Reed est amoureux de toi, il est juste mort de trouille à l'idée de l'admettre.

Lilah fronça les sourcils.

— Rien n'effraie Reed, vous savez.

Stan la gratifia d'une grimace, qui la fit de nouveau rire. Son allure avait aussi de quoi l'amuser. Avec sa chemise hawaïenne et son crâne chauve luisant sous le plafonnier de leur cabine, il n'avait rien du redoutable homme d'affaires qu'il avait été. Comment ne pas l'apprécier ? D'autant plus qu'il rendait sa mère si heureuse…

— Ma chérie, ajouta Stan, l'amour fait flipper tous les hommes de la planète.

À ces mots, il embrassa le front de sa mère.

— Sauf moi, précisa-t-il. Quand j'ai rencontré ta mère, j'ai tout de suite su qu'elle était la femme de ma vie. Celle que j'attendais depuis si longtemps. Et lorsqu'une opportunité comme celle-ci te passe sous le nez, mieux vaut la saisir tout de suite, sinon tu risques fort de te noyer sous les regrets.

Malgré les pixels, Lilah distingua l'émotion qui emplissait les yeux de sa mère.

— Bon, je vous laisse discuter entre filles, mais promets-moi que tu ne laisses pas tomber ce type, d'accord ?

Stan lui fit un clin d'œil avant de s'éloigner.

— Oui, oui, on verra, répondit-elle en le saluant d'un geste de la main. Maman, je suis tellement heureuse que tu aies trouvé Stan.

— Moi aussi ma chérie, moi aussi. Ton père était un homme merveilleux, et j'ai eu énormément de chance de l'avoir à mes côtés toutes ces années, mais…

Sa mère se pencha contre l'écran.

— Lui aussi était mort de trouille à l'idée de s'engager.

— Quoi ? Tu ne me l'avais jamais dit !

— Parce que tu n'avais pas de raison de le savoir. Au moment où notre histoire devenait sérieuse, il a même préféré rompre pendant un temps.

— Mais maman, c'est incroyable !

— Au contraire, ma chérie, c'est tout à fait commun. « Pour toujours » est une formule qui effraie bien des hommes, même les plus forts, et ton père est allé jusqu'à risquer de me perdre pour le comprendre.

Lilah resta silencieuse un long moment.

— Lilah, ça va ? Si tu as besoin de moi, tu me le dis, et je saute dans le premier avion, tu le sais.

Oui, elle le savait, sa mère était comme cela : prête à tout laisser en plan pour soutenir sa fille. Elle sentit son cœur se gonfler d'affection, et se rappela brusquement sa chance. Malgré le chaos de son existence en ce moment, elle pouvait toujours compter sur l'amour et la présence de sa mère. Une stabilité que Reed n'avait jamais eue.

— Merci maman, mais ça va très bien, je te rassure. J'ai ma boutique, mes amis. Ne t'inquiète pas, ce n'est qu'une mauvaise passe, ça va aller.

— Oui, ça ira bientôt mieux, je te le promets. Tu es

la meilleure des filles et tu mérites le genre d'histoire d'amour dont sont remplis les contes de fées.

Lilah sentit des larmes couler lentement sur ses joues. Il fallait espérer que la mauvaise résolution de la vidéo permette de les camoufler.

— Tout ira bien, répéta sa mère. Et comme l'a dit Stan, n'abandonne pas tout espoir tout de suite. Je suis sûre que, là où il est, Reed Hudson est en train de se rendre compte qu'une vie sans toi ne mérite pas la peine d'être vécue.

Reed était en train de vivre le mois le plus long de son existence. Lilah le hantait jour et nuit, et avec elle, ces trois mots :

« Je t'aime ».

Ils ne cessaient de résonner dans son esprit. Il entendait la voix de Lilah, voyait ses yeux et ressentait un manque qui lui déchirait l'âme.

« Je t'aime. »

Des mots que personne ne lui avait encore jamais dits. Personne, de toute sa vie, ne lui avait jamais déclaré son amour avec autant d'innocence et de détermination. Et lui, il n'avait pas trouvé mieux que de les lui renvoyer au visage. Quel crétin…

Il poussa un long soupir.

— Tout va bien ?

La voix de Carson Duke le tira de ses pensées.

— Oui, oui, tout va bien, pardon. Je manque un peu de sommeil ces temps-ci, voilà tout. Bon, le juge vous a proposé une médiation, je pense que c'est une très bonne idée. À partir de là, vous allez vous mettre d'accord avec Tia, et la procédure sera vite terminée.

Carson hocha la tête.

— Oui, vous avez raison. Qui plus est, je suis vraiment heureux de revoir Tia grâce à cette médiation. Elle me manque terriblement. J'ai l'impression que nous sommes séparés depuis des siècles.

Une impression que Reed ne connaissait que trop bien... Lilah était repartie à peine depuis un mois, et il avait le sentiment qu'une année entière s'était écoulée, depuis son départ !

Que les enfants se plaignent aussi de l'absence de la jeune femme n'arrangeait rien. Micah n'arrêtait pas de lui demander quand ils allaient rendre visite à Lilah dans l'Utah. La petite Rosie, inconsolable, pleurait un peu trop souvent à son goût. Quant à Connie, elle ne manquait pas de lui rappeler combien la maison semblait vide sans le rire de Lilah. Comme s'il ne s'en rendait pas compte lui-même !

Il était puni pour avoir pris la bonne décision. Ce n'était pas logique. Rien ne semblait avoir de sens, dans cette histoire. Si se séparer de Lilah était la meilleure chose à faire, pourquoi se sentait-il aussi mal ?

Des bruits de talons lui firent lever la tête.

— Tia ! s'exclama Carson.

En effet, cette dernière venait d'entrer dans la salle d'audience, accompagnée de son avocate, Teresa Albright.

Reed connaissait bien Teresa. C'était une avocate redoutable et une amie chère. Mais aujourd'hui, sa chevelure rousse lui rappelait trop douloureusement celle de Lilah. Sa simple présence lui était dès lors insupportable.

— Carson, répondit laconiquement Tia. Comment vas-tu ?

— Ça va. Et toi ?

Rien qu'en les regardant du coin de l'œil, Reed put déceler la tension sensuelle qui bouillonnait entre eux. Carson semblait prêt à se jeter sur Tia. Quant à Tia, la manière qu'elle avait de se tordre nerveusement les mains prouvait combien elle avait envie de se pendre au cou de celui qui était encore son mari.

Le juge entra, chacun s'installa à sa place, et Reed en fut aussitôt soulagé. Le spectacle des deux tourtereaux malheureux comme les pierres commençait à lui taper sur le système tant il lui rappelait son propre chagrin.

— Tout le monde est là ? s'assura le juge.

Après un bref coup d'œil à l'assistance, il poursuivit :

— Bon, commençons par les logements.

La maison des hauteurs de Hollywood alla à Tia et le chalet du Montana à Carson. Personne n'objecta quoi que ce soit.

Pourquoi Tia avait-elle demandé cette médiation ? se demanda Reed, quelque peu énervé. Si elle n'avait rien à contester, elle aurait très bien pu signer les papiers et l'affaire serait réglée depuis belle lurette !

— En ce qui concerne la maison de Malibu et son mobilier, intervint Teresa, ma cliente la laisse à M. Duke.

Ce dernier se leva d'un bond.

— Ah non, Tia, tu la gardes ! Elle est à toi, cette maison.

— Mais tu l'aimes tellement ! rétorqua Tia. C'est toi qui as construit de tes mains le barbecue en briques de la terrasse que tu as aussi carrelée.

Reed fit signe à son client de s'asseoir.

Personne n'avait rien à gagner à ce que les débats dévient sur un plan trop personnel.

— Toi aussi tu adores cette maison, murmura Carson.

Tia baissa la tête et se mordit les lèvres.

— Oui, c'est vrai, bredouilla-t-elle.

— Sans compter que nous avons carrelé ensemble cette terrasse, tu te souviens ? On a commencé l'après-midi et on a fini en pleine nuit, à la lumière des projecteurs, car tu avais envie de prendre ton petit déjeuner le lendemain matin face à la mer.

Tia sourit, et Reed crut déceler des larmes dans ses yeux.

— Je me souviens, dit-elle. On a terminé à 3 heures du matin, exténués.

— Et on a fêté notre exploit au champagne, précisa Carson, la voix brisée par un sanglot.

— Avant de passer le reste de la nuit à regarder les étoiles filantes.

Carson s'avança vers sa femme.

— Tia, qu'est-ce qu'on fout là ? Tu as vraiment envie de divorcer ?

Tia secoua la tête.

— Je ne sais pas, je ne…

— Moi je sais, décréta Carson. Je sais que je t'aime et que vivre sans toi est une torture. Je t'aime, je t'ai toujours aimée et je refuse que notre histoire se termine dans cet horrible tribunal !

— Oh ! Un peu de respect, intervint le juge. On vient juste de refaire cette salle à neuf.

— Pardon, Votre Honneur, marmonna Carson. Mais nous n'avons rien à faire ici.

Puis il se tourna vers sa femme.

— Mon amour, je t'ai fait une promesse qui est de t'aimer et de te chérir jusqu'à la fin de mes jours et je ne peux pas me résigner à la briser. Comme sur la terrasse ce soir-là, je ne veux pas qu'on s'arrête.

Tia était en larmes, à présent.

— Moi non plus, je ne veux pas, bégaya-t-elle. Je n'ai jamais voulu divorcer, je ne sais même pas comment on en est arrivés là. Je t'aime, Carson, pour toujours.

— Alors restons mariés, mon amour.

Les mots se précipitaient dans la bouche de Carson comme si sa vie en dépendait. Reed en vint même à se demander si son client avait repris son souffle, depuis qu'il avait commencé à parler !

— On n'a qu'à prendre deux années sabbatiques, on s'enfuit dans le Montana, on ne répond plus au téléphone, on…

Le visage de Tia s'illumina d'un large sourire.

— Peut-être même que l'on pourrait faire des bébés, proposa-t-elle.

— Oui ! C'est une excellente idée ! répliqua Carson dans un éclat de rire. Je ne veux pas te perdre, ma chérie, je sais que je ne le supporterai pas.

— Moi non plus, mon amour, moi non plus…

À ces mots, Carson se précipita sur sa femme et l'embrassa à pleine bouche. Un spectacle qui aurait comblé de bonheur leurs innombrables fans.

Quelques dizaines de minutes plus tard, le couple venu pour divorcer repartait bras dessus bras dessous, non sans s'être excusé auprès du juge et de leurs avocats pour tout le temps perdu.

Si Reed faisait tout son possible pour rester de marbre, il avait bel et bien l'impression d'assister au dénouement d'une comédie romantique, un genre qu'il exécrait au plus haut point.

C'était aussi l'une des premières fois où il perdait une affaire. Non pas parce que la partie adverse avait remporté le pactole, mais parce que l'union ne s'était pas dissoute. Autre sentiment inédit, il espérait réellement que le mariage de Carson et de Tia résiste pour toujours.

Pour toujours. Ces mots qui l'avaient tant fait frissonner d'effroi l'emplissaient désormais d'une profonde émotion. Comme si une ampoule s'était subitement allumée dans son esprit. Un mariage n'avait rien de risqué si vous étiez marié à quelqu'un en qui vous aviez toute confiance. Quelqu'un à qui vous pouviez donner votre vie.

L'amour n'était pas un fléau. C'était le début d'une promesse capable de chambouler votre existence.

Il ne lui restait plus qu'à retrouver la femme de ses rêves pour le lui dire.

*
* *

Les affaires de Lilah étaient florissantes. Sa boutique ne désemplissait pas et sa nouvelle manager, Eileen Cooper, faisait du très bon travail. Oh ! Spring lui manquait toujours énormément, mais la vie semblait avoir enfin repris le dessus. Surtout depuis qu'Eileen s'était installée dans le petit appartement au-dessus du magasin, une page semblait réellement tournée…

En outre, se noyer dans le travail avait aidé Lilah à surmonter la douleur d'un autre manque : celui de l'avenir qu'elle n'allait jamais avoir avec Reed. La porte du jusqu'à-ce-que-la-mort-nous-sépare et du ils-eurent-beaucoup-d'enfants qu'il lui avait claquée au visage.

Le mois qui venait de s'écouler n'avait pas été facile, mais elle semblait s'approcher de jour en jour du moment où Reed quitterait ses pensées. L'idée d'oublier l'homme qui continuait à monopoliser son esprit jour et nuit la fit sourire.

— C'est vraiment magnifique.

La voix de Sue Carpenter la sortit de ses rêveries.

La femme portait un petit panier dans lequel se trouvaient l'une des dernières créations de Lilah, déclinée en un lait hydratant et un gel douche.

— Le nom, Brise d'été, est aussi très bien trouvé, précisa Sue en s'avançant vers la caisse. J'ai déjà l'impression d'être à la plage !

— Merci, Sue, moi aussi, ce parfum me fait penser à l'été.

Et à la Californie, et à une maison perchée sur une colline où tous ceux qu'elle aimait vivaient loin d'elle et sans elle…

— Vous feriez aussi des bougies avec cette fragrance ?

L'esprit ailleurs, Lilah se força à sourire à sa cliente.

— Oui, c'est une très bonne idée, je les aurai en rayon la semaine prochaine.

— C'est formidable, alors attendez-vous à me voir débarquer la semaine prochaine !

Avant que Sue ait franchi le seuil du magasin, la clochette de l'entrée tintinnabula, annonçant l'arrivée d'une nouvelle cliente.

Qui était en réalité un client…

Lilah eut l'impression que son cœur se détachait de sa poitrine. Reed Hudson ! Les questions se précipitèrent dans son esprit. Que faisait-il là ? Était-il arrivé quelque chose à Rosie ? À Micah ? À Connie ?

Lilah, Lilah. Arrête de te faire des films ou l'atterrissage risque encore d'être rude.

Avec son attitude savamment nonchalante qu'elle ne connaissait que trop bien, Reed s'avança vers elle. Impassible, son visage de redoutable avocat ne donnait pour le moment aucune indication sur ses intentions. Heureusement, il se dérida rapidement.

— Tu es resplendissante, dit-il, les yeux pétillants. Tu m'as manqué.

Lilah lui sourit.

— Toi aussi tu m'as manqué, dit-elle dans un souffle.

Obnubilée par Reed et son regard, elle ne remarqua même pas que ses clientes quittaient les unes après les autres la boutique. Lorsqu'elle se retourna, elle se rendit compte que Reed et elle étaient tous les deux seuls.

Le soleil d'août était aveuglant, ce qui était une bonne raison pour avoir des yeux qui pleurent — elle aurait été bien idiote de montrer à Reed combien il comptait pour elle.

— Que fais-tu ici ? demanda-t-elle enfin.

— Je suis venu te voir.

— Ah, tu es venu me voir.

Croyait-il qu'elle allait se jeter dans ses bras ? Retourner en Californie uniquement parce qu'il lui manquait tellement qu'elle pensait certains jours en mourir ? Non, non et non. Elle ne le pouvait pas. Ne le devait pas. L'aimer ne signifiait pas qu'elle allait tout abandonner pour lui, et en premier lieu sa fierté.

— Reed, dit-elle, tandis que les battements de son cœur s'accéléraient dangereusement. Rien n'a changé, je ne peux toujours pas accepter de…

— Je t'aime.

Elle crut défaillir. Il l'aimait ? Et surtout il le lui avouait ?

— C'est un changement énorme pour moi, Lilah. Je n'ai jamais dit ces mots à personne, jamais. Je n'en ai jamais eu envie. Mais aujourd'hui, avec toi, ils ne peuvent plus rester enfouis en moi. En réalité, j'aimerais même pouvoir te les répéter à chaque seconde jusqu'à la fin de ma vie.

Elle sentit ses genoux flageoler.

Allait-elle s'évanouir ? S'effondrer ? Se dissoudre en une mare de larmes ?

— J'ai beaucoup réfléchi, ces dernières semaines, poursuivit-il. Je n'ai cessé de penser à toi, à nous, à comment je ne peux pas vivre sans toi. La maison est tellement vide, sans toi…

Son souffle devenait de plus en plus court.

— Oh ! Reed…, réussit-elle difficilement à articuler.

— Une maison aussi bruyante que vide. Tu manques aussi atrocement aux enfants.

Elle ne put contenir ses sanglots plus longtemps.

— Ils me manquent aussi énormément.

Reed sourit.

— Sans compter que Connie m'en veut tellement qu'elle n'arrête pas de brûler les plats du dîner. Exprès.

Lilah éclata de rire, un rire où se mêlaient des pleurs de joie et d'émotion.

— Ce sont eux qui t'ont demandé de venir, alors ?

Il secoua fermement la tête et avança vers elle.

— Non, pas du tout, lui assura-t-il en prenant sa main.

Sentir sa peau sur la sienne l'aurait presque fait sursauter.

— Personne ne peut me forcer à rien, tu le sais bien.

Je suis venu parce que je crève de ton absence, Lilah. Sérieusement, je ne crois pas être capable de la supporter encore longtemps. Et pourquoi devrais-je m'infliger une telle souffrance ? Tu es là, tu vis, je t'aime. Tu es la femme que je désire, et je veux vivre avec toi.

— Que… Que veux-tu dire ?

— J'ai compris une chose en voyant un de mes clients refuser de divorcer. J'ai compris qu'une séparation était très facile, c'est le mariage qui est difficile. Il faut de la volonté et de la persévérance.

— Reed…

— Laisse-moi finir.

Il fit encore un pas vers elle, sa bouche n'était plus qu'à quelques centimètres de son visage.

— Dans ma famille, les gens sont des paresseux, ce qui explique tous les échecs conjugaux qui émaillent l'existence du clan Hudson. Mais je veux rompre cette malédiction, Lilah, et je veux la rompre avec toi. Je veux te montrer que je suis prêt à me battre pour toi et pour notre amour.

Oh Seigneur ! Reed était en train de dire tout ce qu'elle avait rêvé d'entendre… En étudiant son regard, elle comprit que la décision était maintenant entre ses mains. Reed venait de déposer son cœur à ses pieds, à elle de décider si elle choisissait de le ramasser ou de le piétiner.

— Tu pourras ouvrir une nouvelle boutique en Californie, je t'aiderai si tu veux, reprit-il. Et tu n'as même pas besoin de vendre celle de l'Utah, on y reviendra tous les mois pour que tu gères tes affaires. Tout le monde adore cette région, et tout le monde t'adore. Je t'adore, Lilah.

Une phrase qu'elle ne se lasserait jamais d'entendre…

À ces mots, il la serra contre lui.

— Je te le jure, Lilah, je serai le mari que tu mérites.

Le mari ? Était-il en train de…

— Tu me demandes en mariage ?

— Oui, Lilah, je veux être ton mari et je veux que tu sois ma femme.

Il glissa alors sa main dans la poche intérieure de sa veste et en tira un petit écrin de chez Tiffany. Il contenait la plus féerique des bagues de fiançailles : un diamant jaune !

— Reed, tu es fou…

— Oui, je suis fou de toi. Épouse-moi. Vis avec moi. Aime-moi. Fais-moi des enfants qui grandiront auprès de Micah et de Rosie dans notre famille si précieuse et si solide que rien ne pourra jamais la détruire, je t'en fais la promesse. Il faut juste que tu acceptes de prendre ce risque avec moi. De tout risquer pour notre amour.

Lilah essaya une nouvelle fois de calmer le rythme effréné de son cœur, mais la chose était impossible. Son cœur appartenait à Reed Hudson et il ne pouvait que s'emballer à ses côtés.

— L'amour n'a rien d'un risque, Reed, pas lorsqu'il est réel. Et je sais que l'amour que j'ai pour toi est aussi éternel que le diamant que tu m'offres.

Reed prit son visage en coupe entre ses mains.

— Alors c'est oui ?

— C'est oui, confirma-t-elle dans un murmure. Je t'aime plus que ma vie. Oui, je veux t'épouser et te faire des enfants. Et je te jure que tu n'auras jamais à demander le divorce avec moi car je ne te laisserai jamais partir !

Reed sortit la bague de son écrin et la passa à son annulaire gauche, du même côté que son cœur. D'un baiser, il scella leur promesse muette : une vie constellée d'amour et de passion.

MICHELLE MAJOR

Une troublante invitation

Traduction française de
JULIETTE BOUCHERY

Passions

⊞HARLEQUIN

Titre original :
A FORTUNE IN WAITING

© 2017, Harlequin Books S.A.
© 2018, HarperCollins France pour la traduction française.

- 1 -

Debout devant la fenêtre du salon du petit appartement de sa mère, dans le sud de Londres, Keaton Whitfield vit de gros flocons duveteux, dorés par la lumière du réverbère, tomber doucement pendant quelques minutes, puis le ciel nocturne se dégagea.

— De la neige à Noël ! s'écria sa mère en venant près de lui. C'est signe de chance !

Keaton entoura affectueusement ses épaules de son bras. Sa tête brune — avec quelques fils gris maintenant ! — lui arrivait tout juste à l'épaule, et son parfum de lavande l'enveloppa de sa douceur familière.

— Si on t'écoutait, tout porterait chance, lui fit-il remarquer d'un air taquin, en posant un baiser sur ses cheveux.

— Oui, mais ma plus grande chance, c'est toi. Je suis contente que tu passes Noël avec nous.

— Noël, c'est toujours avec toi, maman.

Ce ne serait sûrement pas Noël dans son logement désert ! Maintenant que sa carrière d'architecte avait le vent en poupe, il habitait un appartement spacieux, ultramoderne dans l'immeuble en plein centre de Londres dont il avait lui-même orchestré la rénovation. Un grand magazine avait publié des photos de lui en le décrivant comme le digne héritier de Lord Foster, l'un des architectes les plus en vue du Royaume-Uni. Mais s'il était fier de son travail, s'il appréciait le style et l'ergonomie de son appartement, Noël, depuis trente-trois ans, c'était un dîner de fête à la table en chêne vieillotte de l'appartement où il avait grandi. S'il savourait sa réussite, il n'oubliait ni ses origines ni la femme qui avait tout sacrifié pour lui offrir un bon départ dans la vie.

— Mais tu es toujours décidé à m'abandonner, mon grand.

Troublé, il se pencha vers sa mère pour scruter son visage. Elle plaisantait… ou pas ? Cette lueur inquiète dans ses yeux bleus… Elle n'avait jamais su lui cacher ses inquiétudes. Son visage frais ne changeait jamais, pas plus que sa coupe au carré toute simple. De fines rides étoilaient maintenant le coin de ses yeux, sa bouche retombait légèrement, mais elle était toujours la même Anita Whitfield.

— Je ne t'abandonne pas, maman. Je m'installe à Austin quelques mois pour un projet. Maintenant que tu as un smartphone, nous pourrons échanger des SMS ou faire du FaceTime quand tu voudras.

— Ce téléphone ! C'est un beau cadeau mais il est si intelligent que face à lui, je reste toute bête.

— Mais non, répliqua-t-il, amusé. Tu commences à savoir t'en servir.

— Quand je passe un coup de fil, c'est généralement parce que je me suis assise dessus !

Il éclata d'un grand rire en la serrant dans ses bras.

— Tu vas me manquer, murmura-t-il.

Elle l'étreignit très fort et, la joue pressée contre sa poitrine, demanda :

— J'espère que tu sais que tu n'as rien à prouver à ton père ?

Comme il ne répondait pas, elle leva la tête vers lui avec un regard inquiet.

— Gérald Robinson n'est pas mon père, dit-il sèchement.

— Je sais qu'il t'a blessé…

D'un mouvement impatient, il se tourna vers le village

de Noël miniature qui décorait toujours le salon au moment des fêtes. Quand il était petit, il n'avait pas le droit d'y toucher mais il trouvait toujours moyen de se glisser dans le salon en catimini pour grouper les petits personnages de porcelaine et en faire des familles. La famille, cette entité mystérieuse qu'il n'avait jamais connue...

Depuis moins d'un an, il connaissait le nom de l'homme qui avait mis sa mère enceinte avant de l'abandonner. Petit, il savait déjà, avec l'intuition des enfants, que ce père mystérieux avait brisé le cœur de sa mère, et il détestait déjà la tristesse qui noyait ses yeux quand il l'interrogeait à son sujet. Il avait donc cessé de poser des questions. Selon sa logique de gosse, si sa mère devait avoir deux emplois et se priver de tout pour les faire vivre, c'était par la faute de cet inconnu. Maintenant qu'il savait que cet homme était Gérald Robinson, le célèbre patron de RobinsonTech, géant de l'informatique, il tenait plus que jamais à prouver qu'il ne lui devait rien. Et même qu'il avait gagné à ne pas le connaître !

— S'il a blessé quelqu'un, c'est toi, maman. Pour moi, il n'existe même pas. Je n'ai strictement rien à lui prouver.

Il parlait avec beaucoup de conviction même s'ils savaient tous deux que c'était un mensonge. Sa mère lui pressa doucement le bras.

— Tu vas faire un tabac en Amérique, murmura-t-elle. Et tu seras content de revoir les autres Fortune.

Il hocha la tête avec un sourire rassurant. Les autres Fortune...

Il avait éprouvé un choc en apprenant l'histoire ahurissante de sa famille. Bien des années auparavant, son géniteur avait mis en scène sa propre mort pour entamer une nouvelle vie. Enterré sous son identité réelle, celle de Jérôme Fortune, il était devenu Gérald Robinson, l'homme surgi de nulle part pour réussir une carrière météorique. Un choc amplement compensé par la rencontre de ses demi-frères et sœurs. Lui qui avait toujours été un peu jaloux de ses amis qui faisaient partie d'une famille nombreuse, il s'était subitement retrouvé doté de huit frères et sœurs ! Malgré la haine qu'il vouait à son père, l'accueil à bras ouverts du clan Fortune comblait un vide en lui.

— Anita ! Keaton ! lança une voix joyeuse. C'est prêt ! Tout le monde à table !

Il vit le visage de sa mère s'éclairer d'un beau sourire. Elles étaient quatre amies à la vie à la mort, Anita, Lydia, Jessa et Mary Jane, un groupe uni qui se soutenait en toutes circonstances. Dans un sens, il avait eu quatre mamans. Grâce à elles, il n'avait jamais manqué de tendresse — une tendresse un peu étouffante par moments !

Quand il passa à côté avec sa mère, il fut entouré par ces femmes qu'il dominait de la tête et des épaules et qui voulaient toutes l'embrasser ou lui pincer la joue comme s'il était encore un tout petit garçon.

— J'ai fait ton dessert préféré, lui dit Mary Jane.

— J'ai apporté des crevettes, ajouta Lydia.

Jessa lui brandit sous le nez un plat de petites saucisses enroulées dans une lamelle de bacon.

— Regarde, des cochonnets !

— Je vais devoir faire encore une encoche à ma ceinture, après ce dîner, fit-il remarquer en se servant.

— Une encoche à ton tableau de chasse, mon grand ? Il y a encore de la place ?

Il faillit s'étrangler avec sa bouchée. Ses trois mamans d'adoption se pressèrent autour de lui pour lui donner des tapes dans le dos.

— Laissez-le respirer ! s'exclama sa mère en riant.

— Il n'y a pas d'encoches à…, marmonna-t-il.

Puis, comme sa mère haussait un sourcil sceptique, il précisa :

— Enfin, pas récemment.

Depuis qu'il savait que son géniteur avait laissé dans son sillage une foule de gosses illégitimes, il s'était beaucoup calmé sur le plan amoureux. Il n'avait rien à se reprocher, traitait toujours les femmes avec respect et restait le plus souvent en bons termes avec ses ex. Il tenait beaucoup à montrer qu'il ne ressemblait en rien à Robinson l'aîné ! S'il avait accepté la mission à Austin, c'était aussi pour pouvoir collaborer plus étroitement avec son demi-frère Ben dans sa recherche des autres enfants conçus avec tant de désinvolture par leur père commun.

— Assieds-toi, lui ordonna gaiement sa mère. Nous pourrons parler de tes projets conjugaux pendant le repas.

— Mes… ? Mais je n'ai pas de projets conjugaux !

Ses mamans le toisèrent d'un air réprobateur.

Il saisit son verre de vin et le leva à leur santé.

— Désolé, mes chéries mais c'est non ! Pour l'instant, je me concentre sur mon travail.

— Ce n'est pas le travail qui va te réchauffer sous la couette pendant les longues nuits d'hiver, intervint Lydia.

— Un bel homme comme toi ne peut pas rester seul, protesta tendrement Mary Jane.

— Tu es un beau parti, Keaton ! renchérit Jessa. Et nous ne sommes plus toutes jeunes !

— Vous êtes encore de vraies gamines, mais je ne vois pas le rapport entre votre jeunesse et mes qualités de beau parti.

— Tu ne nous suffis plus, lui expliqua sa mère en s'asseyant près de lui. Nous voulons des petits-enfants à gâter !

Il ravala une plainte et vida son verre d'un trait. Pourvu qu'elles aient prévu une seconde bouteille ! Ce repas de Noël allait être rude.

2

— Mais lâchez donc ce pauv' gars ! Son dîner en train de r'froidir.

La voix traînante à l'accent texan à couper au couteau fit sursauter les deux serveuses accoudées au comptoir du Chez Lola May. Emmalyn, la petite blonde, se redressa à contrecœur en suppliant :

— Dites juste une dernière chose !

— Oui, une réplique de James Bond, renchérit la jolie rousse avec le badge « Brandi avec un i ».

Lola May, la patronne du petit restaurant, les chassa toutes deux d'un coup de torchon.

— C'est fini, oui !

— Une autre fois, mon cœur, dit Keaton à Brandi.

La serveuse pouffa en esquivant le torchon de sa patronne qui secoua la tête en levant les yeux au ciel d'un air excédé.

Keaton lui sourit en pensant qu'elle avait exactement la tête d'une patronne de *diner* à Austin au Texas : un tiers de cow-girl d'antan et deux tiers de hippie sur le retour ! Des cheveux blond platine coupés court autour d'un visage de lutin, une ombre à paupières assortie à des boucles d'oreilles fantaisie très voyantes… Voilà trois soirs qu'il dînait ici et, chaque fois, le maquillage de la patronne du petit restaurant l'avait fait sursauter. Ce soir, ses paupières étaient d'une couleur turquoise très claire, comme ses yeux. Un effet assez déconcertant quand elle battait des cils ! D'une façon inexplicable, cette femme un peu rude, au visage marqué par ses soixante et quelques années mais au sourire très jeune, lui rappelait sa mère. En apparence, Anita et Lola May n'auraient pas pu être plus dissemblables, et pourtant la présence de cette dernière le réconfortait, apaisait la solitude qu'il éprouvait depuis son arrivée à Austin.

Le restaurant se trouvait juste en face de son chantier et à quelques rues seulement de l'appartement qu'il louait, le service était continu. Il avait trouvé tout simple de prendre l'habitude de dîner chaque soir au comptoir vert cru du Chez Lola May.

Libéré des attentions des serveuses, il s'interdit de laisser dériver son regard vers la jeune femme à la table du fond, penchée comme toujours sur son ordinateur portable. Une serveuse aussi mais qui, elle, ne venait jamais lui faire la conversation. Sa décision de prendre ses repas ici n'avait aucun lien avec elle. C'est du moins ce qu'il se répétait depuis une semaine…

— Si vous charmez les petites avec vot' accent, elles n'vont jamais vous laisser en paix ! lui expliqua Lola May en se campant devant lui, le poing sur la hanche.

— Oh ! Allez, la belle, ce s'rait mieux si j'parlais comme si j'étais d'ici ? demanda-t-il, amusé.

— Tenez-vous en à 007 ! lui conseilla-t-elle avec un rire bref. Parce que John Wayne, ça l'fait pas.

Il s'inclina de bonne grâce ; son accent texan ne tenait pas la route, il le savait. Satisfaite, la patronne déposa devant lui une énorme part de tarte aux pommes.

— Je ne crois pas avoir commandé…, protesta-t-il sans conviction.

— Mais z'allez la dévorer quand même.

Elle prit un peu de recul et le toisa, les yeux mi-clos.

— Z'avez terminé tous vos repas avec une part de

tarte. Faites confiance à Lola May, mon beau, je sais ce qui vous fait envie.

Ce fut plus fort que lui : il se tourna légèrement vers la table du fond. Un mouvement réflexe qui ne passa pas inaperçu aux yeux de Lola May.

— C'est pas la même chose, mon gars.

— Toutes les autres me font du plat.

Lola May se mit à rire.

— Ne vous mettez pas le slip à l'envers pour Francesca, répliqua-t-elle. Ce n'est pas que vous lui déplaisiez mais la petite, elle pense d'abord à son travail.

Keaton sourit. La jeune femme magnifique au fond de la salle venait de souffler distraitement pour chasser une boucle de ses yeux, sans cesser un instant de taper furieusement sur son clavier. Francesca… Ce nom lui allait à merveille. Ce halo de boucles serrées, dorées, une masse dans laquelle il mourait d'envie de plonger les mains. Cette peau crémeuse, cette silhouette généreuse… Elle aurait pu poser pour Botticelli. Que faisait une merveille pareille à jouer les serveuses dans un petit restaurant près du quartier branché de South Congress, à Austin ?

— Elle fait des études, en plus de son travail ici, lui expliqua Lola May à mi-voix. Je ne crois pas qu'elle ait pris un jour de repos depuis la rentrée.

— Mais pourquoi fait-elle tout ça ?

— Là, c'est son histoire, mon gars.

Lola May se détourna en emportant son assiette vide.

— J'peux juste dire que c'est une fille formidable, qui mérite mieux…

Elle s'interrompit. Surpris, il leva les yeux. Elle le toisa, et se décida à conclure :

— Mieux que le p'tit gars qui lui a pourri l'existence.

Il vit Francesca lâcher son clavier d'une main pour se pétrir l'épaule avec une grimace. Oh ! Mais si elle avait besoin d'un petit massage, il faisait cela très bien !

Il serait trop heureux de… Ou pas. Le visage de Gérald Robinson venait de surgir devant ses yeux. Il le balaya d'un battement de paupières mais le message était reçu. Il avait opté pour un moratoire sentimental, le temps de son séjour à Austin : une abstinence complète lui semblait plus simple que de trier les tentations. Personne, et surtout pas ses nouveaux frères et sœurs, ne devait penser un instant qu'il ressemblait à leur père.

Et pourtant son regard retournait d'instinct vers le fond de la salle. Lola May disparut dans sa cuisine… et Francesca leva la tête. Leurs regards se croisèrent, et il vit les yeux de la jeune femme s'arrondir. Des étincelles semblèrent danser dans l'espace qui les séparait. La sensation fut si puissante qu'il resta médusé. Que lui arrivait-il ? Il avait la bouche sèche tout à coup, le corps en alerte rouge. D'où venait cette réaction ? Il appréciait les femmes, bien sûr. Il les appréciait même beaucoup. Il avait été élevé exclusivement par des femmes, était sorti avec beaucoup d'entre elles et reconnaissait une attirance mutuelle au premier frémissement. Mais ce qui venait de se passer…

Son problème, au fond, c'était de toujours vouloir comprendre. Quand un phénomène tout à fait nouveau se présentait à lui, il lui fallait le tirer au clair. Petit, il adorait les puzzles. Seul dans l'appartement après l'école, sa mère encore à son travail, il passait des heures à trouver la place de chaque pièce. Voilà l'effet que lui faisait Francesca. Maintenant, il ne renoncerait pas tant qu'il ne saurait pas exactement comment la situer. Enfin, si elle lui permettait de clarifier la question !

Francesca Harriman claqua la porte de l'appartement au-dessus du restaurant et, d'un coup de pied, fit valser l'une de ses bottes de cow-boy à travers la pièce. La botte heurta bruyamment la table basse. Un instant plus tard, Ciara James, sa colocataire, jaillit de la salle de bains, enroulée dans un immense drap de bain, ses longs cheveux bruns dégoulinant d'eau, brandissant une...

— C'est la brosse à nettoyer les toilettes ? s'exclama Francesca en reculant d'un bond.

Ciara abaissa son arme improvisée avec un gros soupir de soulagement.

— C'est toi ! J'ai entendu un grand bruit... Tu en fais une tête !

— Je croyais qu'il n'y avait personne, marmonna Francesca en envoyant promener son autre botte.

— Donne-moi trente secondes avant de piquer ta crise. J'arrive !

Ciara disparut dans la salle de bains.

Francesca se laissa tomber sur le canapé. La tête rejetée en arrière, les yeux clos, elle se concentra sur sa respiration. Tout allait bien. Elle n'allait pas piquer sa crise. D'ailleurs elle n'avait pas le temps, même pour une toute petite crise. Pourquoi son cœur ne se calmait-il pas ? La réponse se présenta sous la forme d'une vision : un homme beau à tomber assis au comptoir, son regard bleu incroyablement sexy braqué sur elle...

Avec un cri étouffé, elle bondit du canapé et s'engouffra dans la minuscule cuisine. Elle se haussa sur la pointe des pieds, s'étira au maximum... et parvint à atteindre l'étagère du haut et à saisir la tablette de chocolat cachée par Ciara.

— Dis donc ! s'écria cette dernière.

Francesca se retourna, ouvrit rapidement l'emballage, cassa un carré et le glissa dans sa bouche. Le goût fabuleusement riche et réconfortant éclata sur sa langue... Elle laissa échapper un petit soupir de bonheur.

— C'est *ma* réserve, lui fit remarquer Ciara. Je l'avais cachée.

— Il va falloir trouver mieux, répliqua Francesca, la bouche pleine. On ne peut pas me cacher du chocolat. Je l'entends qui m'appelle.

— Oh ma grande, tu n'as aucune volonté !

— J'ai un examen de compta après-demain ! J'ai besoin de nourrir mon cerveau.

— Je t'avais laissé deux carrés sur la table, ce matin.

Vaincue, Francesca s'adossa au plan de travail en rendant la tablette à son amie.

— Je le sais, répondit-elle d'un air faussement repentant. Je suis faible. Affreusement faible.

Avec un petit rire, Ciara cassa deux carrés supplémentaires qu'elle lui tendit.

— Là, il n'est pas seulement question de tes cours, je me trompe ? demanda-t-elle. À époque désespérée…

— Tu me sauves la vie ! s'exclama Francesca en saisissant vivement les deux carrés.

— Tu veux m'expliquer pourquoi tu es entrée ici comme un ouragan ? Ou comme si on t'avait piqué ton flacon préféré d'après-shampooing ?

— C'est sérieux, l'après-shampooing. Si tu avais des cheveux comme les miens…

Elle tira sombrement une de ses boucles et grignota le coin d'un carré. Le goût explosa de nouveau dans sa bouche. Elle le savoura un instant et murmura :

— C'est l'Anglais.

Son amie la dévisagea, stupéfaite… Puis un large sourire illumina son visage.

— Celui qui dîne en bas tous les soirs depuis une semaine ?

— J'ai besoin de me concentrer ! Je ne peux rien faire quand il rôde dans la salle. Il me perturbe.

— De la meilleure façon possible…, murmura Ciara avec gourmandise. Il commande ses repas chez nous et il laisse des pourboires fabuleux. Je n'appellerais pas ça rôder.

— Il laisse de bons pourboires ?

— Stupéfiants ! Tu le saurais si tu n'échangeais pas tes tables avec moi chaque fois qu'il s'installe dans ton secteur.

— Je ne… Ce n'est… Il me rend nerveuse.

— C'est la façon dont il te regarde.

— Il ne me regarde pas !

Elle se mordit la lèvre, hésita, et finit par avouer :

— C'est son accent. Il me fait un effet bizarre.

Ciara secoua la tête, catégorique.

— Non. Bizarre, c'est le client qui apporte une petite cuiller pour mettre ses restes dans les sacs en plastique qu'il promène dans ses poches, rétorqua-t-elle. L'accent de l'Anglais, c'est torride.

Elle se pencha en avant pour assener le coup de grâce.

— Et la façon dont il te regarde l'est encore plus, ma belle. On dirait qu'il veut t'emporter à travers la lande embrumée.

— Il n'y a pas de lande embrumée à Austin, marmonna Francesca.

— Tu vois très bien ce que je veux dire.

Effectivement. C'était tout le problème. Keaton Whitfield — oui, elle était allée relever son nom sur un reçu de caisse, et alors ? — lui faisait regretter qu'ils ne vivent pas dans un pays romantique de landes embrumées. Regretter de ne pas être le genre de femme qu'un homme puisse avoir l'idée d'emporter sur son blanc destrier. Elle, elle était plutôt le genre de femmes à lui porter ses bagages.

— Je commence seulement à reprendre le dessus ! s'exclama-t-elle. Je me bâtis une nouvelle vie. Je ne peux pas me permettre de retomber dans…

— Tous les hommes ne vont pas te traiter comme ton ex, protesta Ciara avec énergie. Lou était un cas à part. Lou était… un pou !

— Oui, j'ai fini par le comprendre.

La seule mention du nom de son ex lui mettait un goût

amer dans la bouche. Dire qu'elle avait vécu six ans avec Louis Rather ! En étant assez stupide pour croire qu'il l'aimait ! Dire qu'elle avait mis de côté tous ses projets, et même son identité, pour se mettre à son service ! Quand, enfin, elle l'avait quitté, c'était en se jurant de ne jamais recommencer.

— Je me suis ridiculisée trop longtemps avec Lou, ajouta-t-elle. Je ne me fais pas confiance pour juger les hommes. Je ne sais pas repérer les types qui vont profiter de moi. Je ne…

— Stop ! On se calme. Tu viens de gommer tous les bons côtés pour aller directement à la rupture.

— C'est tout ce que je sais faire avec les hommes.

— J'ai entendu l'Anglais dire qu'il ne serait à Austin que quelques mois. Il travaille sur le projet Austin Commons, c'est une espèce d'architecte de luxe. Dis-toi que c'est juste pour le *fun* !

— Ce n'est pas comme cela que je fonctionne.

— Oh ! Allez, Francesca ! Tu passes ta vie soit à travailler, soit à étudier. Tu ne sors jamais. Tu n'as que vingt-quatre ans et tu ne sais plus t'amuser.

— Je m'amuse, protesta-t-elle, outrée. Je suis très *fun*.

— Prouve-le ! lui ordonna Ciara en braquant sur elle un index impérieux. Fais du plat à l'Anglais !

3

Le lendemain soir, Francesca retira son tablier, l'accrocha à la patère du couloir du fond, derrière la salle, et frappa violemment le mur du plat de la main.

Depuis sa conversation avec Ciara, elle ne cessait de penser à Keaton Whitfield. Lui faire du plat ? Mais comment ? Elle ne savait pas s'y prendre. De toute sa vie, elle n'avait eu qu'un seul petit ami. Louis Rather, Lou pour ses fans, était le voyou de leur classe, un rockeur ombrageux bardé de cuir. Toutes les filles craquaient pour lui. Elle osait à peine le regarder en face. Et pourtant il l'avait choisie, elle, en la piochant littéralement dans la foule pendant un concert dans un festival de quartier. Du jour au lendemain, elle s'était retrouvée en couple. À lui appartenir, sans être jamais passée par la case séduction.

Les premiers temps, elle avait eu l'impression de vivre un rêve. Les premiers temps, elle se sentait terriblement reconnaissante. Après avoir souffert toute son adolescence des moqueries de ses camarades qui l'appelaient Frannie-les-Frisettes, quand ce n'était pas La Grosse Frannie, quelle revanche d'être choisie par un garçon comme Lou ! Quelle consécration ! Ils avaient tout de suite été très clairs tous les deux sur le fait qu'il se montrait très généreux en la prenant comme petite amie.

Pendant des années, elle avait été aux petits soins pour lui et les musiciens du groupe. Toutes les corvées étaient pour elle, une situation qui ne lui laissait ni l'occasion ni l'énergie de faire du plat à qui que ce soit. Elle pouvait tout au plus noter la technique des groupies qui gravitaient autour de Lou. Des techniques efficaces puisqu'elle avait fini par le surprendre dans les bras de l'une d'entre elles… qui n'était certainement pas la première.

Bref, elle n'avait jamais entrepris de séduire qui que ce soit. Elle ne savait pas parler aux hommes, surtout aux hommes aussi spectaculaires que Keaton Whitfield. Comme Emmalyn et Brandi, ses collègues, ne semblaient avoir aucun problème, elle le leur laisserait ! Oh ! Et puis Ciara se faisait probablement des idées, il ne la regardait pas particulièrement. On regardait probablement les gens sans que cela tire à conséquence, en Angleterre ! Il devait regarder toutes les femmes comme s'il voulait les emporter à travers la lande embrumée…

Elle prit son ordinateur portable et alla s'installer à sa place habituelle. La table ne lui était pas exactement réservée mais tant que la salle n'était pas pleine, Lola May lui permettait de s'y installer pour travailler ses cours. Les habitués avaient si bien pris l'habitude de l'y voir qu'ils la lui laissaient tant qu'ils pouvaient s'installer ailleurs. Elle ouvrait le fichier d'un de ses cours quand elle entendit une voix grave claironner :

— On n'a pas besoin d'un foutu attrape bobos pour nous gâcher le quartier, et on n'a pas besoin d'un foutu étranger pour nous dire comment construire au Texas.

Elle se redressa avec une grimace inquiète. Elle avait reconnu la voix de Johnny Keller, un habitué qu'elle appréciait moyennement. Né dans le quartier, il parlait fort et laissait des pourboires minables. Lola May n'aurait aucune difficulté à le calmer, mais justement, pour une fois, la patronne n'était pas dans la salle.

Keller ne cessait de brailler contre le projet que développait Keaton Whitfield. À dix rues à la ronde, personne ne pouvait ignorer à quel point il détestait qu'un étranger pose un pied sur son territoire !

Lola May, Francesca s'en souvenait maintenant, était allée accompagner son petit-fils à un match. Keller avait bien choisi son moment pour s'en prendre à l'architecte du projet Austin Commons !

Elle ne put entendre la réponse de Keaton Whitfield mais d'après la façon dont Keller se cabra, ce n'était pas ce qu'il souhaitait entendre.

— Vous n'êtes p'têt' pas au courant, petit, mais nos gars ont gagné la guerre contre vos gars ! brailla-t-il. Faudrait en prendre de la graine !

— Vous parlez de la guerre d'Indépendance ? s'enquit calmement Keaton Whitfield. Celle qui date de plus de deux siècles ?

— Le Texas n'oublie jamais, répliqua Keller, les poings sur les hanches.

Sans donner à Keaton le temps de répondre, Francesca se glissa entre eux en s'écriant :

— Oh ! Johnny, le Texas n'était même pas encore un État ! Vous vous doutez bien que sinon, nous serions devenus la capitale de tout le fichu pays !

En jetant un regard en coin à Whitfield, elle eut l'impression qu'il se retenait de sourire. Un peu affolée, elle se concentra de nouveau sur Keller. Si l'Anglais lui souriait, comme cela, à bout portant, elle perdrait tous ses moyens ! Elle ne s'était encore jamais approchée de lui. À un pas de lui, elle sentait des étincelles danser sur sa peau…

— T'as raison, mon cœur, admit Keller. Le Texas, si on le cherche, on le trouve.

— Mais justement, pourquoi venir chercher un homme qui fait juste son boulot ? demanda-t-elle en posant une main apaisante sur son bras.

— Je te l'dis, moi, un petit malin qui vient tout changer dans le quartier…

— Surtout, que Lola May ne vous entende pas dire ça, murmura-t-elle.

— Pourquoi pas ?

Instinctivement, il avait baissé la voix en se penchant vers elle, le visage un peu inquiet. Lola May avait son caractère, et Keller le fier-à-bras se faisait tout petit quand elle s'énervait.

— Ne me dis pas qu'elle est d'accord ? demanda-t-il, outré.

— Elle n'est pas contre, répondit Francesca d'un air entendu. Disons qu'elle attend de voir. C'est ce qu'il faut faire, Johnny. Moi aussi, je suis d'ici, mais le changement arrive un jour ou l'autre, et il n'est pas forcément mauvais.

Elle indiqua Keaton d'un coup de menton — en évitant soigneusement de croiser son regard — et enchaîna :

— D'accord, M. Whitfield est anglais mais en tant qu'architecte il a une sacrée réputation. Notre quartier est en de bonnes mains.

À part sa manie de donner son avis sur tout avec une agressivité lassante, Keller n'était pas bien méchant. Indécis, il les regarda tour à tour, Whitfield et elle. Elle s'interdit de manifester une impatience qui ferait échouer sa mission de conciliation mais elle avait hâte qu'il se décide. Elle avait autre chose à faire et elle sentait le regard de Keaton sur elle comme un contact physique…

— Si vous trouvez qu'il est correct, mam'zelle Frannie, je vais lui donner sa chance, marmonna enfin Keller.

Il tendit sa grosse main, que Whitfield serra sans hésiter. Pour ne pas perdre la face, il ajouta toutefois :

— Je vous garderai à l'œil, vous et votre projet.

— Je n'en doute pas, répondit Keaton de sa voix la plus anglaise.

— Formidable ! s'exclama Francesca. Brandi ! Une part de tarte pour ces messieurs. C'est moi qui offre.

Ravi, Keller lui adressa un large sourire. Keaton Whitfield, lui, sembla assez gêné.

— C'est très gentil à vous mais…

Keller l'interrompit en lui appliquant une grande claque dans le dos.

— Mon gars, quand une jolie femme t'offre une part de tarte, tu ne dis pas non !

— Noix de pécan pour Johnny Keller, et pomme pour notre invité du vieux pays ! lança Francesca en direction des cuisines.

— Ça marche ! cria la voix de Brandi.

— Bon appétit, conclut Francesca.

Et elle se replia vers sa table, sans avoir croisé une seule fois le regard bleu de l'Anglais.

Mission accomplie ! pensa-t-elle en se laissant tomber sur la banquette avec un petit soupir. Elle était parvenue à juguler l'agressivité de Keller sans trahir l'effet que lui faisait Keaton. Avec un brin de lassitude, elle se plongea dans ses révisions. La compta était la matière la plus difficile pour elle, et plus elle se concentrait, plus les chiffres se mêlaient dans sa tête. Elle bloquait sur un exercice particulièrement ardu quand elle eut une sensation bizarre, comme si une nuée de papillons s'envolait dans son estomac. Quelqu'un se tenait près d'elle. Sans même lever la tête, elle sut de qui il s'agissait…

— Je peux ? demanda une voix au somptueux accent britannique.

Une chaleur fabuleuse se coula en elle. Au Chez Lola May, on ne faisait pas de manières. La plupart des clients se seraient laissé tomber sur la banquette sans lui demander son avis. C'était touchant, cette prévenance, même pour une question aussi anodine.

— Ou pas, ajouta-t-il. Je vois que vous êtes occupée. Une autre fois peut-être.

Il s'en allait ! Avec un temps de retard, elle comprit que tout à ses réflexions, elle ne lui avait pas répondu.

— Non, je vous en prie, bien sûr ! s'écria-t-elle confusément.

Il lui lança un sourire rapide et s'installa en face d'elle.

— La tarte était bonne ? demanda-t-elle, le souffle court.

— Parfaite. Malgré la compagnie de Johnny. Merci, et merci aussi d'avoir calmé le jeu, c'était adorable de votre part de venir prendre ma défense.

Elle était si concentrée sur son expression, si occupée à guetter son sourire qu'elle mit plusieurs secondes avant de prendre conscience de ce qu'il venait de dire. Adorable, elle ?

— Comment saviez-vous que j'aime la tarte aux pommes ? demanda-t-il.

— Je… Vous commandez une tarte aux pommes tous les soirs…

Un peu penché vers elle, le regard braqué sur le sien, il ajouta :

— Vous connaissiez aussi mon nom.

— Vous êtes en train de devenir un habitué !

— C'est agréable de venir ici, Francesca.

Oh ! Cette façon de prononcer son prénom…

— Vous saviez aussi que j'étais architecte.

Les questions pleuvaient, elle ne savait plus comment se défendre.

— Oui…

— Et ce que vous avez dit sur ma réputation ?

— Là, j'ai improvisé, répondit-elle avec un petit rire nerveux.

Comme il haussait un sourcil, elle expliqua :

— Le projet Austin Commons va coûter une fortune. D'après les journaux, ce sera un nouveau pôle pour Austin, pour les affaires, le logement, les commerces… Ils ne confieraient pas la conception à n'importe qui.

Le regard de Keaton était si chaleureux qu'instinctivement, elle se pencha un peu vers lui.

— Je me trompe ? demanda-t-elle.

— Non.

— Vous êtes célèbre ?

Voilà ! Cette fois, c'était un vrai sourire.

— Disons que, dans mon milieu, je commence à l'être, répondit-il.

— J'ai aussi entendu dire que vous faisiez partie de la famille Fortune.

L'éclat bleu de ses yeux se ternit d'un coup. Presque sèchement, il fit oui de la tête en s'adossant à sa banquette.

Surprise, elle se redressa à son tour. La plupart des gens clameraient sur les toits leur lien avec une famille aussi puissante ! Lui, il semblait… gêné ? Et maintenant, il ne souriait plus du tout. Cela ne retirait rien à son charme mais le rendait carrément intimidant.

— Cela a fait beaucoup de bruit à Austin quand on a su que Gérald Robinson était en fait Jérôme Fortune, reprit-elle. Celui que tout le monde avait cru mort.

— Jérôme Fortune, oui.

— C'est cela. Jérôme Fortune, alias Gérald Robinson, dit-elle, fascinée. C'est votre père ?

— Je… Enfin, oui.

— C'est pour cette raison que vous avez accepté ce projet ? Pour faire sa connaissance ?

— Non.

Une réponse trop brève, une voix trop tendue. Il dut remarquer sa surprise car il ajouta :

— Je suis content de faire connaissance avec mes demi-frères et sœurs.

Bon. Elle avait opté pour le sujet tabou, songea-t-elle, fataliste. *Bravo Francesca, tu viens de mettre les pieds dans le plat, comme d'habitude !* Pressée de changer de sujet, elle s'écria :

— J'aurais beaucoup aimé avoir des frères et sœurs !

Elle saisit le verre d'eau posé près d'elle, le but d'un trait et prit soudain conscience de l'extraordinaire de la situation. Elle était en train de discuter avec Keaton Fortune Whitfield ! Pas tout à fait dans la détente et la bonne humeur, certes, mais elle parvenait tout de même à assembler des phrases cohérentes en regardant son visage aristocratique et en soutenant son magnifique regard bleu !

— Vous êtes fille unique ? demanda-t-il.

Le demi-sourire était de retour, comme s'il lisait dans ses pensées, comme s'il avait parfaitement conscience de l'effet qu'il lui faisait.

— Oui… C'était juste ma mère et moi.

— Moi aussi, j'ai été élevé par une mère seule. Elle a travaillé comme un galérien pour nous faire vivre et payer mes études. Elle est mon héros.

Elle le contempla, éblouie. Si beau, si charmant et en plus, il aimait sa mère ! Ce sourire…

— Je parle comme un petit garçon à sa maman !

Il semblait se moquer de lui-même, ou être gêné d'en avoir trop dit.

— Pas du tout ! protesta-t-elle en riant. Vous parlez comme le fils dont rêvent toutes les mères.

Elle s'interrompit un instant et ajouta :

— J'adore votre façon de dire maman, avec l'accent.

— C'est vous qui me dites ça ? Avec votre adorable prononciation texane ?

— Je suis fière d'être texane. Et citoyenne d'Austin-la-Déjantée !

— Qu'est-ce que vous étudiez ? demanda-t-il en indiquant ses notes volumineuses d'un mouvement du menton.

Elle retomba brusquement sur terre.

— La comptabilité, répondit-elle dans un soupir. J'ai

un examen demain. J'ai dû me donner à fond pour décrocher un A au dernier semestre. Ce cours aura ma peau.

— J'espère que vous ne faites pas un master de finance ? murmura-t-il, très pince-sans-rire.

— Non, juste une licence de commerce et marketing. Ce n'est pas que je déteste la compta…

— Bien sûr que non, dit-il avec beaucoup de sérieux. Tout le monde adore la compta.

Elle éclata de rire. C'était extraordinairement facile de rire et de plaisanter avec lui. Voilà longtemps qu'elle n'avait plus plaisanté avec un homme — un vrai, pas juste un client du restaurant.

— Je ne sais pas si adorer est le mot juste, reprit-elle. En fait, les chiffres sont mon ennemi de toujours. Vous, vous êtes sûrement un génie des maths.

— Un génie, non, mais je me sers des chiffres et des principes géométriques pour mon travail, pour faire des projections spatiales et des modélisations…

Il reprit son souffle… et s'interrompit avec un sourire rapide.

— Fils à sa maman et geek d'architecture, conclut-il. Et moi qui espérais faire bonne impression.

— Là, vous n'avez aucun souci à vous faire, murmura-t-elle.

Dans sa bouche si bien dessinée, les termes d'architecture lui faisaient le même effet que des mots d'amour.

— Et vous en êtes où dans vos études ? demanda-t-il.

Elle sentit le regret familier lui pincer le cœur.

— Je suis en deuxième année. Je m'y suis mise assez tard. J'ai pris quelques années après le secondaire pour… pour voyager.

— Vous avez visité des coins intéressants ?

Les coulisses de toutes les salles de concert minables entre Austin et Los Angeles…

— Rien qui mérite qu'on s'y attarde, répondit-elle très vite.

Elle reprit son verre d'eau, s'aperçut qu'il était vide et feuilleta vaguement son manuel de comptabilité. Elle passait un moment unique, mais il fallait revenir à la réalité.

— Je suis désolée, je dois me remettre au travail, dit-elle. Il faut vraiment que je me prépare pour demain…

Était-ce… un éclair de déception, dans son regard ?

— Merci encore d'avoir volé à mon secours, dit-il en se levant.

— Pas de souci. Votre projet sera formidable.

— Cela vous dirait de voir les plans en avant-première ?

Médusée, elle scruta son visage. Il lui offrait sa chance sur un plateau ! *Dis quelque chose de spirituel, Francesca ! Quelque chose d'original, de charmant, de mémorable…*

— Euh… Oui ?

C'était sa voix, ce piaillement étranglé ? Elle se serait giflée. Décidément, elle était lamentable… Mais Keaton ne semblait rien avoir remarqué de particulier.

— Nous verrons ça. Bonne chance pour demain !

— Je vais en avoir besoin, marmonna-t-elle.

Il se levait. Elle lui sourit un peu tristement, sûre qu'il ne reviendrait plus lui parler, rabattit une boucle folle derrière son oreille, reprit son manuel… et fut stupéfaite d'entendre Keaton lui demander :

— Je pourrais peut-être vous aider à réviser ? Vous interroger sur les principes de base ? Vous voulez bien ?

Elle le contempla un instant, bouche bée.

— Vous… Vous avez sûrement mieux à faire…

Il cherchait juste à être gentil. Elle avait l'air si piteuse qu'il se sentait obligé de lui tenir compagnie. Il n'y avait aucune autre explication possible. Ciara était sa meilleure amie et elle ne s'était jamais gênée pour lui dire qu'elle était ennuyeuse au possible quand elle étudiait.

— Je n'ai rien à faire, et il reste encore… plus d'une

heure avant la fermeture du restaurant, répondit-il. Allez, ce sera amusant !

— Vous devez avoir une définition différente du mot amusant en Angleterre, lui fit-elle remarquer en lui tendant une liasse de fiches. Mais j'ai vraiment besoin d'aide, alors… Merci !

Il choisit une fiche, la parcourut du regard et lui posa une première question.

Elle sourit malgré elle en pensant que si on lui avait exposé d'emblée les principes de la comptabilité avec un accent britannique, elle aurait adoré ce cours ! Elle devrait offrir des parts de tartes plus souvent. Cette séance de révision resterait dans les annales !

4

Keaton marchait vers le centre d'Austin et le restaurant où il devait retrouver son demi-frère Ben pour déjeuner. Une foule très variée se pressait sur les trottoirs. Hommes et femmes d'affaires en tenue sombre fonçant vers leur réunion ou déjeuner de prestige — ceux-là auraient aussi bien pu être à Londres. Beaucoup de jeans aussi et de chapeaux de cow-boy, même si ce style était moins répandu à Austin qu'à Houston ou Dallas. Énormément de styles branchés et décontractés en accord avec le côté décalé de cette ville si attachante. Et encore, dans le centre, l'ambiance était moins souriante que dans le quartier qui abritait son projet et le petit restaurant qui était devenu son second foyer.

Il avait bien pensé à inviter Ben chez Lola May mais sans savoir pourquoi, il préférait garder ce lieu pour lui. Comme une sorte de jardin secret, loin de l'univers des Robinson-Fortune, loin de la notoriété de son clan ; un lieu où il était un client comme un autre, juste un peu différent de par son accent.

En tant qu'Anglais, il connaissait bien la fascination d'une catégorie de la population pour la famille royale. Les Fortune étaient une sorte de famille royale américaine, surtout au Texas. L'année précédente, c'était ici que Kate Fortune, la propriétaire très médiatisée de Fortune Cosmetics, avait nommé Graham — un autre de ses demi-frères — P-DG de la compagnie de luxe.

Cet épisode, accompagné du scoop sur l'identité réelle de Gérald Robinson, avait braqué les projecteurs sur la branche de la famille résidant à Austin.

Cette famille si attachante au sein de laquelle il avait tant de mal à trouver sa place. Il avait été élevé tellement différemment de ses demi-frères et sœurs ! Au Chez Lola May, en revanche, il s'intégrait sans la moindre difficulté. Le personnel comme les habitués l'acceptaient tout simplement, avec chaleur et gentillesse.

L'ambiance si différente de celle des boîtes de nuit et des dîners en ville qui faisaient sa vie londonienne depuis quelques années, semblait même nourrir sa créativité. Il était resté à sa table une bonne partie de la nuit à redessiner la place centrale qui aérait la partie résidentielle d'Austin Commons. Au cœur des maisons de ville et des immeubles d'appartements, elle offrirait aux habitants un lieu pour se retrouver. Il venait de décider de la jalonner d'auvents. L'ombre lui semblait un élément crucial pour assurer une fréquentation de l'espace. S'il appréciait énormément de pouvoir sortir en chemise au mois de janvier, il devinait déjà à quel point les étés devaient être torrides !

La veille, au téléphone, sa mère lui avait dit que, à Londres, il pleuvait depuis le nouvel an. Que c'était bon, cette chaleur sur sa peau ! pensa-t-il en offrant son visage au clair soleil texan. Tout ici lui plaisait, jusqu'au type désagréable au restaurant la veille au soir. Le fameux Johnny lui avait enfin offert l'occasion de bavarder avec Francesca ! Une femme aussi difficile à approcher que les poulains sur le ranch de Graham ! La façon dont elle avait rosi en évoquant son accent... Adorable ! La réaction des Américaines quand il leur adressait la parole ne cessait de le stupéfier. Il eut un large sourire en pensant à la façon dont il s'était appliqué à arrondir ses voyelles et couper net ses consonnes pour bien renforcer l'effet.

Ce n'était que justice ; face à Francesca, il se sentait

intimidé comme un collégien. Il se serait presque contenté de contempler de loin le halo de ses boucles blondes, sa silhouette somptueuse. La veille, en s'approchant, il avait enfin pu détailler son visage délicat, ses yeux couleur de caramel pailletés d'or, sa bouche comme un bouton de rose. Il se sentait encore tout surpris du plaisir qu'il avait pris à parler avec elle. Elle ne se doutait pas à quel point elle était craquante avec son humour, sa gentillesse, ses piques acidulées. Le plus souvent, les femmes qu'il croisait affichaient un petit air de défi, émaillaient leur conversation d'allusions sexuelles. Allusions auxquelles il répondait avec entrain, bien sûr ! Francesca, si authentique et sincère, l'avait touché. En l'aidant à réviser pour son examen, il s'était amusé davantage que dans dix soirées branchées. S'il avait pu réviser avec elle pendant ses propres études… Non. Il n'aurait jamais décroché son diplôme. Rien que la façon dont elle mordillait la lèvre quand elle se concentrait. Une manie irrésistible…

— Tu as rencontré une fille ! Qui est-ce ?

Keaton s'arrêta net, interloqué de se retrouver nez à nez avec Ben. Il était arrivé à destination sans s'en apercevoir, ses pensées entièrement focalisées sur Francesca.

— Tu dis n'importe quoi, répondit-il un peu trop vivement, sans doute. Je pensais au travail.

Ben le dévisagea en souriant. Comme souvent, Keaton, eut la sensation étrange de se regarder dans un miroir. Même père, mères différentes, mais la ressemblance entre Wes, Graham, Ben et lui sautait aux yeux. Ce visage, il l'avait vu tout petit, en trouvant la photo que sa mère cachait dans le tiroir de sa commode. Si Gérald Robinson avait laissé encore d'autres enfants inconnus dans son sillage, il était aussi déterminé que Ben à les retrouver.

Ben deviendrait papa d'ici quelques semaines. Quand Ella, son adorable femme, aurait accouché, Keaton, déjà passé du statut de fils unique à celui de membre d'une fratrie nombreuse, serait tonton !

Ben braquant toujours sur lui un regard moqueur, il se détourna sous prétexte de lui ouvrir la porte du restaurant. Mais son demi-frère était têtu.

— Ne me raconte pas d'histoires, pas à moi, dit-il. Si c'est le boulot qui te donne ce regard de vache attendrie, tu devrais sortir davantage !

Il salua la serveuse par son prénom et se dirigea vers une table.

— Au Texas, on s'y connaît en vaches tendres, mais moi…, riposta Keaton en le suivant.

La serveuse, qui écoutait leur discussion sans se cacher, lui lança un sourire bizarre. Un peu interloqué, il hésita… et comprit qu'une fois de plus elle réagissait à son accent. Elle les installa et leur tendit des menus, avec un regard appuyé pour lui.

— D'accord, dit Ben. Disons juste que tu es tombé amoureux… de notre belle ville.

— C'est tout à fait ça.

Il n'avait pas envie de parler de Francesca. Ni à Ben ni à qui que ce soit. D'ailleurs il ne s'était rien passé. Ils n'avaient fait que bavarder, réviser un cours de comptabilité. Mais lui, il voulait davantage. Comment s'y prendre, maintenant, pour la convaincre de le revoir ?

— Comment va Ella ? demanda-t-il.

— Sur le point d'exploser. La formule est d'elle, pas de moi.

Une autre serveuse vint leur annoncer les plats du jour, l'air de s'ennuyer à mourir. Keaton ne put s'empêcher de faire la comparaison avec l'accueil du petit restaurant de Lola May, où le personnel et les clients plaisantaient ensemble dans une atmosphère de repas de famille. Lola May avait su créer une ambiance, et on entrait chez elle avec l'impression de venir s'asseoir à la table d'une amie.

Ils commandèrent, et Ben reprit :

— Tout est prêt pour l'arrivée du bébé. Sauf moi. Je ne saurai jamais m'y prendre. Je ne me suis jamais vu en père, tu comprends ?

Keaton comprenait trop bien !

— Tu feras un papa formidable, le rassura-t-il.

— Parce que j'ai eu un modèle si performant, avec mon père ?

C'était sorti tout seul. Gêné par sa propre véhémence, Ben s'éclaircit la gorge et précisa :

— Je veux dire notre père, bien sûr.

— Gérald n'a pas été un père pour moi, fit remarquer Keaton, très calme. Il n'a rien été du tout.

La serveuse revint avec deux grands verres de thé glacé. Il but une gorgée pour dissoudre la colère qui lui nouait le ventre à la seule évocation de l'homme qui les avait abandonnés, sa mère et lui.

— En fait, c'est aussi pour cela que tu seras un excellent père, reprit-il. Parce que c'est important pour toi de ne pas répéter les erreurs de Gérald. Tu sais ce qu'il ne faut pas faire.

— Je n'ai jamais pu décider si c'était de l'inconscience ou de l'incompréhension... Tu crois qu'il ne s'est jamais posé de questions, pendant toutes ces années ? Que c'est juste un homme qui fait ce qu'il a envie de faire sur le moment et qui se fiche de tout ?

Troublé, Keaton scruta son visage.

— Il est tout de même ton père, murmura-t-il. Je ne voudrais pas que mon opinion vienne ternir l'image que tu as de lui.

— Crois-moi, j'ai mes propres raisons de le voir autrement que quand j'étais petit, quand je l'admirais sans réserve. Chaque nouvelle révélation me secoue, mais Ella m'a beaucoup aidé à relativiser. À m'apaiser.

— Tu as de la chance de l'avoir trouvée.

— Tu peux le dire ! Je serais presque reconnaissant pour tout ce raffut autour cette histoire de double identité ! C'est ce qui m'a mené à Ella. Si je ne m'étais pas invité à l'anniversaire de Kate Fortune l'an dernier, je ne l'aurais peut-être jamais rencontrée. Maintenant, je n'imagine même plus ma vie sans elle.

— Et voilà l'autre raison qui fera de toi un excellent papa : tu aimes la mère de ton bébé.

— De tout mon cœur.

Keaton éprouva comme un choc. Quel effet cela faisait-il de donner son cœur à quelqu'un ? La perspective lui semblait terrifiante. Il avait assisté aux premières loges au calvaire de sa mère qui avait donné son cœur à un homme. Il connaissait le résultat. L'épisode avait même défini toute son existence. Non, impossible. Jamais il ne s'exposerait à ce point, jamais il ne se mettrait dans une situation aussi vulnérable. Pas plus qu'il ne prendrait la responsabilité d'être aimé de cette façon.

Le visage de Francesca se présenta soudain à lui. Il l'écarta. Oui, une qualité particulière chez elle lui donnait envie de mieux la connaître, mais cela n'avait rien de sérieux. L'amour… Est-ce que cela existait seulement ? Il n'était pas franchement convaincu. En tout cas pas dans la version romantique happy end ils-vécurent-heureux-à-tout-jamais. Ces doutes, il ne pouvait pas les exprimer devant Ben. Son demi-frère étant amoureux fou, il ne pourrait tout simplement pas les entendre. Pressé de changer le sujet, il demanda :

— Tu as de nouvelles pistes pour d'autres rejetons Fortune ?

— Je fais des recherches sur une fille qui vit ici même, à Austin. La piste semble sérieuse.

— Mon contact en France se renseigne sur votre ancienne fille au pair. Il n'a rien de bien solide pour l'instant mais il continue à creuser. Je tiens aussi une autre possibilité en Oklahoma.

Ben hocha la tête, le visage grave.

— C'est laborieux mais il vaut mieux avancer prudemment, sans rien bousculer, dit-il. Toutes ces familles laissées en plan par notre père… Elles ont leur vie, comme tu avais la tienne. On ne peut pas les contacter n'importe comment.

— Il faut aussi être sûrs à cent pour cent qu'ils sont bien des enfants de Gérald. Pour des gens sans scrupule, il y a une foule de raisons de chercher à entrer dans les clans Robinson ou Fortune.

Les Robinson n'étaient pas n'importe qui. Même avant que leur lien avec les Fortune ne soit révélé, la famille avait sa propre notoriété, sa propre richesse. RobinsonTech, la start-up informatique fondée par Jérôme Fortune sous l'identité de Gérald Robinson, occupait une place enviable sur le marché. Keaton refusait d'exposer ses nouveaux frères et sœurs à des imposteurs qui chercheraient à profiter d'eux. Les vrais, en revanche, ceux qui comme lui avaient souffert de leur isolement, de l'absence du père…

Le retour de la serveuse interrompit ses pensées. Elle déposa son repas devant lui, et il s'y attaqua sans entrain. L'évocation des enfants abandonnés de Gérald Robinson lui coupait l'appétit. Il se demandait s'il serait possible de compenser, ne serait-ce qu'un peu, l'inconscience de son père. Si le fait de leur tendre la main atténuait leur solitude. En fait, ces recherches, il ne les faisait pas uniquement pour les aider, c'était autant pour lui. Ses huit demi-frères et sœurs légitimes avaient connu leur père, il avait été présent dans leur vie. Non pas un père parfait mais Kieran, Graham, Ben, Wes, Rachel, Zoé, Olivia et Sophie avaient toujours su qui ils étaient et d'où ils venaient. Keaton se sentait un grand besoin de parler avec ceux qui partageaient son expérience de ne voir qu'un grand vide dans la case des origines.

Jusqu'à la fin du repas, Ben et lui discutèrent surtout des aspects pratiques de leurs recherches, puis Keaton quitta son frère pour se rendre à son rendez-vous au bureau d'Ariana Lamonte, du *Weird Life Magazine*. La journaliste lui avait demandé un entretien dans le cadre d'un papier qu'elle voulait faire sur les Fortune.

Ben l'avait mis en garde, en lui recommandant de prendre des renseignements sur elle avant de s'engager. Au Texas, les Robinson comme les Fortune étaient un peu des stars, donc des cibles potentielles de buzz malveillants. Jusque-là, Keaton était resté discret sur son lien avec la famille. De son enfance sans père, il gardait un réflexe de réticence : il parlait rarement de lui et cherchait à préserver sa mère des questions et des commentaires. C'était même un choc pour lui de s'être autant livré à Francesca, la veille au soir. Bizarrement, sans savoir pourquoi, il lui faisait confiance. Rien ne garantissait en revanche qu'il puisse se fier à cette journaliste !

Il se rendit à pied aux bureaux branchés du magazine. Le ciel s'était couvert pendant le repas, et le vent se levait.

Ariana Lamonte l'attendait dans le hall de l'immeuble. Elle l'accueillit chaleureusement et l'entraîna dans une petite salle de conférences. Sa dégaine le surprit agréablement : ses longs cheveux bruns, les couleurs vives de ses vêtements et ses bijoux ethniques ne collaient pas à l'idée qu'il se faisait d'une journaliste. Si ses raisons de demander cette interview le laissaient encore sceptique, la première impression fut positive.

Elle l'invita à s'asseoir, s'installa en face de lui, ouvrit un dossier et en sortit des photos qu'elle disposa sur la table.

— Merci d'avoir accepté de me rencontrer, dit-elle.

— Vous comprenez bien que je n'ai encore rien accepté de plus ? s'enquit-il, sur la réserve.

La journaliste ne sembla pas troublée par sa question.

— Je peux vous assurer que je compte aborder cette série avec le plus grand respect pour votre famille. Fortune, c'est un nom qui compte au Texas. Leur histoire intéresse nos lecteurs. J'aimerais savoir quel effet cela fait de découvrir que l'on appartient à une lignée pareille.

Il maîtrisa sa réaction instinctive. Quel honneur, effectivement, de découvrir que l'on appartenait à la lignée d'un homme comme Robinson ! Mais bien sûr, ce n'était pas aussi simple, et son lien avec Ben et les autres était précieux. Eux aussi, ils avaient dû encaisser le choc d'apprendre que leur père était en fait Jérôme Fortune. Quant à Charlotte Robinson… Keaton se demandait encore comment la femme qui avait été l'épouse de Gérald pendant plus de trente ans vivait cette révolution dans sa famille. D'après ce qu'il avait pu glaner auprès de ses frères et sœurs, leur mère affrontait la révélation avec une grande dignité, mais ce n'était sûrement pas facile pour elle !

— D'autres ont vécu des réajustements plus difficiles, répondit-il. Vous avez fait des recherches sur la famille ?

— Oui, répondit-elle en lissant machinalement de la main les dossiers posés devant elle.

— Vous savez sans doute que ma mère m'a élevé seule. Autrement dit, j'ai toujours su qu'il me manquait une part de mon histoire. Les Robinson, eux, ont découvert que leur famille n'était pas du tout ce qu'ils croyaient. Je pense que la secousse a été considérable.

— Mais la secousse, pour vous, de découvrir que ce père que vous n'aviez pas connu faisait partie d'une famille aussi célèbre et puissante ?

— C'était un choc, oui.

Elle lui laissa le temps de développer. Voyant qu'il n'ajoutait rien, elle reprit :

— C'est le focus de cette série. Je voudrais faire des profils de quelques-uns des nouveaux membres de la famille. Partager avec nos lecteurs le processus de « se faire Fortune », si je puis dire.

— Se faire Fortune, répéta-t-il, songeur.

— Ce sera le titre de la série.

Elle fit glisser vers lui les photos alignées devant elle, et il reconnut plusieurs membres récemment réintégrés dans la famille, y compris les portraits des enfants de Joséphine Fortune Chesterfield. Les trois enfants à l'origine de tous les bouleversements qu'ils vivaient aujourd'hui : James, Joséphine, Jeanne-Marie. Deux sœurs adoptées au berceau, un garçon héritier des Fortune. Keaton connaissait déjà la première de vue. De par son lien de cousinage avec la famille royale, la branche Chesterfield était très en vue au Royaume-Uni. L'autre branche, en revanche, une famille modeste habitant la petite ville texane de Horseback Hollow, avait trouvé beaucoup plus difficile de vivre sous le feu des projecteurs braqués en permanence sur le clan Fortune.

— À qui avez-vous déjà parlé, dans la famille ? demanda-t-il.

— Vous êtes le premier.

— Pourquoi moi ?

Dans un geste dont la spontanéité lui plut, elle se mit à compter les raisons sur ses doigts.

— Vous êtes ici même, à Austin, cela intéressera mes lecteurs. Vous êtes l'architecte du projet Austin Commons qui fait déjà les gros titres. Le fait que vous ayez découvert si récemment que vous êtes le fils de Gérald Robinson, ou plutôt de Jérôme Fortune, est assez étrange. Votre histoire est différente de celle des autres *arrivants*, je dirais même qu'elle est unique.

Elle lui lança un sourire encourageant.

— Pas autant que vous pourriez le croire, marmonna-t-il, gêné.

Il regretta ces paroles en la voyant se pencher vers lui, très intéressée.

— Que voulez-vous dire ?

Il envisagea de ne pas répondre. De refuser tout net de participer à l'interview. Il n'avait jamais recherché la célébrité, il voulait juste que son travail soit reconnu. D'un autre côté, il restait persuadé qu'il avait encore d'autres frères et sœurs inconnus dont on n'avait pas encore retrouvé la trace. Accepter de parler à cette journaliste, ce serait une façon de secouer l'arbre généalogique, voir ce qui tomberait des branches. Le plus difficile serait de trouver un équilibre entre ce besoin de tendre la main à ces enfants oubliés et son désir d'épargner ses demi-frères et sœurs qui souffraient à chaque nouvelle révélation sur les agissements de leur père. Il devait se montrer très prudent.

— Je pense que l'histoire de Jérôme Fortune est plus complexe qu'on ne le croit, répondit-il.

Les yeux d'Ariana Lamonte s'arrondirent. Elle plongea la main dans son sac et en sortit un petit magnétophone.

— Vous pouvez m'en dire davantage ? demanda-t-elle.

— Seulement en off.

La réponse, catégorique, arracha une grimace à la journaliste.

— J'ai une responsabilité envers mes lecteurs !

— Et moi envers mes frères et sœurs.

Sa poitrine se gonfla subitement. « Mes frères et sœurs » Il sentit qu'il venait de dire une vérité importante. Il n'était plus seul au monde. Ces nouveaux frères, ces nouvelles sœurs comptaient pour lui, comptaient sur lui. Saisi d'une euphorie subite, il lança :

— Je veux bien vous parler de mes théories sur Gérald Robinson, mais cela ne fera pas partie du papier que vous publierez.

Ariana le toisa un instant, puis elle rangea son magnétophone.

— Vous acceptez de faire le profil ? demanda-t-elle.

— J'y réfléchirai.

— Et vos théories sur votre père ?

— Il n'est pas…

La phrase automatique de déni lui sauta aux lèvres mais il la ravala en même temps que l'amertume qui lui brûlait la gorge.

— Disons que je ne pense pas être le seul fruit inattendu des ébats adultérins de Gérald Robinson.

— Cela, ce serait un scoop…, murmura-t-elle.

— Et je compte découvrir les secrets de mon père.

— Je peux vous aider, proposa-t-elle aussitôt.

Il ouvrait la bouche pour protester quand elle leva la main pour l'interrompre.

— Nous sommes en off, Keaton. Je ne vous mentirai pas, si la série *Se faire Fortune* capture l'imagination des lecteurs, ce sera un tremplin pour ma carrière. Je suis douée pour suivre les pistes, c'est mon métier. Je m'engage à ne pas aller plus loin que vous ne le souhaitez, vous et vos frères et sœurs. Tout ce que je demande en échange, c'est que vous me laissiez vous interviewer et que vous ne bloquiez pas mon accès au reste de la famille.

Il hésita un instant et regarda sa montre.

— La proposition me semble correcte, répondit-il. J'ai des réunions cet après-midi, appelez-moi en fin de journée, et nous fixerons un rendez-vous pour parler de mon parcours de Fortune.

Elle se leva en même temps que lui et lui serra chaleureusement la main.

— A très bientôt !

Il s'attendait à se sentir stressé, mal à l'aise avec l'engagement qu'il venait de prendre, mais en retournant au chantier, il sentit une paix étrange s'installer en lui. Il pouvait toujours tenter de se convaincre et de convaincre son entourage que Gérald ne signifiait rien pour lui, l'absence du père avait déterminé quasiment toutes les décisions importantes de sa vie. Aujourd'hui, il tenait sa chance de cerner ce que cela représentait pour lui de « se faire Fortune ». Et si Ariana Lamonte pouvait l'aider à retrouver d'autres demi-frères et sœurs, ce serait encore mieux !

5

Lorsque le petit carillon de la porte du Chez Lola May tinta un peu après 19 heures, Francesca n'eut pas besoin de se retourner pour savoir que Keaton venait d'arriver. Son cœur s'emballait, elle avait la chair de poule partout, des papillons s'envolaient dans son ventre.

Elle sourit cordialement au couple qu'elle était en train de servir. L'homme fit une plaisanterie un peu bête, elle chercha une réponse spirituelle… et ne trouva rien. Ses neurones étaient en grève. Elle sentait son sang se ruer vers des parties de son corps qu'elle croyait vouées à une hibernation permanente. Keaton Whitfield, la cause première de son réchauffement climatique personnel !

Elle risqua un regard vers lui… Oh non ! Il s'installait à une de ses tables… Elle ne pouvait pas s'occuper de lui ! Mais pourquoi réagissait-elle ainsi ? Ils avaient discuté, hier soir, sans qu'elle bafouille ou se ridiculise. Keaton s'était montré poli, charmant, très abordable. Elle avait assisté à ses échanges avec Lola May ou les autres serveuses, et il ne s'était jamais comporté autrement.

La grande révélation de leur tête-à-tête : elle appréciait sa compagnie. Une grande première ! Elle ne s'était jamais vraiment amusée avec Lou. Il n'était jamais question que de lui, sa vie, son groupe, son planning, ses exigences. Elle n'était là que pour tomber en adoration devant lui. Que c'était humiliant de se souvenir avec quelle facilité elle avait nié ses propres besoins pour se mettre à son service ! Ce goût du sacrifice, le devait-elle au fait d'avoir grandi sans père ? Chaque fois qu'elle cherchait à comprendre le départ de son père, sa mère lui faisait toujours la même réponse : « Je ne pouvais pas lui donner ce qu'il attendait. ». Résultat, elle s'était mise en quatre pour répondre aux attentes de Lou, de peur de le perdre… et elle s'était perdue en chemin.

Ciara était de service ce soir, leurs tables se touchaient, ce serait facile de lui demander de s'occuper de Keaton. Elle risqua un nouveau coup d'œil vers lui… Il la regardait ! Au petit sourire sexy qui retroussait ses lèvres, elle devina qu'il avait senti qu'elle cherchait à se débarrasser de lui. Il était donc télépathe ?

Bon, ce n'était tout de même pas le bout du monde de lui servir son repas. C'était même son métier. Et puis ils avaient discuté sans problème, la veille au soir. Allez, du courage !

— Bonsoir, dit-elle en s'approchant de la table.

Oh ! Sa voix sonnait faux ! Elle rougit, sûre qu'elle venait encore de se ridiculiser.

— Bonsoir, Francesca, répondit-il de sa voix somptueuse.

Au court-circuit absolu que son salut déclencha en elle, il aurait aussi bien pu dire : « J'aimerais vous faire l'amour » !

— Vous êtes superbe ce soir, ajouta-t-il.

Elle baissa les yeux sur son T-shirt noir au logo du Chez Lola May, sa jupe en jean, ses bottes de cow-boy rouges. Il y avait une tache de ketchup au-dessus du M. Superbe, elle ?

— Comment s'est passé votre examen ?

Elle releva les yeux, bascula dans son regard… et fut incapable de prononcer un mot. La case langage s'était effacée de son cerveau ; elle ne pouvait que le contempler et le… le quoi ? Ce n'était tout de même pas du désir, qu'elle ressentait ? Ce serait une très mauvaise idée ! Après sa rupture avec Lou, elle s'était juré d'être forte, indépendante, et voilà qu'elle craquait pour un simple bonsoir. Elle ne pouvait pas prendre le risque de la faiblesse !

Elle laissa échapper un soupir désespéré... et s'aperçut que Keaton la dévisageait toujours. Il semblait même attendre une réponse. Quelle était la question ? Il leva la main, la passa sur sa mâchoire. Le très léger crissement de sa repousse de barbe la déconcentra de nouveau. Quelle texture aurait sa peau si elle promenait le bout de ses doigts sur son visage ? Et si elle l'embrassait là, près de l'oreille ?

— Vous aviez bien un examen, aujourd'hui ? demanda-t-il.

Elle cligna les yeux, avala sa salive et serra les poings en enfonçant ses ongles dans sa paume. La douleur la sortirait peut-être de sa transe.

— Examen, répéta-t-elle.

— De comptabilité, il me semble ?

— Oui ! Comptabilité !

Elle lécha ses lèvres sèches, vit le regard bleu de Keaton se fixer sur sa bouche et s'entendit répondre d'une voix qu'elle ne reconnut pas :

— Je crois que ça s'est bien passé. Je n'ai pas encore ma note mais j'espère que ça s'est bien passé. Je voudrais...

Je voudrais que vous retiriez votre chemise, là, tout de suite. Non ! Surtout, ne pas ajouter ça !

— J'espère que vous avez envie ? lança-t-elle vivement. Que vous avez faim ! Je voulais dire faim !

Il haussa les sourcils, très amusé. Devant son sourire, elle se sentit rougir jusqu'aux oreilles.

— Pour le dîner, précisa-t-elle.

D'un geste brusque, elle sortit son bloc de sa poche et brandit son stylo.

— Vous savez de quoi vous avez envie ?

— Quel est le plat du jour ?

Moi ! Ce cri du cœur, elle le retint de justesse. Elle

se serait giflée. Elle n'allait tout de même pas se laisser déborder par une attirance ? Elle avait déjà donné ! Keaton et Lou ne se ressemblaient pas du tout, bien sûr ; ils n'avaient même rien de commun en dehors du fait de jouer dans une autre cour qu'elle. Plus jamais elle n'irait mendier une miette d'attention auprès d'un homme qui ne pourrait jamais s'intéresser sincèrement à elle.

— Une tourte au poulet, répondit-elle. La recette de la grand-mère de Lola May. Avec une pâte maison. Elle est stupéfiante.

— Je suis partant pour un repas stupéfiant. Va pour la tourte.

— Et à boire ?

— Juste de l'eau. Vous pourriez prendre une pause pour me tenir compagnie ?

Elle jeta un coup d'œil à la ronde. La salle était bondée.

— Nous ne sommes que deux serveuses ce soir, alors...

Oh ! Elle aurait tellement aimé prendre une pause et la passer avec lui.

— Je verrai si je peux prendre un petit moment.

— Parfait.

Elle pouffa comme une collégienne. Affreusement gênée, elle se couvrit la bouche de sa main. Sa réponse avait été si... britannique ! Bon, stop, il était temps de se reprendre. Elle n'était pas du tout le genre de fille à rire bêtement quand un homme avec un accent délicieux daignait lui demander sa compagnie. Comme un autre client lui faisait signe, elle sourit et s'éloigna très vite, le cœur battant. Pourquoi, mais pourquoi ne pouvait-elle pas se comporter normalement avec lui !

Elle transmit sa commande à la cuisine. Quand elle lui apporta sa carafe d'eau, il contemplait l'écran de son téléphone, les sourcils froncés. Il leva les yeux à son approche, et elle y lut une telle souffrance qu'elle faillit se glisser sur la banquette près de lui pour le réconforter.

Mais il se reprit très vite. Elle ouvrait la bouche pour l'interroger quand un enfant à la table voisine renversa son verre. Elle saisit au vol une poignée de serviettes en papier et courut éponger la table. Et son service l'éloigna de nouveau de Keaton.

Quelques minutes plus tard, la tourte qu'il avait commandée était prête. La salle ne désemplissait pas, elle ne pourrait certainement pas prendre de pause. Oserait-elle lui demander s'il pouvait rester jusqu'à la fin de son service ? Elle avait tellement envie de passer un moment avec lui, même si la seule idée lui nouait l'estomac et rendait ses mains moites.

Des mains moites et glissantes, une assiette de porcelaine... Une combinaison désastreuse ! Quand Keaton leva les yeux en lui décochant son irrésistible petit sourire, l'assiette commença à lui glisser des doigts. Elle la sentit lui échapper, se jeta en avant en espérant la poser quand même sur la table... et réussit ! Mais avec un tel élan que l'assiette glissa jusqu'au bord opposé, bascula... Et la part de tourte brûlante et juteuse atterrit sur les genoux de Keaton.

Il laissa échapper une exclamation.

Horrifiée, elle se figea. Elle qui servait à table depuis ses seize ans, jamais elle n'avait renversé un repas sur un client ! Confusion, humiliation... Elle se pencha sur lui au moment où il sautait sur ses pieds. Il heurta son menton, et elle se mordit la langue, laissant échapper un petit piaillement.

— Je suis désolé ! s'écria-t-il aussitôt.

À peine consciente de la douleur, elle ne pensait qu'à réparer sa maladresse. Elle arracha la tourte brisée collée à son pantalon, la jeta dans l'assiette, retourna racler les débris... et se rendit compte de ce qu'elle était en train de faire. Elle grattait son entrejambe ! Avec un nouveau piaillement, elle retira sa main si brusquement que des fragments de poulet, de carottes et de maïs éclaboussèrent la chemise de Keaton.

— Je… Je ne sais plus où me mettre, murmura-t-elle d'une voix blanche.

Lola May arriva, un torchon humide à la main.

— Les clients viennent pour manger, tu sais ? Pas pour se faire un masque.

— Je ne voulais pas…

— File te nettoyer, lui ordonna sèchement sa patronne.

Atterrée, Francesca baissa les yeux sur sa tenue maculée d'éclaboussures.

— Je suis absolument désolée, laissa-t-elle échapper dans un souffle.

Après ce fiasco, elle n'oserait plus jamais croiser le regard bleu de Keaton !

Au comble de l'humiliation, elle s'engouffra dans le couloir qui menait à l'arrière des locaux. Dans le miroir au-dessus du lavabo du personnel, elle découvrit l'étendue du désastre. Des fragments de pâte, des traînées de jus de viande collaient à son T-shirt. Dire qu'elle s'était inquiétée tout à l'heure d'un éclat minuscule de ketchup ! Furieuse, elle se mit à se laver les mains.

— Tu sens la cuisine maison, plaisanta Richard, le chef.

— Ce n'est pas drôle ! Je viens de tout renverser sur un client.

— C'est l'Anglais, je me trompe ? demanda-t-il, hilare. Les filles disent toutes qu'il craque pour toi. Ne t'en fais pas, il a dû se dire que renverser son plat sur lui faisait partie des coutumes locales. Si tu veux, je file lui expliquer qu'au Texas c'est un moyen délicat de lui montrer qu'il t'intéresse.

— Si tu fais ça…, bredouilla-t-elle, hors d'elle. Non ! Personne ne lui dit rien ! De toute façon, il ne voudra plus jamais m'adresser la parole.

Les larmes lui piquaient les yeux. Elle se mordit la

lèvre et se tourna vers l'étagère où Lola May stockait les T-shirts au logo du restaurant. Elle en saisit un à sa taille et fila dans les toilettes pour se changer. Elle ressortait quand Ciara parut dans le couloir.

— Ciara ! Il faut que tu prennes mes tables, dit-elle, paniquée. Je ne peux pas y retourner… Je suis morte de honte.

— J'ai déjà trop de monde chez moi. Impossible, ma grande, tu vas devoir y retourner. Et puis attends, tu vas te faire des pourboires géniaux ! Les clients sont prudents, ils auront bien vu que, s'ils ne sont pas gentils avec toi, tu les couvriras de purée. Et en plus tu vises droit au but ! conclut-elle en riant.

— Tu sais très bien que c'était un accident, marmonna Francesca. Tout le monde trouve ça drôle !

Elle se couvrit le visage de ses mains en gémissant.

— Je parie que lui, il ne voit pas du tout l'humour de la situation. Et Lola May non plus.

— Elle, non, admit Ciara. Mais Keaton a été beau joueur. Nous lui avons emballé une tourte dans une boîte à emporter. Il va très bien se remettre.

Francesca risqua un regard entre ses doigts.

— Il n'est plus là ?

— Bien sûr que non ! Il était couvert de taches et sentait le jus de viande à deux mètres. Tu t'attendais à ce qu'il prenne le dessert et le café, avant de s'en aller ?

— Non. En fait, non. Mais comment est-ce que j'ai pu être aussi maladroite ?

Elle braqua un index accusateur sur son amie.

— Toi ! J'aurais dû insister pour que tu prennes sa table. Je ne peux rien faire quand il est là.

— Je parie qu'il te trouve adorable. Comme une fille déjantée dans une série télé.

— Ou alors comme une crétine complexée qui ne

sait plus assembler une phrase cohérente quand elle se retrouve face à un homme.

Vaincue, elle s'adossa contre le mur carrelé.

— Je me sens tellement bête ! Une fois de plus.

— Francesca, ce n'était qu'une tourte. Tu n'as pas mis le feu à sa braguette. Écoute-moi. Non, ne pleure pas, écoute. Tu lui plais. Arrête d'en faire un drame. Sors-toi Lou le Pou de la tête.

Surprise, Francesca ouvrit un œil.

— Hein ? Quel rapport ?

— Ton ex t'a démolie ! Il t'a mis dans la tête que tu ne valais rien. L'univers tournait autour de lui, pour lui comme pour toi. Ce n'était pas une relation équilibrée.

— Mais j'étais…

— Tu étais beaucoup plus qu'il ne méritait.

Ciara la prit dans ses bras et la berça gentiment en lui murmurant à l'oreille :

— Keaton Whitfield n'est pas bête, lui. Il voit quelque chose chez toi qui l'intéresse. Il serait temps de te décider à croire que tu es quelqu'un de bien. Même quand tu jongles avec des tourtes !

Francesca se tamponna les yeux en reniflant. Elle se sentait un peu mieux. Elle réussit même à rire… un peu.

— C'était probablement le moment le plus humiliant de toute mon existence, avoua-t-elle.

— Disons qu'il ne risque pas de t'oublier. Qui sait, vous servirez peut-être une tourte au poulet à votre repas de mariage.

— Avant de penser à organiser la réception, je devrais peut-être trouver un moyen de lui parler sans me transformer en zombie.

— Et encore avant cela, tu devrais commencer par prendre une douche, lui conseilla Ciara en s'écartant d'elle. Tu fleures bon le fond de veau, ma belle.

Une voix jaillit de la porte de la cuisine.

— La douche, ce sera pour plus tard, et la discussion aussi. Les clients attendent ! Les plats ne se serviront pas tout seuls !

Lola May était une patronne adorable mais quand elle se mettait à les houspiller, ses serveuses filaient doux.

— Je regrette, murmura Francesca en passant devant elle. Je réglerai le repas de Keaton, et son nettoyage à sec.

— Essaie déjà de finir ton service sans faire d'autres catastrophes, répliqua Lola May.

Ses paroles étaient sévères mais elle lui tapotait gentiment le bras. Incrédule, Francesca se retourna vers elle.

— Tu n'es pas en colère ?

Lola May leva ses yeux fatigués au ciel.

— Je suis une vieille qu'a beaucoup trop tardé à quitter un mauvais mariage. Je m'amuse par procuration avec ta petite… Je ne sais même pas comment l'appeler. Ta petite valse hésitation avec l'Anglais. Renverser une assiette pleine sur les genoux d'un beau garçon, ce n'est pas la stratégie que j'aurais choisie, mais je suis curieuse des suites !

— Je… Je ne l'ai pas fait exprès !

— Je sais bien.

Gentiment, elle la poussa vers la salle. Au moment où elle s'éloignait, elle ajouta à mi-voix :

— Mais c'est tout d'même une occasion intéressante. Voyons ce que t'en feras !

Keaton se frotta les tempes. La journée avait été longue, il avait les yeux fatigués d'avoir trop fixé son écran. Seul dans le bureau qu'il s'était fait installer dans un conteneur métallique sur le site du chantier, il venait de terminer une réunion marathon avec le commanditaire du projet et l'ingénieur structure. Dans un monde idéal, la création d'un ensemble de bâtiments se déroulerait tout naturellement, de la conception au premier coup de pelle, de la première pierre à l'inauguration. Dans la réalité, les chantiers prenaient des détours inattendus. Comme sa vie privée en ce moment !

Le commanditaire avait demandé à l'un des architectes assistants de modifier légèrement le toit du centre commercial. L'architecte s'était exécuté sans soumettre son travail à qui que ce soit et, maintenant, l'ingénieur découvrait un sérieux problème au niveau de la charpente. Bien entendu, c'était à Keaton de trouver une solution, sans ralentir le projet ni augmenter le budget.

Un pas froissa le gravier, on frappa à la porte métallique. Il serra les dents. Oh non, pas un nouveau problème ! Chaque fois que quelqu'un franchissait cette porte, il se retrouvait avec une charge de travail supplémentaire.

— Entrez !

La porte s'ouvrit… et Francesca parut, auréolée de ses extraordinaires boucles blondes.

Son cœur tressauta. Au restaurant, elle attachait ses cheveux dans un chignon serré, c'était la première fois qu'il la voyait dans toute sa gloire. Cette femme était absolument splendide.

— J'espère que je ne vous dérange pas trop, murmura-t-elle d'une petite voix.

Il bondit. Un automatisme inculqué par sa mère : un gentleman ne reste pas assis quand une femme entre dans la pièce.

— Pas du tout !

Il s'avança vivement à sa rencontre… et se prit les pieds dans sa corbeille à papier. En le voyant plonger vers elle, Francesca eut un léger mouvement de recul en levant comme un bouclier la boîte plate de carton blanc qu'elle portait devant elle.

— C'était déjà assez affreux de renverser votre dîner

sur vos genoux, dit-elle avec un petit rire nerveux. Je ne veux pas écraser ma tarte expiatoire sur votre poitrine.

Il retrouva son équilibre en essayant de ne pas trop perdre sa dignité. Il sentait le rouge lui monter aux joues. C'était exaspérant. Il se comportait comme un gamin face à cette femme ! Sa seule consolation était de savoir qu'il n'était pas le seul affecté. En rentrant chez lui la veille au soir en embaumant la cuisine traditionnelle, il avait au moins eu la conviction qu'elle aussi se sentait troublée en sa présence.

— Surtout, ne vous excusez pas, dit-il. Et je ne refuserai jamais une part de tarte de Lola May.

Il vit ses doigts fins se crisper sur la boîte. Elle lui offrit de nouveau ce sourire timide qui le charmait.

— En fait, c'est moi qui… C'est la recette chocolat-noix de pécan que ma mère fait toujours pour Thanksgiving, dit-elle.

Son petit nez se fronça légèrement, et elle ajouta :

— Elle trouve que les meilleures choses doivent rester exceptionnelles, donc elle ne la fait qu'une fois par an. Elle ne se doute pas que moi, j'en fais une chaque fois que j'ai besoin de réconfort.

— Comment avez-vous deviné que j'avais besoin de réconfort ?

— Je savais surtout que j'avais besoin de m'excuser. La tarte peut aussi servir à exprimer un regret.

D'un geste un peu brusque, elle lui tendit sa boîte en lançant :

— Je regrette sincèrement, pour hier soir. Depuis que je fais ce métier, cela ne m'était jamais arrivé. J'espère que vous me permettrez de régler le nettoyage de vos vêtements. Ou de les remplacer, s'ils sont fichus.

— Inutile. En fait, je devrais vous remercier. Le chien de mon voisin ne m'appréciait pas, il grognait chaque fois qu'il me voyait. Depuis hier soir, nous sommes les meilleurs amis du monde. Mon parfum était irrésistible !

Elle rit tout bas, une musique qu'il trouva attirante.

— C'est une petite compensation…, murmura-t-elle.

— Le chien n'était pas la compensation. Votre visite et votre tarte, voilà qui rachète tout le désagrément que j'ai pu éprouver. J'espère que vous avez le temps de prendre une part avec moi ?

Il se pencha un peu vers elle pour préciser :

— Déguster de la tarte tout seul, cela porte malheur.

Elle laissa échapper un petit bruit étouffé, à mi-chemin entre le rire et le soupir.

— Voilà qui expliquerait une bonne part de mes déboires, alors, dit-elle. J'aurais honte d'avouer le nombre de tartes que j'ai avalé en solitaire.

Il sentit son cœur se serrer en voyant un éclair de détresse s'allumer dans ses magnifiques yeux caramel. Son éternel instinct de protection s'éveilla. Mais pas seulement ! Il éprouvait une envie subite de saisir son épée et de courir trucider les dragons qui tourmentaient cette femme si belle, si éclatante de vitalité. Un réflexe idiot. Francesca n'avait sûrement pas besoin de lui pour vaincre ses dragons, et il était bien le dernier à pouvoir jouer les héros. Pas avec un père comme Gérald Robinson ! Et pourtant il brûlait du besoin de tout faire pour réveiller le sourire lumineux qui éclairait parfois le beau visage de Francesca.

— La meilleure parade, c'est d'engranger un peu de chance, déclara-t-il en écartant d'autorité une chaise de la table au milieu du bureau. Restez cinq minutes. Soyons un peu gourmands.

Elle jeta un regard vif vers la porte, un autre vers lui… et s'installa sur le siège qu'il lui offrait.

— D'accord… Merci…

Son parfum, une fragrance légère de vanille et d'épices, l'enveloppa, l'espace d'un instant. Le parfum d'une femme capable de faire une tarte. Il n'avait jamais envisagé la pâtisserie sous un jour particulièrement torride mais l'idée de Francesca en tablier, mélangeant les ingrédients pour cette tarte, fit danser des étincelles sur sa peau. Puis le tableau mental changea légèrement, elle ne portait plus qu'un tablier et…

— J'ai des assiettes ! s'écria-t-il.

Cette fois encore, elle eut un léger mouvement de recul.

— Très bien, bravo, murmura-t-elle. Des fourchettes aussi ?

— Oui ! Des fourchettes aussi.

Il se tourna vers les placards installés dans l'angle du conteneur.

— Et même des serviettes, précisa-t-il.

Il se comportait comme le dernier des crétins. Il inspira à fond, fit un rapide calcul mental de volume et d'inclinaison… et se sentit plus stable. Posément, il sortit des assiettes en carton, des fourchettes en plastique, des serviettes en papier, un couteau. Quand il se retourna, Francesca avait retiré son gilet. Assise là dans sa robe fleurie sans manches au décolleté modeste, elle était absolument irrésistible. Il ne faisait pas particulièrement chaud dans le bureau mais la seule vue de la peau lisse de ses épaules lui mit la sueur au front. Stop ! Du calme. Elle était déjà nerveuse en sa présence, il devait la rassurer. Pas l'embrasser à lui faire perdre l'esprit comme il avait envie de le faire. Il se concentra donc sur la boîte blanche, défit soigneusement le nœud qui fermait le couvercle, le souleva et découvrit… une œuvre d'art. Du moins aux yeux d'un fan des tartes comme lui.

— Vous avez fait cela ?

Elle approuva d'un hochement de tête.

— C'est une tarte aux noix de pécan traditionnelle mais le chocolat noir donne un goût plus moelleux, expliqua-t-elle. J'ajoute aussi un peu de bourbon. Ne le dites pas à ma mère mais je crois bien que ma version est un cran au-dessus de la sienne.

Ses yeux s'arrondirent. Atterrée, elle pressa ses mains sur ses joues empourprées en murmurant :

— Je ne voulais pas dire que je comptais vous présenter ma mère…

Adorable. Il fit mine de ne pas remarquer sa confusion et répliqua joyeusement :

— Si cette tarte est aussi bonne qu'elle est belle, je dirais qu'elle est un cran au-dessus du paradis !

— Cela fait longtemps que vous souffrez de cette addiction ? demanda-t-elle en riant.

— Pour les tartes ? Toute ma vie. Mais addict est un vilain mot. Je préfère connaisseur.

Francesca lui sourit. Comme par magie, la connivence de l'autre soir venait de se réinstaller entre eux. Ce face-à-face qui lui semblait insurmontable quelques instants auparavant devenait tout simple et très agréable.

— La spécialité de ma mère, c'est le pain perdu, dit-elle.

Elle tendit l'une des assiettes, il y fit glisser une part conséquente.

— Pour moi, ce sera moitié moins, murmura-t-elle. Sinon je devrai sortir courir après le travail.

— Sûrement pas, rétorqua-t-il en lui servant tout de même une part moins généreuse.

— Je me surveille. Vous savez ce qu'on dit : « Un instant sur les lèvres »…

Elle s'arrêta net, lui jeta un regard affolé. Il fut désolé de voir que la charmante animation de ses yeux s'était éteinte.

— Non, oubliez, marmonna-t-elle.

— Je ne sais pas ce que l'on dit. Terminez la citation ?

— Même moi, je devrais savoir qu'on ne parle pas de son poids avec un homme, répondit-elle, gênée.

— Les hommes aussi pensent à leur poids !

Il insistait parce qu'il était réellement curieux, et aussi parce qu'il avait hâte de démolir une citation, quelle qu'elle soit, capable d'éteindre la vitalité étincelante qu'il associait à Francesca.

— Un instant sur les lèvres, pour toujours sur les hanches, récita-t-elle sans relever les yeux.

Il s'immobilisa, la fourchette en suspens.

— J'espère que vous n'adhérez pas ? s'enquit-il. Que vous n'admettez pas la moindre remarque désobligeante sur vos hanches ? Je ne voudrais pas être incorrect mais votre silhouette est absolument parfaite.

Deux taches rose vif absolument délicieuses s'allumèrent sur ses pommettes.

— Merci, chuchota-t-elle. J'avais… J'avais deux surnoms quand j'étais petite : Frannie-les-Frisettes et la Grosse Frannie.

Incapable de résister, il posa sa fourchette, tendit la main et pinça doucement une mèche de ses cheveux. Les mèches luxuriantes étaient aussi douces qu'il l'avait imaginé.

— Vous avez des cheveux à rendre jaloux les anges.

Elle rougit encore plus violemment mais lui lança un sourire éblouissant.

— Des cheveux d'ange, une tarte paradisiaque… Tous les Anglais ont un vocabulaire aussi charmant ?

— Pas tous, répondit-il. Je suis unique.

Elle éclata d'un grand rire et le renvoya à son assiette.

— Goûtez ! Vous avez mis la barre trop haut avec votre paradis, j'ai hâte d'entendre votre diagnostic.

Il obéit, et ferma les yeux de ravissement. La crème de chocolat fondait dans la bouche, les morceaux de noix de pécan grillés craquaient sous la dent en libérant leur saveur riche, un peu fumée, le bourbon ajoutait une petite note sophistiquée et la pâte était parfaite.

— Paradisiaque, murmura-t-il. J'assume le mot.

— Vous n'êtes pas obligé, répliqua-t-elle, la bouche pleine.

— Je le sais. Je suis sincère. Une perfection.

Il fut récompensé par un nouveau sourire. Elle avait la silhouette d'une pin-up des années 1950 et la bouche sensuelle d'une star. Et surtout une fraîcheur, une franchise tout à fait nouvelles pour lui. Ces pôles opposés, ce contraste formaient une énigme qu'il voulait absolument tirer au clair.

— Lola May est au courant de ce talent ? demanda-t-il.

— Non, pourquoi ? Elle fait la pâtisserie elle-même pour le restaurant. Moi, je suis juste serveuse.

— Cela fait longtemps que vous travaillez pour elle ?

— Depuis mes seize ans, par périodes. C'est la patronne idéale, elle me laisse aménager mes horaires autour de mes cours à l'université.

— Vous avez d'autres tartes dans votre répertoire ?

— Ma mère m'a appris la pâtisserie quand j'étais toute petite. La texture de la pâte, c'était la première leçon. J'ai quelques autres spécialités, oui.

— J'aimerais bien les tester. Par exemple… ?

— Je fais une tarte aux trois fruits rouges… Une tarte fraise rhubarbe en été…

Gênée — mais pourquoi, parce que l'on parlait d'elle ? —, elle baissa la tête et le regarda à travers ses cils. *Comme une gamine*, pensa-t-il avec un sourire attendri.

— Je suis nul pour les desserts mais je fais d'excellents spaghettis bolognaise, dit-il. Si vous voulez, un de ces soirs, je vous fais à dîner, et vous apportez une autre tarte.

Il fut assez stupéfait de sa réaction. Elle le dévisagea, bouche bée, posa sa fourchette, tira son gilet autour de ses épaules et se leva brusquement. Nom de nom ! Il était allé trop vite !

— Je devrais vous laisser travailler, bredouilla-t-elle.

La gaffe ! Interloqué, il chercha ce qu'il pourrait dire

pour regagner le terrain perdu. Intimidée à son arrivée, elle s'était détendue, avait été drôle, un peu séductrice. Il ne voulait pas que ce soit déjà fini ! Il aurait volontiers fait la peau à celui ou celle qui avait osé lui donner une mauvaise image d'elle. Il avait envie qu'elle lui raconte son enfance, envie de lui demander si le fait d'être enfant unique, seule avec sa mère, avait eu un effet aussi déterminant pour elle que pour lui. Comment la rassurer, la retenir encore un peu ?

— Cela vous dirait de visiter le chantier ? demanda-t-il.

Elle avait raison, en fait, il avait beaucoup de travail mais à cet instant précis, une seule chose comptait : la convaincre de rester encore un peu.

Voyant qu'elle hésitait, il passa derrière son bureau et saisit le modèle en 3D du projet rangé sur une étagère.

— La construction commence à peine mais voilà l'objectif final…

— On dirait une maison de poupées ! s'exclama-t-elle.

Intéressée et admirative, elle examina le modèle.

Il sourit. Si elle avait envie de comparer le résultat de tant d'heures de programmation pour coder les plans en CAO, pour réaliser des projections à l'échelle et les sortir sur une imprimante 3D, à la construction d'une maison de poupées, il n'allait pas la contredire.

— Une maison de poupées assez élaborée, précisa-t-il.

— Je suis bête, je sais, dit-elle avec une petite grimace. Je me doute bien que ce n'est pas aussi simple.

Il écarta délicatement la boîte de la tarte pour déposer le modèle au milieu de la table. Francesca jeta leurs assiettes vides à la corbeille avant de revenir près de lui.

— Je peux toucher ?

Elle eut un petit rire étouffé et ajouta :

— Le modèle, bien sûr.

Il réussit à retenir un éclat de rire et répondit gravement :

— Bien sûr.

— Vous avez toujours su que vous vouliez être architecte ?

L'index posé sur le faîte du toit, elle se penchait pour regarder par les fenêtres.

— J'ai toujours aimé construire des choses, répondit-il. Ma mère me rapportait des cartons de toutes les tailles de son travail, et je fabriquais des villes très élaborées, qui finissaient par encombrer la moitié du salon. Maman avait beaucoup de patience.

Il se baissa pour avoir la même vue qu'elle et conclut :

— Finalement, ces cartons étaient des versions plus simples de ce que j'ai fait ici.

— C'est fabuleux !

— Oui... Fabuleux...

Il ne parlait plus du modèle.

Elle tourna la tête vers lui. Il était si près d'elle qu'il distinguait les paillettes d'or de ses iris. Il n'aurait eu qu'un mouvement à faire pour effleurer sa bouche de la sienne. Il vit sa langue jaillir un instant pour humecter sa lèvre inférieure. L'impact le frappa au ventre, et il dut ravaler une plainte sourde.

— J'aimerais voir le reste, dit-elle d'une voix douce.

Il devait vraiment avoir l'esprit mal tourné. Quoi qu'elle dise, il entendait une allusion sexuelle ! Il fit un effort pour maîtriser le désir qui flambait dans ses veines. S'il avait pu la mettre en fuite avec une invitation désinvolte à dîner, elle ne devait surtout pas deviner de quoi il avait envie en ce moment. Tout ce qu'ils pourraient faire, tous les deux, si seulement elle voulait bien... Il s'obligea donc à se redresser et à lui dire calmement :

— Allons vous chercher un casque. Je vous fais la visite guidée.

6

— Tu lui as vraiment demandé si tu pouvais toucher ? s'exclama Ciara en riant.

— Oui ! Chaque fois que je disais quelque chose, cela ressemblait à une invitation salace, répondit Francesca.

— Tu n'as pas admiré la taille de son architecture ? s'enquit son amie, hilare. Et…

— Stop ! l'interrompit Francesca, à bout. Tu ne m'aides pas, là !

Après la visite du chantier, elle était rentrée se changer et manger un morceau avant de descendre prendre le service du soir. Elle avait trouvé Ciara à la maison et lui avait immédiatement raconté sa visite.

— En fait, tu as été plutôt bonne, déclara son amie. Tu lui as apporté une tarte fabuleuse et tu lui as fait du charme, sans vulgarité.

— Il a plus ou moins proposé de me faire à dîner, un soir.

— J'espère que tu as dit oui ! « Oh oui, monseigneur, mille fois oui ! »

— Pas vraiment. J'ai un peu failli partir en courant.

Elle laissa échapper un piaillement indigné quand Ciara lui appliqua une grande claque sur l'épaule.

— Mais pourquoi ! Tu lui plais ! Avec un grand P ! J'irai même jusqu'à dire qu'il craque !

— Ciara, arrête, tu sais bien que non.

— Le désir, Frannie ! Il pourrait aussi bien avoir un

signe au néon sur la tête quand il te regarde. Tu devrais te sortir la tête du…

— Ma tête est très bien où elle est !

Ciara haussa les épaules en renvoyant ses cheveux derrière son épaule. Oh ! Et puis son amie avait beau afficher ses certitudes, pour elle non plus, tout n'était pas simple avec les hommes. Au fond, Ciara comprenait très bien ses réticences.

— Je ne te parle pas de t'engager, reprit cette dernière. Juste de passer des bons moments avec lui, pour le *fun*. Sortir un peu, échanger un peu de salive.

— Répugnant, marmonna Francesca.

— Je peux te garantir qu'avec lui cela n'aurait rien de répugnant !

Francesca pensa à l'instant, dans le bureau, où leurs visages avaient été si proches l'un de l'autre. Elle avait eu très envie qu'il l'embrasse. En même temps, la seule idée la terrifiait : et s'il la trouvait… décevante ?

— Je n'ai jamais rien fait avec un autre que Lou, avoua-t-elle. Je n'ai embrassé personne d'autre.

Dans un sens, elle ne regrettait pas forcément d'avoir si peu d'expérience, mais Keaton devait avoir l'habitude de fréquenter des femmes beaucoup plus sophistiquées.

— Lou le Pou n'était qu'un gosse, déclara Ciara. Au mieux, un homme enfant. Il était à peine capable de se moucher tout seul. Keaton est un homme, il sait sûrement comment on traite une femme. Il te ferait du bien, Frannie. T'amuser te ferait du bien.

Ciara lui lançait souvent ces mots — s'amuser, pour le *fun* —, comme si elle se noyait dans un océan d'ennui et que le *fun* était l'unique bouée de sauvetage ! Outrée, elle répliqua :

— Sillonner le pays pendant quatre ans avec un groupe de rock alternatif, on jurerait que c'était forcément *fun*, non ? Avec Lou, c'était censé être la grande aventure, mais je ne me suis pas franchement amusée !

— Ce n'était pas ta faute, murmura Ciara avec compassion.

— C'est ma faute si je suis restée aussi longtemps. Écoute, je me suis enfin remis la tête à l'endroit, ma vie est sur les rails. J'ai mes projets et je vais m'y tenir. Le *fun*, c'est bien, mais cela ne me donnera pas un avenir. Une stabilité.

— Tu es trop jeune pour penser à la stabilité !

Francesca faillit éclater de rire. Elle avait toujours pensé à la stabilité ! Sa mère avait du mal à garder un emploi ; résultat, elles ne cessaient de changer de logement, entre jobs minables et quartiers miteux. Elle avait fréquenté cinq écoles différentes avant d'échouer dans le lycée où elle allait rencontrer Lou. À dix ans, elle savait déjà que si elle voulait un avenir, elle devrait le forger elle-même et ne compter sur personne.

— Promets-moi au moins de ne pas l'envoyer paître. Donnez-vous une chance à tous les deux, supplia Ciara.

— Je veux bien promettre, ça ne m'engage pas à grand-chose. Il ne voudra sûrement pas, et ce n'est pas comme si j'avais beaucoup de temps libre.

Elle jeta un coup d'œil à sa montre.

— Je descends. Amuse-toi bien ce soir.

Elle serra son amie sur son cœur.

— Mets une veste. La température chutait en flèche quand je suis rentrée.

— Qu'est-ce que je ferais sans toi ? répliqua Ciara en riant. Attends ! Miles, Jaycee et moi, on sort dîner, puis on ira danser à la nouvelle boîte de Martin Street. Tu nous rejoins après la fermeture ?

— J'ai des révisions.

La réponse automatique, celle qu'elle donnait sans même réfléchir à la question.

— Tu révises tout le temps ! s'exclama Ciara. Tu peux bien prendre une soirée de temps en temps !

Francesca savait que dans ce débat, elle ne parviendrait jamais à convaincre son amie.

— Peut-être, dit-elle en retenant un soupir. Je verrai.

— Un de ces jours, ton peut-être se transformera en oui !

— Peut-être…

Elle était un peu en retard mais, avant de dévaler l'escalier, elle prit le temps de se passer un peu de gloss. Elle ne se maquillait quasiment jamais, cependant l'idée que Keaton viendrait sans doute dîner lui donnait envie de s'arranger.

Il était près de 20 heures quand il poussa la porte. Elle prenait les commandes de boissons d'une table de quatre mais dès qu'il entra, leurs regards se croisèrent. Elle lui trouva l'air fatigué. Il se dirigea vers une table d'angle dans sa section et haussa un sourcil comme pour lui demander la permission de s'installer. Elle approuva de la tête, se concentra de nouveau sur ses clients. Quelques minutes plus tard, elle lui apportait une carafe d'eau.

— Le plat du jour, c'est lasagnes, annonça-t-elle. Je ferai de mon mieux pour ne pas vous inonder de sauce tomate.

Elle tenta un sourire, et se sentit plus à l'aise quand il le lui rendit.

— Si cela peut me valoir une autre tarte…

Il tendit la main et posa l'index sur son poignet.

— Et un après-midi avec vous, ajouta-t-il.

Les papillons revinrent tournoyer dans son ventre. Ils firent même une incursion dans sa poitrine. Elle eut un peu de mal à reprendre son souffle.

— Nous pourrions peut-être organiser quelque chose sans que j'aie besoin de renverser quelque chose sur vous ? suggéra-t-elle.

Elle avait osé dire cela ? Elle pensa à la phrase de Ciara. Avec Keaton, peut-être était en train de se transformer en oui.

Il commanda les lasagnes avec une salade. Elle réussit à les lui apporter sans accident tout comme, un peu plus tard, une tarte Tatin de Lola May. La salle se vidait mais il s'attardait encore. Enfin, il ne resta plus que lui. Lola May s'apprêtait à fermer quand Ciara fit irruption dans le restaurant avec ses deux amis. Francesca connaissait bien Miles et Jaycee, sa petite amie. Ils étaient drôles, pleins d'énergie, toujours prêts à faire la fête. Des jeunes d'Austin typiques de ce cocktail attachant de jeunes urbains branchés qui donnait à la ville son célèbre surnom de « Austin-la-Déjantée ». C'était l'univers de Francesca, et elle s'y était toujours sentie chez elle, même si elle ne se trouvait pas assez sophistiquée pour mériter l'appellation contrôlée.

— Il gèle ! s'exclama Jaycee en sautant sur place.

— On se croirait à Chicago, confirma joyeusement Miles.

Euphorique, Ciara vint se jeter dans les bras de Francesca. Celle-ci sursauta avec un petit cri. Son amie était glacée ! Avec des températures hivernales qui oscillaient entre 12 et 13°, un coup de gel, c'était un événement !

— Nous sommes juste passés voir si tu étais décidée à venir avec nous, lui expliqua Ciara.

— Je vais aider Lola May à faire la fermeture, et…

Elle jeta un regard en coin à Keaton qui, très décontracté, assistait à la scène de sa table.

— … Et tu auras peut-être une proposition plus intéressante, conclut Ciara en frétillant des sourcils. Je ne rentrerai pas tard ! Attends-moi pour te coucher, je veux le récit complet de ta soirée !

— Fais bien attention à toi.

Cette fois encore, elle parlait davantage comme une

mère que comme une amie. Ciara avait peut-être raison, en fin de compte : elle était trop sage !

— Lola May ? cria Ciara. Je peux prendre des cookies ?

— Vas-y, ma grande, répondit la patronne en émergeant de sa cuisine, un torchon à la main. Le chocolat, rien de tel pour se tenir chaud.

— Ce qui va me tenir chaud, c'est de danser toute la nuit ! répliqua Ciara en soulevant l'abattant du présentoir de gâteaux et en prenant deux gros cookies.

Elle lança un baiser à Francesca et sortit avec ses amis.

Un instant plus tard, Miles repassait la tête par la porte en s'exclamant :

— Venez voir ! Il neige !

Avec un cri joyeux, Lola May se précipita vers la porte.

— J'ai vécu dans le Michigan, lança-t-elle à Keaton en passant. J'ai toujours regretté la neige.

Il se leva posément en demandant à Francesca, très pince-sans-rire :

— Si je comprends bien, on ne voit pas souvent de neige à Austin ?

— Presque jamais. Et à Londres ?

— Assez rarement. Il a tout de même neigé à Noël, juste avant que je n'arrive ici. C'était peut-être un signe ?

Il la regardait d'une façon…

— Il faut sortir ! s'écria-t-elle vivement. On ne peut pas rater ça !

— Non, bien sûr.

Il lui tendait la main ! Elle retint son souffle, glissa sa main dans la sienne… Le contact se répercuta comme une onde de choc de sa tête à ses orteils. Il poussa la porte et l'entraîna dans la rue. L'air glacé lui coupa le souffle.

— Oh…, murmura-t-elle, émerveillée.

Puis elle se mit à rire. Les flocons blancs voletaient dans l'air. Au milieu de la rue blanchie, Lola May tournait sur elle-même, la tête renversée en arrière et les bras grands ouverts. Ciara et ses amis s'éloignaient en riant, leurs silhouettes brouillées par le rideau de neige. Des voisins, des commerçants émerveillés sortaient en silence sur le pas de leur porte. Le tableau avait une touche magique.

Francesca les yeux clos, offrit son visage à cette averse de neige exceptionnelle, souriant de sentir les petites touches glacées des flocons sur sa peau. Les doigts mêlés aux siens, Keaton porta sa main à ses lèvres et y posa un baiser.

— Vous êtes incroyablement belle, murmura-t-il.

Saisie, elle le dévisagea en rougissant. Elle crut même sentir les flocons crépiter en touchant ses joues.

— Je ne veux pas vous mettre mal à l'aise, ajouta-t-il tout bas, mais je ne peux pas ne pas vous le dire. Vous êtes la femme la plus belle que j'aie jamais rencontrée.

La neige était si irréelle, si belle, qu'au lieu de paniquer elle ressentit un frisson la parcourir… et se haussa sur la pointe des pieds pour effleurer sa joue de ses lèvres !

— Je suis contente de partager ce moment avec vous, chuchota-t-elle.

Derrière elle, quelqu'un ouvrit une fenêtre, et une douce ballade country s'éleva dans la nuit. Keaton lui sourit.

— Venez danser.

Il prit sa main, la fit tournoyer une fois et l'attira contre lui. Que c'était bon, sa paume dans son dos, la chaleur de son corps qui se propageait en elle… Ils ne parlaient pas, dansaient en se souriant, les yeux dans les yeux, sur le doux tapis de neige duveteuse. Les habitants du quartier allaient et venaient autour d'eux mais leur couple semblait suspendu dans le temps et dans l'espace, isolés dans une bulle magique.

La chanson se termina, une autre commença, beaucoup plus rapide. Ils se séparèrent, un peu confus. Lola May se dirigeait vers eux en souriant.

— Elle tient ! lança-t-elle avec une joie enfantine.

— Une neige qui tient, chez nous, c'est quasiment un blizzard ! fit remarquer Francesca en riant.

La chute des flocons devenait moins dense. La magie s'estompait, le quotidien reprenait ses droits.

— Je termine de nettoyer la cuisine, murmura Lola May à regret. Faudrait pas rentrer trop tard. Les Texans n'savent plus conduire quand le temps déraille.

— J'arriverai tôt demain pour t'aider pour la mise en place, proposa Francesca.

Lola May lui tapota l'épaule et disparut dans son restaurant.

— Je crois que le blizzard est déjà fini, dit Francesca.

— C'était amusant, répondit Keaton.

Amusant ? Elle sentit ses lèvres se retrousser dans un large sourire. Elle aurait presque envie de courir retrouver Ciara et ses amis pour leur révéler le scoop : elle savait encore s'amuser ! Elle se contenta de lever les yeux vers les yeux clairs de Keaton en lui demandant :

— Ça vous dirait de prendre un café, un de ces jours ?

Comme il sembla surpris, elle se hâta d'ajouter :

— Je sais que vous êtes très occupé, avec le chantier et les Fortune. Non, oubliez. Ce n'était pas…

— J'adorerais prendre un café avec vous, Francesca. Demain ? Je peux trouver du temps demain.

Avec un petit rire, il précisa :

— Je peux trouver du temps quand vous voudrez !

Quand elle voudrait ? Elle sentit son cœur se dilater. Habituellement, c'était toujours elle qui s'organisait en fonction des autres, leur vie, leur emploi du temps. Et Keaton Whitfield proposait de bouleverser son planning pour elle ?

— J'ai un cours en début de matinée mais je serai libre vers 11 heures, répondit-elle. Vous pourriez me retrouver sur le campus ? Ce sera mon tour de vous faire visiter.

— Parfait. 11 heures. Envoyez-moi un texto pour me dire où vous retrouver.

Une seconde fois, il pressa courtoisement ses lèvres sur le dos de sa main.

— Je me fais une joie.

— Moi aussi, murmura-t-elle dans un souffle.

Puis, troublée, elle jeta un coup d'œil par-dessus son épaule.

— Je dois aider Lola May pour la fermeture, ajouta-t-elle.

— À demain alors.

Il attendit que la porte du restaurant se referme derrière elle avant de s'éloigner sur le trottoir mouillé.

Keaton regarda sa montre. Il était 10 h 45, et il se tenait devant la Tour, le nom local du bâtiment principal de l'université du Texas, antenne d'Austin. Le coin de rue où il devait retrouver Francesca dans un quart d'heure se trouvait à quelques pas. Il ne voulait pas arriver très tôt ; en ayant l'air trop impatient, il risquait de la mettre mal à l'aise.

Son invitation inattendue, la veille au soir, lui avait fait un plaisir fou. Il ne savait pas pourquoi les moments passés avec cette femme adorable le rendaient si heureux ; il ne pouvait que constater. Avec son style inimitable, entre timidité et audace, son humour, elle lui faisait l'effet d'un souffle d'air pur. Une femme qui n'attendait rien de lui, c'était nouveau, précieux. Les autres femmes lui faisaient si souvent des avances qu'il se retrouvait un peu sur la défensive, jouant avec plaisir le jeu de la séduction mais attentif à ne pas franchir certaines limites.

Et puis, à Austin, on commençait à savoir qu'il était un Fortune. Issu d'un milieu modeste, il ne savait pas comment gérer sa notoriété subite. Parler à une journaliste comme Ariana Lamonte, c'était encore assez simple, mais ses nouvelles connaissances… Il se surprenait souvent à chercher à comprendre ce qui les poussait à se rapprocher de lui.

Francesca, c'était tout le contraire puisqu'elle fuyait ses avances. Et plus elle le fuyait, plus il avait envie de l'approcher ! Hier soir, pendant qu'ils dansaient, leurs corps s'étaient accordés à la perfection. Il aurait voulu trouver un prétexte pour la garder encore un peu contre lui. La patience n'était pas son fort ! Il avait toujours brûlé les étapes, pressé de réussir dans tous les aspects de sa vie, ses études, le sport, sa carrière. Il pouvait toujours répéter avec désinvolture qu'il se fichait d'avoir grandi sans père, l'absence d'un modèle masculin avait affecté la fibre même de son identité, il en avait bien peur.

Près de Francesca, il s'apaisait. Il ne cherchait plus à prouver quoi que ce soit, il vivait l'instant. Il était sûr que sa mère apprécierait comme lui le côté intègre et courageux de Francesca, et aussi le fait qu'elle ne soit pas du tout impressionnée par la célébrité des Fortune ou par sa réputation professionnelle. Elle semblait avoir sincèrement envie de le connaître et pour une fois, il se sentait capable de s'ouvrir un peu, de donner davantage de lui qu'il ne le faisait habituellement.

Pas trop, tout de même. Il ne faudrait pas lui donner une idée fausse, la laisser supposer qu'il était prêt à se marier. Elle ferait une épouse idéale, une maman fabuleuse, celui qui l'attraperait aurait beaucoup de chance, mais… Mais ce ne serait pas lui. En fait, quelle sensation bizarre : il se sentait coupé en deux. D'un côté, la seule idée de Francesca dans les bras d'un autre le hérissait, d'un autre, il savait bien qu'il n'était pas un homme pour elle.

Il écarta ces pensées irrationnelles. Ils allaient juste prendre un café ensemble ! Il n'était le prince charmant de personne, mais ils pouvaient tout de même s'amuser ensemble, tous les deux. La vie n'avait pas été tendre avec elle, elle méritait de se détendre, de passer de bons moments plus qu'aucune femme de sa connaissance.

Il vérifia de nouveau l'heure et se mit à traverser le campus. Des groupes d'étudiants harnachés de sac à dos ou de besace se croisaient sur les sentiers qui sillonnaient les larges pelouses. Oubliée, la neige de la soirée précédente ! Tout avait fondu, l'herbe était humide et très verte, un soleil tiède brillait dans un ciel bleu vif.

Il vit Francesca avant qu'elle ne le remarque. Elle avait de nouveau détaché ses cheveux et son halo de boucles l'attira comme la lumière d'un phare. Elle discutait avec un jeune homme vêtu de l'uniforme local, chemise de flanelle à carreaux et barbe clairsemée — le look hipster. Il dit quelque chose, elle éclata de rire, et Keaton sentit une bouffée de jalousie emplir son cœur. Ridicule ! Ce côté possessif ne lui ressemblait pas. Francesca n'était pas sa chasse gardée… Mais il voulait être celui qui la faisait rire. Ce gamin n'était sûrement pas capable de l'apprécier à sa juste valeur !

Il allongea le pas, pressé tout à coup de faire valoir son rendez-vous avec elle. Aussitôt, comme si elle avait perçu sa présence, elle se tourna vers lui, et il vit jaillir son sourire. Elle salua rapidement son interlocuteur et vint à sa rencontre.

— Salut, dit-il quand ils se trouvèrent face à face.

Il s'aperçut avec une vague surprise qu'il devait faire un effort conscient pour se retenir de la toucher.

— Ma mère disait toujours que « salut », ce n'était pas poli, sauf chez les Romains, dit-elle avec un petit rire joyeux.

Il sourit, tout content qu'elle le taquine — cela voulait dire qu'elle se sentait à l'aise avec lui. Il s'inclina très bas en articulant avec l'accent guindé de la haute société londonienne :

— Mes hommages, mademoiselle. Vous êtes éblouissante aujourd'hui.

— Oh ! grave, répliqua-t-elle en se tapotant la poitrine. Je ne me sens plus quand vous parlez comme ça !

— Que veut dire « grave » ? s'enquit-il en se redressant.

Elle se remit à rire.

— C'est juste une expression. Qui trahit sûrement mon manque de culture !

Il ouvrait la bouche pour protester quand elle leva la main pour le faire taire.

— Attendez, à moi d'essayer.

Et avec une révérence assez vacillante, elle s'écria :

— Bien le bonjour, mon lord ! Le temps s'est levé, non ? Bon, on fait comme on peut, hein ? Prenez soin de vous !

Son accent cockney était effroyable. Il retint un petit rire.

Intimidée tout à coup, elle le regardait à travers ses cils en guettant sa réaction.

— Vous avez trop regardé Mary Poppins, dit-il.

Il vit le soulagement se peindre sur son visage.

— Vous n'arrivez pas à parler texan et moi je ne peux pas mâcher mes mots comme en Angleterre, fit-elle remarquer. Il faudra se résigner à être qui nous sommes.

— Cela me convient.

Elle fit un signe du menton vers une large allée qui menait vers la sortie du campus.

— Le café est par là.

Elle commençait à marcher quand il la retint en posant la main sur son petit sac à dos.

— Attendez, je vous le porte.

— Mais… Ce n'est pas… Vous n'êtes pas obligé !

— Je voudrais le faire.

Rougissante, elle retira le sac et le lui tendit.

— Personne n'a jamais voulu me porter mes livres…

— C'est un honneur pour moi d'être le premier.

Ensemble, ils s'avancèrent sous les arbres.

7

Francesca s'installa à une table près de la vitrine de son *coffee-shop* préféré. Keaton lui rendit son sac à dos, et elle réprima un sourire. Il était si prévenant ! Elle avait eu du mal ne pas rire quand il avait tenu à lui porter son sac. Elle qui avait passé des années à transporter les sacs, le matériel, les instruments de Lou ! Elle qui était si souvent restée seule à charger le car de la tournée pendant que les garçons s'enfilaient des bières avec leurs potes et leurs groupies !

Les musiciens du groupe appréciaient sincèrement ses efforts, mais Lou semblait estimer que c'était un honneur pour elle de jouer les sherpas. Elle avait également découvert, un peu tard, qu'il profitait de ces moments où elle trimait en solitaire pour s'offrir des aventures éphémères.

Comment avait-elle pu rester avec lui si longtemps ? En le quittant, elle s'était précipitée dans un centre de test du VIH, mais le résultat négatif ne l'avait guère consolée. Elle s'en voulait trop de n'avoir pas écouté les signaux d'alerte qu'une petite voix, tout au fond d'elle, lui lançait depuis des années. Mais le passé était le passé !

Au comptoir, Keaton se pencha sur le présentoir des gâteaux sous le regard des trois étudiantes qui assuraient le service et le détaillaient avec gourmandise. Il était vraiment irrésistible avec son pantalon de costume gris sombre et sa chemise bien coupée ! À chaque mouvement, l'étoffe se tendait sur les muscles de son dos. Elle vit l'une des serveuses se mordre la lèvre, et une bouffée de chaleur lui monta au visage. Que faisait-elle ici ? En s'approchant trop près d'un homme pareil, elle allait se brûler les ailes.

Après Lou, elle avait tiré un trait sur l'amour, en se promettant tout de même que le jour où elle se sentirait prête, elle choisirait un homme qui lui ressemblerait davantage. Et Keaton… Disons qu'ils ne jouaient pas dans la même cour ! Mais il lui avait porté son sac. Il lui disait qu'elle était belle. Il n'était pas comme Lou… Mais quelle importance ? Avec lui, elle ne faisait que s'amuser.

— Pourquoi ce visage sévère ?

Sa voix la fit sursauter. Il déposa leur plateau sur la table et se laissa tomber sur la banquette en face d'elle.

— Oh ! rien. Je pensais juste à un projet que je dois rendre dans deux semaines, mentit-elle.

— Racontez-moi, dit-il en poussant vers elle une petite assiette sur lequel trônait un énorme muffin.

— Je dois concevoir un plan de marketing pour une entreprise qui chercherait à mobiliser une fourchette très large de la population. L'idée est d'élaborer une communication et une campagne publicitaire capable de toucher un mix démographique très complet.

Cela au moins, c'était vrai. Elle inspira à fond et avoua :

— J'ai fait tellement d'heures au restaurant cette semaine que je n'ai même pas encore choisi le secteur, le genre d'entreprise…

— Pourquoi pas Austin Commons ! Si vous voulez, je vous mettrai en contact avec l'entreprise chargée d'organiser l'inauguration de la première tranche. Ce serait en plein dans votre cœur de cible puisque le projet s'adresse à l'ensemble de la population. Et cela pourrait déboucher sur un stage, ou même un job, quand vous aurez votre diplôme.

Puis, comme elle le dévisageait en silence, il esquissa une petite grimace et ajouta :

— Mais vous pouvez aussi me dire d'aller me faire voir.

— Non ! Jamais de la vie ! C'est très gentil à vous, tellement gentil que… Enfin, je n'ai pas tout compris de ce que vous venez de dire, c'est juste que… Enfin, je n'ai pas l'habitude d'accepter de l'aide. J'ai toujours dû me débrouiller toute seule, me prendre en charge et…

Elle poussa un petit soupir et conclut :

— … Et prendre les autres en charge aussi. Je suis serveuse dans l'âme. Certains jours, je me demande si même avec un diplôme, je saurai faire autre chose que porter les gens à bout de bras.

— Je suis sûr que si.

Il la fixa un instant avec intensité et reprit :

— Je comprends très bien. Je suis un peu comme vous. J'aime beaucoup être ici mais c'est tout de même un souci de ne pas être à Londres pour avoir l'œil sur ma mère.

— Elle a beaucoup besoin que l'on s'occupe d'elle ?

La gravité passagère de Keaton se dissipa, et il éclata de rire.

— Elle dirait que non. Elle serait furieuse que je vous donne cette impression. En fait, elle a un groupe d'amies très proches, mais… qui viendra réparer un robinet qui fuit, ou remettre la chaudière en route si elle s'éteint ?

— Je crois que c'est pour cela que ma mère a toujours un petit ami sous le coude, avoua-t-elle. Pour parer à ces problèmes.

— Ma mère ne sort avec personne.

Il dit cela d'un ton si factuel qu'elle leva les yeux, surprise. Elle but une gorgée de son café, hésita, et osa demander :

— Mais… Jamais ?

— Elle n'avait pas un instant à elle quand j'étais petit.

— Et maintenant ?

Il ouvrit la bouche comme pour répondre, la referma, et finit par secouer la tête sans un mot.

244

— Elle n'a jamais rencontré personne ?

— Eh bien… Non.

Il semblait aussi surpris qu'elle.

— Elle n'a pas peut-être pas envie d'avoir un homme dans sa vie, fit-elle remarquer.

— Je… Elle ne…

Pour une fois, il ne trouvait pas ses mots. Elle voulut lui venir en aide.

— Ce n'est pas évident de voir nos mères autrement que dans leur rôle de parent, dit-elle.

— Gérald Robinson lui a brisé le cœur.

Il lança cela d'une voix sèche, presque brutale. Il y eut un petit silence, qu'elle n'osa interrompre.

— Votre père, murmura-t-elle enfin en lui jetant un rapide coup d'œil.

Il commença par secouer la tête comme s'il aurait aimé nier le fait, puis marmonna :

— Oui. Mon père. Je crois qu'elle ne s'en est jamais remise et, maintenant, il est trop tard.

Il avait l'air si triste ! Elle aurait aimé entourer ses larges épaules de son bras. Il semblait tellement avoir besoin de réconfort ! Elle se contenta de demander :

— Mais elle est heureuse, au moins ?

— Je pense. Je le crois, oui.

Il se frotta la mâchoire et conclut :

— J'espère que oui.

Elle pressa doucement sa main.

— Vous le sauriez, si elle ne l'était pas. Vous êtes très proches, c'est évident. J'aimerais pouvoir en dire autant pour ma mère et moi.

— Vous n'êtes pas proches ?

Il promenait son pouce sur le dos de sa main, un contact tout simple à l'effet assez dévastateur.

— Nous sommes très différentes, toutes les deux, répondit-elle.

Elle haussa les épaules, puis se décida à tenter d'expliquer leur relation.

— Elle m'aime, bien sûr, mais elle a une vision… étriquée du monde. Et surtout de moi dans le monde. À ses yeux, j'ai un bon job chez Lola May, un job stable qui me permet de vivre correctement, et je devrais m'en contenter. Elle ne comprend pas pourquoi je m'embête à faire des études. De son point de vue, j'essaie d'être quelqu'un de… de mieux que je ne suis.

— Et ce n'est pas une bonne idée ?

Elle poussa un soupir. Ce n'était peut-être pas une bonne idée, cette discussion.

— Je ne veux pas vous donner une fausse impression, c'est quelqu'un de bien, ma mère ! Je crois surtout qu'elle a peur de rester à la traîne. Comme si j'allais lui tourner le dos si je changeais de cadre, si je décrochais un diplôme. Je n'ai jamais connu mon père. Elle travaillait dans un hôtel de luxe du centre-ville quand elle l'a rencontré. Il voyageait beaucoup pour ses affaires, et elle ne savait pas qu'il avait déjà une femme et des gosses. Quelquefois, je me dis qu'au fond elle s'en doutait mais qu'elle ne voulait pas l'admettre.

— Je me demande aussi ce que ma mère a deviné de Gérald Robinson pendant le temps qu'ils ont passé ensemble, dit-il tout bas.

Elle hocha vivement la tête, contente d'être si bien comprise.

— Elle ne s'était pas aperçue qu'elle était enceinte quand mon père l'a plaquée, expliqua-t-elle. Il l'a quittée en lui disant qu'il ne pouvait pas la prendre au sérieux parce qu'elle n'avait aucun potentiel.

— Aïe ! s'exclama Keaton avec une grimace douloureuse.

— Oui. Elle a eu très mal. Elle en est ressortie persuadée qu'elle n'était pas assez bien pour lui et maintenant elle a peur qu'il m'arrive la même chose. Elle croit que si je demande trop à la vie, je me ferai renvoyer à la niche. Je serai punie d'avoir pensé que je mérite mieux que ce que j'ai. Elle se comporte comme si je cherchais à ressembler à mon père. Et c'est idiot parce que je ne sais rien de lui.

Une bouffée d'émotion la prit par surprise. Elle se concentra sur sa tasse, en suivant le rebord du bout des doigts.

— Mais bien sûr, je ne la lâcherai jamais, conclut-elle. Je ne lui tournerai jamais le dos. C'est ma mère !

Il couvrit sa main de la sienne, un contact chaleureux et rassurant.

— Vous pensez souvent à votre père, Francesca ? Vous vous demandez qui il était ? À vous entendre, il n'a jamais su que vous existiez.

— Non. Quand elle a su qu'elle était enceinte, elle a fait le choix de ne pas lui parler de moi. Quand j'étais petite, j'aurais beaucoup aimé avoir un père. Il me semblait que la vie était plus simple pour mes copines qui avaient deux parents.

Elle jeta un regard machinal aux quelques clients qui patientaient au comptoir. Petite, elle dévisageait souvent les inconnus, en quête d'un visage qui ressemble au sien. Elle s'était inventé une histoire dans laquelle elle rencontrait une autre fille avec les mêmes cheveux fous qu'elle, et cette copine avait un père, et au premier regard, il comprenait qu'elle était sa fille. Sa fille perdue qu'il avait cherchée comme un fou. Dans la saga qu'elle se racontait, il était toujours heureux de la retrouver. À l'époque, elle aurait donné n'importe quoi pour entendre quelqu'un revendiquer haut et fort un lien avec elle.

— C'est bête, dit-elle tout bas, mais ce que je voulais le plus, c'était me promener sur les épaules de mon père. Je me demandais toujours comment ce serait de voir le monde d'en haut, portée par quelqu'un de solide.

Elle reprit sa main et conclut avec un petit rire :

— Bref, je ne peux même pas me permettre d'essayer de le retrouver. Ce serait terrible pour ma mère. Après tout ce qu'elle a sacrifié pour m'élever, elle ne comprendrait pas.

— Je suis désolé que vous n'ayez jamais eu d'épaules pour vous porter.

Cette tendresse dans sa voix… Touchée en plein cœur, elle dut battre des paupières pour retenir ses larmes. Elle qui croyait que son passé d'enfant sans père était assumé, plié et archivé ! Un élément qui faisait partie d'elle, et tant pis si cela la classait toujours un peu à part. Ses amis, même les enfants de divorcés, avaient tous des rapports, sous une forme ou une autre, avec leurs deux parents. Elle, non. Sa mère refusait de prononcer ne serait-ce que le nom de l'homme qui l'avait rejetée de sa vie d'une formule désinvolte. Tout à coup, ce n'était plus si simple, et le fait de partager cela avec Keaton les rapprochait, forgeait un lien plus solide qu'elle ne l'aurait cru possible. Ils se connaissaient depuis si peu de temps !

— Cela a été difficile pour votre mère quand les Fortune vous ont retrouvé ? s'enquit-elle.

Elle vit sa poitrine se gonfler comme si sa question lui avait coupé le souffle. Il contempla la table et ne répondit pas tout de suite.

— Personne ne m'a jamais demandé cela, dit-il enfin. Pour Ben, c'est une sorte de mission. Depuis qu'il sait que nous existons, il tient absolument à retrouver les enfants illégitimes de son père. Je crois que la famille a bien compris quel choc cela représentait pour moi, mais ce que cela changerait pour ma mère et pour notre relation à tous les deux… Ce n'est jamais entré en ligne de compte.

— Et qu'est-ce que cela a changé ?

— Il a fallu procéder à quelques ajustements, répondit-il avec une brève grimace.

— Votre vie à tous deux aurait été totalement différente si vous aviez été des Robinson.

— Oui. Je comprends qu'elle ne m'ait rien dit. Comme votre mère, je pense qu'elle a eu un peu peur de me perdre. Face à une famille puissante comme les Robinson, avec toutes leurs ressources, leurs réseaux… Même avant la révélation du lien avec les Fortune ! Si Gérald avait décidé de me retirer à ma mère pour me prendre avec lui, elle n'aurait pas pu l'en empêcher.

Il eut un petit rire amer.

— Mais bien entendu, l'idée ne lui est jamais venue ! Il n'a jamais voulu de moi. Et lui, il savait que maman était enceinte quand il l'a abandonnée.

— Mais vous êtes à Austin, maintenant. Vous avez bien dû le croiser ?

Elle vit ses mains se crisper, et ce fut son tour de les couvrir des siennes. Ce qu'ils se disaient en ce moment, ce n'était pas du tout ce à quoi elle s'attendait en lui proposant de boire un café ensemble. Ce n'était pas *fun*, mais elle n'aurait pas changé un seul mot de leur discussion. Malgré ses amis et collègues, malgré sa nouvelle famille, Keaton était aussi seul qu'elle. À elle de lui faire comprendre que la solitude n'était pas une fatalité !

— Non, répondit-il, les dents serrées. Et je refuse de le voir. Il peut vivre sa vie comme il l'entend, être qui il est, ce n'est pas un problème pour moi, mais je ne lui pardonnerai jamais ce qu'il a fait à ma mère.

Pas un problème ? Il se trompait, ou plutôt il était dans le déni. Il n'avait pas du tout accepté l'indifférence, le rejet de son père, c'était évident !

— Dans ce cas, c'est une bonne chose que vous vous soyez retrouvés, avec vos demi-frères et sœurs.

Tendue vers lui, elle brûlait d'envie de le réconforter. Elle aurait donné n'importe quoi pour effacer la souffrance qu'elle lisait dans ses yeux.

— Oui, pour cela au moins, je suis content.

Et enfin, la lueur d'angoisse s'éteignit dans ses yeux, son regard retrouva sa chaleur, la retrouva, elle. Il lui sourit.

— Et je suis content que mon séjour à Austin m'ait mené jusqu'à vous.

Son expression adoucie, cette façon de la regarder… Elle n'allait jamais pouvoir résister. Elle allait craquer.

Et ce serait une catastrophe.

Le samedi après-midi suivant, Keaton partit du ranch de son demi-frère Graham pour une longue balade à cheval. À son retour, en fin de journée, il fit rentrer sa jument à l'écurie et entreprit de la desseller et de l'étriller — des compétences qu'il commençait tout juste à maîtriser.

Il n'avait pas fait d'équitation à l'âge où beaucoup de gosses hantent les centres équestres. L'équitation était réservée à ceux de ses camarades dont les parents avaient les moyens, ceux qui possédaient des propriétés dans la délicieuse campagne anglaise. Depuis qu'il connaissait Graham, en revanche, il s'était découvert une passion pour les chevaux. Sans aller jusqu'à supposer que toute Texane est forcément une cow-girl en puissance, il avait très envie d'inviter Francesca pour une sortie à cheval.

Graham l'encourageait à venir monter quand il voulait. Lui-même, pris par ses nouvelles responsabilités de P-DG de Fortune Cosmetics et par son amour tout neuf avec Sasha-Marie et leurs deux filles, avait beaucoup moins de temps à consacrer à ses chevaux adorés. Il était content que Keaton vienne leur faire faire un peu d'exercice.

Sachant à quel point Graham était surbooké, Keaton fut tout surpris, en ressortant de l'écurie, de le voir qui marchait à sa rencontre en brandissant deux bouteilles embuées.

— Tu as le temps de boire une bière ? lança-t-il.

— Toujours !

Il s'essuya les mains sur son jean et accepta une bouteille avec reconnaissance. Graham l'entraîna vers la galerie du ranch et les rocking-chairs confortables qui s'y alignaient. Agréablement fatigué par sa longue chevauchée, il se laissa tomber sur un siège et décapsula sa bière. La première gorgée lui fit un bien fou. Le temps s'était remis au beau, la température était très douce. Dire que quelques jours plus tôt, il dansait sous la neige avec Francesca ! Aujourd'hui, le soleil chauffait dans un ciel sans nuages, et une délicieuse petite brise caressait ses cheveux.

— Il te faudrait un chapeau, décréta soudain Graham en se laissant tomber sur le rocking-chair voisin.

— Je suis anglais, protesta Keaton en riant. Nous ne faisons pas dans le chapeau de cow-boy.

— Donne-toi le temps. Tu as déjà les bottes. Le chapeau viendra.

Keaton croisa ses chevilles en admirant ses bottes de cow-boy neuves. Il les avait trouvées dans un magasin tout proche de son appartement, et achetées parce qu'il n'avait rien dans ses bagages qui puisse convenir pour faire du cheval. C'était évidemment l'unique raison !

— Et puis... Tu n'es qu'à moitié anglais, lui fit remarquer Graham.

Keaton sourit sans répondre. En fait, il se sentait un peu coupable. Coupable de se sentir si bien ici, de passer de si bons moments avec ses demi-frères et sœurs. Leur accueil était si chaleureux, si généreux. Ils faisaient tout pour le mettre à l'aise, lui faire une place parmi eux ! En se laissant attirer dans leur cercle, il lui semblait obscurément qu'il manquait de loyauté envers sa vie d'avant, envers sa mère. Elle l'avait toujours soutenu, même dans son désir de faire connaissance avec les Fortune, même dans ses efforts pour localiser d'autres enfants de Gérald... Mais elle, au fond, n'avait que lui. Depuis sa discussion avec Francesca, il mesurait mieux l'ampleur de son sacrifice.

Il ne dit rien de tout cela ; il avait trop de mal à se le formuler à lui-même. Il se contenta de lever sa bière à la santé de son demi-frère.

— Seulement à moitié anglais peut-être, mais c'est la moitié qui serait capable de te botter le train au foot, assura-t-il.

— Tu es au Texas, maintenant, lui fit remarquer Graham en forçant sur l'accent. Ici, quand tu parles football, tu as intérêt à vouloir dire le nôtre, celui des projecteurs du vendredi soir, du ballon ovale et des *cheerleaders*.

— Je te parle du vrai football, répliqua Keaton, pince-sans rire. Le vôtre se joue avec les mains.

C'était une provocation délibérée, mais Graham refusa de monter au créneau.

— Un de ces jours, promit-il, tu me montreras comment jouer à votre football, et je t'apprendrai le lancer parfait.

— Ça marche, répondit Keaton en buvant une gorgée de bière. Et toi, c'est ton père qui t'a appris ?

— Juste un peu. Il était souvent parti. Je ne comprenais pas à l'époque mais maintenant, je sais pourquoi.

Il secoua la tête et conclut, le visage impassible :

— C'était un homme très occupé.

Keaton appréciait l'humour autant que n'importe qui, mais ce sujet était trop sensible. Il sentit son ventre se crisper.

— Je ne comprends pas comment il justifiait ses aventures, dit-il, sentant une bouffée de colère l'envahir. Même à ses propres yeux ! Nous ne savons pas tout pour ses autres enfants, mais il était au courant de la grossesse de ma mère quand il l'a abandonnée.

— Je suis désolé, dit Graham avec sincérité.

Le troisième des huit enfants Robinson, Graham était un homme particulièrement doux et tranquille. Keaton percevait bien, sous son style décontracté, à quel point la découverte de la double identité de son père et de ses infidélités l'avait affecté. Depuis leur rencontre, chacun de ses demi-frères et sœurs était venu lui faire des excuses, sous une forme ou une autre, au nom de ce père indigne.

— Tu n'as rien à regretter, dit-il aussitôt, comme il l'avait dit à tous les autres. Si quelqu'un devait s'excuser, ce serait moi. Avant que l'on ne vienne vous bousculer avec toute cette histoire, vous étiez une famille comme une autre. Enfin, nettement plus riche et plus nombreuse…

— Exactement, confirma Graham en riant un peu. Nous avons tous appris cette année que notre père n'a rien d'ordinaire.

— On me demande une interview pour faire un profil pour *Weird Life*, dit subitement Keaton.

Graham haussa un sourcil.

— Oui, Ben m'en a parlé. Tu penses le faire ?

— Je crois, oui. J'ai parlé à la journaliste de nos recherches pour retrouver les autres…

Il s'interrompit en marmonnant un juron.

— Les autres, répéta-t-il amèrement. Tu te rends compte ? Les autres au pluriel. On dirait le titre d'une saga, ou alors un film sur les aliens.

— Tu recherches nos frères et sœurs. Il n'y a aucune honte à cela, ni pour eux, ni pour nous. Dans cette histoire, nous sommes tous à la merci de papa. Il refuse de parler de ses maîtresses ou des enfants qu'il a pu leur faire. Le responsable, c'est lui. Personne d'autre.

— Merci. J'ai besoin qu'on me le dise assez souvent. Je le comprends bien, mais cela fait du bien de l'entendre de quelqu'un d'autre.

Graham vida sa bouteille et la posa à ses pieds sur le plancher de bois.

— Si jamais tu as besoin que je me répète…, murmura-t-il.

— Pour l'article, reprit Keaton après un bref silence,

ce serait l'occasion de dire en clair qu'il pourrait y avoir d'autres Fortune dans la nature. J'ai demandé à Ariana Lamonte, la journaliste, de ne rien dire de plus précis. L'objectif n'est pas de traîner la famille dans la boue.

La mâchoire de Graham se crispa, mais il approuva de la tête.

— J'apprécie. Si tu le faisais, je ne pourrais pas t'en vouloir mais… j'apprécie.

— Cela n'apporterait rien à personne.

Graham se pencha en avant, les avant-bras sur les genoux. Pendant quelques secondes, il sembla plongé dans ses réflexions, puis il se tourna vers lui.

— Je peux te poser une question ?

— Oui, bien sûr.

— Ces autres Fortune… Pourquoi est-ce que tu les recherches ? Je comprends bien la motivation de Ben. Il a toujours été le plus fonceur et en tant qu'aîné supposé, donc héritier présomptif de papa, il a été secoué par toutes ces révélations. Nous pourrions encore découvrir qu'il n'est pas le premier enfant de papa. Il a décidé que c'était son devoir de découvrir la vérité et il vous retrouvera, tous autant que vous êtes. Au fond, il voudrait réunir toute la famille.

Il haussa les épaules comme pour écarter la question, réfléchit encore quelques instants, et reprit :

— Toi, tu as toutes les raisons de détester notre père, mais tu n'as jamais cherché à fusiller sa réputation, ou à réclamer une part de l'argent de la famille.

Il posa sur lui son regard paisible, et conclut :

— Ce serait très facile, surtout maintenant que tu as attiré l'attention d'une journaliste.

— Je n'attends rien de lui, et je n'ai aucune raison de vous racketter, répondit vivement Keaton. Mieux : je ne veux rien recevoir de lui. Si je veux chercher à retrouver les autres, c'est parce que… Personne ne choisit de se construire sans savoir qui est son père. Si Gérald a d'autres enfants dans la nature…

— Nous savons tous deux qu'il en a.

— … Ils ont besoin de le savoir.

— Et s'ils ne veulent pas faire partie de la famille Fortune ?

— Nous verrons quand la question se posera. Ben et moi, nous essayons d'être aussi rigoureux que possible dans nos recherches. Avant d'entrer en contact avec qui que ce soit, nous voulons être tout à fait certains qu'ils sont qui nous pensons qu'ils sont, si tu arrives à me suivre. C'est là qu'Ariana peut nous aider.

Le regard bleu de Graham s'était porté au loin, par-dessus la balustrade de la véranda. Keaton l'imita et, insensiblement, l'étendue sans limites des pâturages, le ciel infini, les deux chevaux qui se frottaient la tête l'une contre l'autre près de la barrière, tout cela apaisa l'émotion qui brûlait sa poitrine. Il sourit à demi et lança tout à coup :

— Je ne veux pas que mon identité soit uniquement définie par le fait d'être un Fortune, mais je suis obligé d'avouer que cela a changé qui je suis, la façon dont je me vois. J'espère que c'est un changement pour le mieux, mais j'attends de voir.

— Tu es un type bien, Keaton.

— Toi aussi !

Il considéra l'homme assis à côté lui. Un type extra-ordinaire, un cow-boy au regard limpide et aussi un P-DG avisé. Son frère.

— Je n'arrête pas d'être impressionné par mes frères et sœurs, dit-il avec un petit rire. Ces adultes matures que vous êtes, malgré le père que vous avez eu… Votre mère doit être une femme étonnante.

Graham lui jeta un regard qu'il ne sut comment inter-préter et se leva brusquement. En le voyant s'éloigner de quelques pas pour se planter au bord de la galerie, le regard au loin, il eut peur de l'avoir offensé. Puis Graham se retourna vers lui, le regard grave.

— Nous avons eu la chance, Wes, Ben et moi, de trouver chacun une femme stupéfiante pour partager notre vie.

Keaton se leva à son tour. Il pensa soudain à Francesca, avec qui il sortait tout à l'heure. Il avait planifié cette soirée avec le soin qu'il aurait consacré à son plus gros client. Le café pris avec elle l'autre matin avait été un moment précieux, il se sentait encore abasourdi de la facilité avec laquelle il s'était livré. Ce soir, il voulait lui rendre la politesse. Il voulait l'éblouir. Le temps d'une sortie, elle se sentirait choyée, absolument unique.

Avec elle, il savait que sa marge de manœuvre était extrêmement étroite. Un mot de trop, un geste de trop et le charme cessait d'opérer, il la mettait en fuite. Il tenait beaucoup à réussir son numéro d'équilibriste sur cette ligne de crête, à lui offrir une soirée inoubliable. Il ferait ce que personne ne semblait s'être soucié de faire jusqu'ici : il la placerait, au moins le temps d'une soirée, au tout premier plan. Tout serait organisé pour elle et autour d'elle.

8

Un peu avant 19 heures, Francesca ouvrit sa porte et trouva Keaton, le poing levé pour frapper. Saisie, elle recula. Ce n'était pas seulement la surprise de le voir : en une fraction de seconde, son regard bleu venait de la balayer de la tête aux pieds comme une traînée de feu. Quant à lui, il était sexy à mourir en pantalon noir et chemise vert olive.

— Bonsoir, dit-il, plongeant son regard dans le sien.

— Je vous ai vu vous garer, murmura-t-elle avec un geste vers la grande fenêtre qui donnait sur la rue. Je ne vous guettais pas mais... Je n'étais pas... Et je ne suis pas du tout en train de bafouiller.

— Respirez.

Elle inspira, expira. Son cœur emballé ne s'apaisa pas.

— Pourquoi est-ce que j'ai un trac pareil ! s'exclama-t-elle avec un rire un peu hystérique.

Elle inspira encore une fois et se força à sourire.

— Désolée. Je me calme. J'arrête de dire n'importe quoi.

— Il n'y a aucune raison d'avoir le trac.

Il ramena sa main qu'il tenait dans son dos et lui tendit un magnifique bouquet de roses jaunes en s'inclinant un peu.

— Et aucune raison de vous excuser. Je suis content que vous ayez eu hâte de me voir arriver.

— Hâte, répéta-t-elle machinalement.

Éblouie, elle contemplait son bouquet. Il y avait au moins deux douzaines de roses, et chacune était parfaite.

— Pour vous, Francesca. Je ne savais pas quelles fleurs vous préfériez mais je me suis fié à la chanson sur la rose jaune du Texas.

— Vous saviez que la chanson a été écrite pour une esclave ?

Elle enfouit son visage dans les roses et ferma les yeux pour s'imprégner de leur parfum.

— On dit qu'elle a si bien déconcentré le général mexicain Santa Anna qu'elle a permis à Sam Houston et à ses hommes de traverser la plaine et de gagner la bataille de San Jacinto, expliqua-t-elle.

— Fascinant, murmura-t-il.

Elle l'observa d'un air dubitatif — se moquait-il d'elle ? — et s'écarta pour le faire entrer.

— Je continue à dire n'importe quoi, marmonna-t-elle. Entrez. Je vais trouver un vase et essayer de remettre mon cerveau en marche.

Elle parvenait à peine à le regarder en face ! Un homme comme lui, trop beau, trop intelligent, la réussite incarnée… Il avait forcément toutes les femmes à ses pieds et, tout ce qu'elle trouvait à lui raconter, c'était une petite histoire sur une chanson folk texane. Quelle crétine !

Elle sortit un vase, le remplit d'eau et y disposa ses fleurs du mieux qu'elle put. Quand elle se retourna vers Keaton, il saisit une de ses mains tremblantes et l'attira vers lui.

— J'aime bien votre façon de dire n'importe quoi, dit-il en souriant. Vous me surprenez toujours. J'aime !

Doucement il se pencha vers elle, et ses lèvres cueillirent les siennes. Comme elle ne s'attendait pas du tout à ce baiser, elle n'eut pas le temps de paniquer. Elle put donc savourer la sensation d'une bouche ferme mais tendre sur la sienne, d'un parfum vertigineux de menthe et d'eau de toilette boisée… Elle dut même réprimer une envie folle de presser son nez dans le cou de Keaton, de mordiller sa peau…

Elle frémit de la tête aux pieds. Un instant plus tard, il s'était déjà écarté d'elle.

— Je savais que t'embrasser, ce serait parfait, murmura-t-il en effleurant sa joue d'une caresse.

— Je n'ai… Je ne suis pas très au courant, balbutia-t-elle, mais habituellement, ce n'est pas en fin de soirée qu'on s'embrasse ?

Il éclata de rire.

— Je ne pouvais pas attendre ! Tu as moins le trac, maintenant ?

Elle réfléchit un instant et constata que c'était exact. Elle avait moins le trac. Muette, elle hocha la tête.

— Parfait ! Mais soyons clairs : j'ai la ferme intention de t'embrasser aussi en fin de soirée.

Il se pencha de nouveau vers elle et pressa ses lèvres à l'endroit le plus sensible du cou.

— J'ai l'intention de t'embrasser le plus souvent possible, précisa-t-il contre sa peau.

— D'accord…

Cette petite voix aiguë, c'était la sienne ? Elle s'éclaircit la gorge et reprit, dans les graves :

— Je me fais tout de même un peu de souci.

Il releva la tête, surpris, et écarta doucement une boucle de sa joue.

— Du souci pour quoi ?

— Eh bien, dit-elle en se mordillant la lèvre, tu démarres si fort que tu ne te laisses pas beaucoup de marge pour développer.

Un éclair d'humour illumina ses yeux bleus.

— Je tiens le pari, répliqua-t-il. Viens. Je vais peut-être réussir à te surprendre.

Elle prit son sac sur la table, éteignit, verrouilla la porte et le précéda dans l'escalier. Au moment où ils arrivaient sur le trottoir, il lui prit la main. Machinalement, elle se retourna vers le restaurant… et découvrit Ciara, Lola

May et plusieurs habitués qui les contemplaient, groupés derrière la vitrine.

— Nous avons un public, fit remarquer Keaton en saluant l'assistance d'un petit geste de la main.

— Désolée, marmonna-t-elle, gênée. Ils sont curieux.

Ils devaient se demander ce que Keaton pouvait bien lui trouver. Elle se retint de justesse de formuler cette pensée tout haut. Pour une fois qu'elle montrait un peu de présence d'esprit !

— Ils s'intéressent à toi, précisa-t-il.

Ciara lui lança un baiser, Lola May leva le pouce pour l'encourager et les deux habitués, qui étaient un peu des grands-pères de remplacement, se claquèrent mutuellement la paume. Touchée, elle leur sourit. Keaton avait peut-être raison : ils étaient sa famille, ils voulaient son bonheur. En se détournant, elle découvrit le véhicule vers lequel l'entraînait Keaton.

— Une limousine ? s'exclama-t-elle dans un hoquet.

— J'ai pensé que ce serait *fun*. Tu es déjà montée dans une limousine ?

Muette de saisissement, elle secoua la tête. Un car de tournée puant, oui. Une limousine, non.

Un chauffeur stylé leur ouvrit la portière. Elle se faufila à l'arrière en chuchotant un remerciement timide, glissa vers le centre de la banquette de cuir. Keaton s'installa près d'elle et lui reprit la main.

— J'étais si occupé à t'embrasser que j'ai oublié de te dire combien tu étais belle.

Son pouce décrivait des cercles sur la face intérieure de son poignet. Elle en aurait ronronné de bien-être.

— Ta robe a un côté conte de fées.

C'était sa robe habillée, et elle l'avait effectivement choisie pour son côté princesse. Courte, avec une taille haute et un grand décolleté rond, sa couleur émeraude mettait sa blondeur en valeur. Entre le restaurant et ses cours, elle n'avait quasiment jamais l'occasion de se faire belle mais après sa rupture avec Lou, Ciara avait absolument tenu à l'entraîner dans une orgie de shopping : « la thérapie par les fringues », pour reprendre son expression ! Comme elle venait de jeter tous ses T-shirt au logo du groupe, et tous les vêtements noirs qu'elle associait à ses années passées à rôder en coulisses, il fallait bien qu'elle se refasse une garde-robe !

Une fois les vêtements ordinaires, jeans et petites robes, choisis, Ciara l'avait convaincue de s'offrir une robe vraiment belle, une robe qui correspondrait à ce nouveau chapitre de sa vie… Une robe qui ferait d'elle qui elle voulait être. Elle avait craqué pour celle-ci au premier coup d'œil. Depuis ce grand jour, en revanche, sa robe d'avenir était restée sur son cintre, avec toutes ses étiquettes. Il avait fallu cette invitation de Keaton pour qu'elle se décide à la décrocher. Pour qu'elle se décide à être qui elle voulait être.

Keaton ne lui demandait ni de s'effacer pour répondre à ses attentes comme Lou, ni de limiter ses options de peur de viser trop haut comme sa mère. Au contraire, il lui disait qu'elle valait mieux qu'elle ne le croyait. Même si la fabuleuse soirée qui s'annonçait ne devait jamais se répéter, elle lui serait toujours reconnaissante de lui avoir permis de laisser s'exprimer, pendant quelques heures, la princesse en elle !

— Ce soir, c'est beaucoup mieux qu'un conte de fées, murmura-t-elle. Parce que c'est vrai.

Pendant que la limousine glissait dans les rues du centre, Keaton lui raconta sa visite au ranch. Elle lui apprit qu'elle ne montait pas à cheval. Comme il semblait surpris, elle lui expliqua qu'elle avait toujours vécu en ville. Même au Texas, dans les quartiers populaires, on ne voit de chevaux qu'à la télé ! Austin avait beaucoup changé, depuis l'époque du Far West.

— L'une des seules informations que ma mère m'a données sur mon père, dit-elle, confortablement calée sur la banquette de cuir, c'était que chaque fois qu'il descendait à son hôtel, il portait un chapeau de cow-boy.

Elle baissa les yeux et lissa l'ourlet de sa robe en ajoutant :

— Je me suis toujours dit qu'il avait peut-être un ranch quelque part. Je m'imaginais que si jamais je faisais sa connaissance, il m'apprendrait à monter.

— Je t'apprendrai, moi, proposa Keaton.

Elle accepta d'un sourire radieux. Elle adorait l'idée de monter à cheval et… Keaton comptait donc continuer à la voir ?

La limousine s'immobilisa souplement devant un charmant bâtiment de briques rouges dans une rue tranquille, un peu à l'écart de l'hyper centre. Elle jeta un regard par la vitre et sursauta, saisie.

— Attends… C'est le Il Fontana !

— Je l'espère, oui. C'est l'adresse que j'ai donnée au chauffeur. Viens.

La portière s'ouvrit, et le chauffeur s'écarta, souriant et courtois. Keaton esquissait un mouvement pour descendre quand elle le retint en se cramponnant à son bras.

— C'est le restaurant le plus coté d'Austin ! Il faut des mois pour décrocher une réservation.

Il lui lança un bref sourire.

— L'un des architectes associés au projet Austin Commons a fait leur décoration. Il leur a passé un coup de fil pour nous demander une table.

— Mais c'est très cher, murmura-t-elle. Nous pouvons très bien aller quelque part de moins…

— Nous dînons au Il Fontana. Et je veux que tu saches que si je tenais l'homme qui t'a convaincue que tu ne méritais pas tout ce qu'il y a de mieux, je lui casserais volontiers la figure.

Elle ouvrit la bouche pour discuter… et la referma.

Les larmes lui piquaient les yeux. Il avait raison, elle était effectivement persuadée qu'elle ne méritait que les joies les plus ordinaires. Elle essayait de changer pourtant — sans exiger pour autant des restaurants cinq étoiles ! En fait, tout ne se résumait pas au traitement que lui avait infligé Lou. Le problème existait déjà avant qu'elle ne le connaisse, et Lou l'avait justement choisie pour cela. Parce qu'il sentait qu'elle se laisserait faire. Parce qu'elle admettait d'emblée l'image lamentable qu'il lui renvoyait d'elle. Keaton, lui, voulait lui offrir l'expérience inverse. Émue, elle glissa vers lui sur la banquette et posa un baiser sur sa joue.

— Merci pour cette soirée.

— Mais elle commence à peine, protesta-t-il en lui tapotant le bout du nez.

— C'est comme le baiser de tout à l'heure. Je ne me gênerai pas pour me répéter.

Keaton aurait voulu vivre cette soirée à travers les sensations de cette femme qui ne ressemblait à aucune autre. Tout était si nouveau pour elle, si extraordinaire ! À Londres, dans le cercle dans lequel il évoluait désormais, une réservation exclusive dans un restaurant branché, un menu préparé par un chef célèbre, une bouteille de vin millésimée, cela n'impressionnait plus personne. Avec Francesca, tout redevenait neuf, se parait d'un éclat éblouissant. Grâce à son collègue, il avait pu réserver une salle à manger privée au troisième étage. On les installa à une table pour deux dans une pièce illuminée par une profusion de bougies, devant une baie vitrée qui offrait une vue impressionnante du centre d'Austin. Dans cette ambiance, on se sentait loin de tout, préservé des tracas du quotidien. Une sensation qu'il aurait aimé saisir et garder en lui pour les jours et les semaines à venir.

Il avait commandé un repas en forme de parcours de découvertes, des mini-plats présentant toutes les spécialités du chef, à picorer les unes après les autres : il ne voulait pas d'un repas solide mais d'un émerveillement qui lui laisserait le loisir de se concentrer sur Francesca. Éblouie, elle s'extasiait à chaque nouvelle trouvaille, de la soupe de butternut aux noix de pétoncles poêlées au brie en croûte avec des noix de pécan caramélisées…

Content, il la regarda siroter son troisième verre de vin pendant que leur serveur disposait le dessert devant eux. Un fondant au chocolat avec une mousse expresso, des fruits rouges et une couronne de crème fouettée.

— On ne peut pas manger ça, c'est trop beau, murmura-t-elle.

Pas aussi beau que toi, pensa-t-il. Il n'était pas très doué pour les compliments fleuris mais, quand il la regardait, il comprenait tout à coup d'où les poètes tiraient leur inspiration. La lueur douce des bougies faisait briller ses yeux, dorait le halo de boucles folles qui encadrait son visage délicat. Ces boucles, il se les représenta répandues sur son oreiller et, aussitôt, une chaleur brutale embrasa son ventre. Il sentait déjà cette femme fabuleuse se lover autour de lui…

— Il faut que je prenne une photo pour montrer à Ciara, dit-elle dès que le serveur les laissa seuls.

Elle sortit son portable, prit un gros plan de son dessert, quelques clichés de la pièce… et se retourna vers lui avec une grimace.

— Je fais plouc, non ? Vous… Tu dois avoir l'habitude qu'on te serve un repas qui ressemble à une œuvre d'art. La cuisine maison de Lola May doit te sembler tellement ordinaire…

— Je peux t'assurer que je ne viens pas chez Lola May tous les soirs par masochisme, répliqua-t-il avec un petit rire.

Il attendit qu'elle se décide à croiser son regard avant de préciser :

— Mais je ne viens pas seulement pour la cuisine.

Il y eut un bref silence, puis elle avoua en rougissant :

— Je t'ai remarqué la toute première fois que tu es venu.

Elle baissa brusquement la tête, et il vit le sang affluer à ses joues. Elle n'avait pas eu l'intention de lui dire cela ! Une euphorie surprenante éclata en lui.

— Ce n'est pas vrai, protesta-t-il pourtant. Je n'ai pas réussi à croiser ton regard de toute la première semaine.

Elle haussa un sourcil.

— Tu portais un pantalon gris très sombre, une chemise bleu marine et une cravate à rayures. Tu t'es assis au comptoir et tu as commandé un cheeseburger et des frites. C'est Lola May qui t'a servi et, au bout de cinq minutes, elle pouffait comme une gamine. Je ne sais pas ce que tu lui racontais…

— Elle venait de me dire les âges de ses enfants, et j'ai répondu qu'elle avait dû les avoir à l'école primaire. Elle avait l'air si jeune !

Elle éclata de rire, et devant le grognement que cela produisit, elle se couvrit la bouche de sa main, atterrée.

— Oh. Désolée ! Mais l'école primaire, c'était un peu exagéré, non ?

— Peut-être, mais elle m'a coupé la première part de la tarte aux pommes qui sortait tout juste du four.

— Te servir de ton charme, c'est de la triche. Tu obtiens toujours ce que tu veux ?

Il se pencha vers elle et plongea son regard dans le sien.

— Toujours, murmura-t-il.

Elle voulut prendre son verre mais dans son trouble, elle calcula mal son geste, et le heurta du bout des doigts… Il bascula en déversant son contenu d'or pâle sur la table.

Keaton sauta sur ses pieds à temps pour esquiver le filet

de vin qui courait vers lui. Francesca brandit sa serviette en laissant échapper un petit piaillement humilié.

— Je suis désolée ! s'écria-t-elle en tamponnant la nappe blanche avec énergie. Pourquoi, mais pourquoi est-ce que je suis si maladroite quand tu es là ?

— Si j'osais, lança-t-il avec un clin d'œil canaille, je dirais que tu cherches à m'obliger à retirer mon pantalon.

Il regretta ses paroles dès qu'il vit sa réaction. Au lieu de rosir délicatement comme il s'y attendait, ses joues flambèrent, et sa bouche s'arrondit comme s'il venait de l'accuser de la plus crasse des vulgarités.

— Je… Je ne…, bredouilla-t-elle.

— Plaisanterie ! Je plaisantais, Francesca.

Il contourna vivement la table pour prendre sa main.

— Une mauvaise plaisanterie. Je te fais mes excuses.

— Je sais bien que je ne suis pas comme les femmes que tu emmènes dîner habituellement…, murmura-t-elle tristement.

— Et je t'en suis infiniment reconnaissant, riposta-t-il avec énergie.

— Je tiens à ce que tu saches que, au Chez Lola May, je suis la championne des serveuses, celle qui ne renverse jamais rien !

Elle se rassit, mais il garda sa main dans la sienne. La toucher devenait un véritable besoin, même d'une façon aussi innocente.

Toujours de la même petite voix, elle ajouta :

— Je n'ai pas cassé une seule assiette depuis que je suis revenue à Austin. Pas un verre. En presque deux ans.

— Ton record reste intact, assura-t-il. Le verre n'est pas cassé et l'assiette de la tourte non plus. Elle a trouvé une piste d'atterrissage moelleuse !

Elle eut une petite grimace douloureuse, consentit enfin à rire. De sa main libre, il cueillit une cuillerée de dessert et le présenta devant ses lèvres. Elle se mordilla la lèvre inférieure, se décida à ouvrir la bouche. Ce fut un pur plaisir de voir retomber ses paupières, d'entendre sa petite plainte involontaire de plaisir.

— De toute ma vie, je n'ai rien eu d'aussi bon…, murmura-t-elle.

Cette fois, il ne fit aucune allusion salace.

Quand la limousine s'arrêta souplement devant le Chez Lola May, l'enseigne était éteinte, la salle aussi, et il n'y avait pas de lumière aux fenêtres de l'appartement du premier. Une dernière fois, le chauffeur vint ouvrir la portière, et Francesca descendit. Son corps entier vibrait de désir. Pendant tout le trajet du retour, Keaton l'avait serrée contre lui, sa main effleurant sa cuisse nue, traçant sur sa peau des mandalas mystérieux…

Leur bonne entente s'était rétablie bien vite après l'incident du verre. Elle lui avait demandé de lui raconter son enfance londonienne, et il s'était exécuté en alignant les anecdotes comiques sur ses bêtises d'écolier, ses entraînements de foot dans l'équipe du quartier. Le vin vrombissait doucement dans ses veines, effet décuplé par la présence de Keaton. Elle ne touchait plus tout à fait terre.

— Je t'accompagne jusqu'à la porte, murmura-t-il à son oreille.

Elle répondit d'un « merci » étouffé, sentit la main de Keaton venir se poser dans son dos, un geste courtois qui l'invitait à le précéder mais qui était aussi très, très sensuel… Elle n'était plus en état de faire des phrases, tout ce qu'elle aurait pu chercher à lui dire se serait transformé en « Passe la nuit avec moi ». Elle décida donc de se taire. Elle s'était déjà suffisamment ridiculisée.

Elle trébucha un peu sur le palier et maudit intérieurement ses fichus talons. C'était forcément ses talons, elle n'avait pas trop bu, juste trois verres ! Elle portait rarement des talons, voilà tout. Keaton la soutint quand elle vacilla et l'attira contre lui. Nichée dans sa chaleur, elle s'enivra de son odeur un peu épicée et sentit chavirer ses sens. Jamais elle n'avait eu une réaction pareille face à un homme, même pas avec Lou au tout début de leur histoire. Près de Keaton, son corps prenait son indépendance — il prenait même les devants ! Sa tête se retrouvait à la traîne, incapable de se souvenir pourquoi elle devait garder ses distances. Keaton était adorable, et tellement sexy !

— Ça va ? demanda-t-il tout bas.

Une voix comme un chocolat crémeux, pensa-t-elle en laissant échapper un petit soupir. Que ce serait bon de rester dans ses bras ! Se retourner, se presser contre lui, dévorer sa bouche, humer sa peau ! Son corps se tendait, réclamait le contact de ses mains… Mais elle se dégagea brusquement et franchit d'un élan les deux pas qui la séparaient de sa porte.

Non. Elle ne ferait pas cela. Elle ne se jetterait pas à la tête de Keaton là, dans l'escalier. Les paumes pressées contre le bois lisse de sa porte, elle reprit le contrôle d'elle-même.

— Tout va bien, marmonna-t-elle en cherchant la serrure à tâtons.

Elle ouvrit la porte, se retourna vers lui. Debout sur le seuil, il tendit la main pour lisser les boucles qui se pressaient autour de son visage.

— J'ai passé une soirée fabuleuse, lui dit-il.

D'un geste décontracté, il leva les bras, s'accrocha à la barre transversale de l'encadrement de la porte et la dévisagea, souriant, un peu déhanché. Il était vraiment très grand. Ses muscles se gonflaient sous l'étoffe de sa chemise.

— Moi aussi, chuchota-t-elle, en réprimant l'élan de son corps qui la poussait de nouveau vers lui. Merci pour ce dîner… inoubliable. Une expérience fabuleuse, de bout en bout. Je peux maintenant barrer « monter dans une limousine » de ma liste de choses à faire absolument avant de mourir.

Il eut ce petit sourire qui la rendait folle en ne retroussant qu'un seul coin de sa bouche si sensuelle.

— Dis-moi ce qu'il y a d'autre sur ta liste.

Toi ! Elle retint le mot de justesse. Combien de femmes s'étaient déjà jetées à la tête de Keaton ? Jetées dans ses bras ? La liste était sûrement longue, et elle ne serait sans doute pas à la hauteur des autres.

— Faire de la varappe, répondit-elle au hasard. De la plongée. Voir Paris.

— C'est bon à savoir.

Il se pencha jusqu'à ce que leurs lèvres se touchent presque et murmura :

— Si je le pouvais, je réaliserais tous tes souhaits.

Je souhaite que tu m'embrasses, pensa-t-elle, et comme dans un conte de fées, son souhait se réalisa aussitôt. La bouche de Keaton effleura la sienne, un baiser très doux… dans lequel couvait une braise de passion. Une braise qui fit tout basculer.

Sans réfléchir, elle noua les bras autour de son cou et se haussa sur la pointe des pieds en se pressant contre lui. Il l'encercla de ses bras et la pressa contre lui. Son corps ferme et musclé répondait à tout ce qui était tendre chez elle. Elle savoura de tout son être ce contact étourdissant. Oublié, le contraste entre leurs milieux différents, leurs expériences ! Tout à coup, leurs différences s'additionnaient pour former un tout idéal.

Idéal… C'était exactement ce qu'elle éprouvait dans ses bras. D'elles-mêmes, ses lèvres s'entrouvrirent. Keaton accepta l'invitation. Leur baiser devint torride, et un doux grondement de plaisir s'éleva. Elle ne sut pas s'il venait d'elle ou de lui mais cela eut pour effet de lui faire franchir plusieurs degrés sur l'échelle du désir. Les mains de Keaton pétrissaient son dos, ses hanches, la broyaient contre lui… Elle l'aurait dévoré !

Elle sursauta en sentant sa verge dressée contre son ventre. Quel fabuleux sentiment de puissance de sentir qu'il la désirait ! Puis, sans avertissement, tout bascula. Sans comprendre, elle sentit qu'il la lâchait, la repoussait doucement, reculait d'un pas. Ce pas le ramena dehors, sur le palier. Elle crut l'entendre marmonner un juron, lui toujours si poli. Étourdie, elle pressa machinalement, les doigts sur ses propres lèvres. Elle sentait encore l'empreinte de la bouche de Keaton, son corps entier réclamait ses caresses… Il croisa son regard et lui décocha un sourire penaud.

— Bon ! Voilà qui était inattendu.

Inattendu ? Le cœur de Francesca se serra brutalement. Elle aurait employé des mots très différents ! Des mots comme stupéfiant, hallucinant, éblouissant. Inattendu, quelle horrible déception !

— Mais une belle surprise, précisa-t-il.

Elle se demanda ce qu'il avait lu dans ses yeux. Il chercha sa main en murmurant :

— Un commencement parfait et une conclusion parfaite à notre soirée, murmura-t-il. De quoi faire de beaux rêves.

Parfait, c'était déjà mieux. Elle scruta son visage en espérant qu'il ne cherchait pas juste à apaiser son orgueil meurtri. Son regard était très doux, caressant.

— Je dois m'en aller, maintenant, reprit-il en déposant un baiser léger sur ses lèvres. Avant de ne plus avoir assez de volonté.

Elle voulait croire qu'il était sincère. Elle faillit jeter toute prudence aux orties et lui demander de rester. Elle n'osa pas et se contenta de murmurer :

— Encore merci. C'était vraiment une soirée fabuleuse.

Il la contempla un long moment, un regard si intense qu'elle eut l'impression qu'il cherchait la réponse à une question qu'il ne savait pas poser. Puis il lui sourit, son regard changea, se fit charmant, taquin… Et ce moment étrange, émouvant, s'effaça comme s'il n'avait jamais eu lieu.

— À très bientôt, dit-il.

Il tourna les talons et dévala l'escalier.

Elle ferma la porte, envoya promener ses escarpins — elle aurait des ampoules demain ! — et se glissa, furtive, jusqu'à la fenêtre pour jeter un regard dehors. En bas, dans la rue, Keaton allait remonter dans la limousine. Il se retourna, leva les yeux vers la fenêtre. Il ne pouvait pas la voir et pourtant elle eut l'impression qu'il la regardait dans les yeux.

Cet homme n'aurait qu'à claquer des doigts pour qu'elle le suive. Elle se préparait de sérieux ennuis.

9

— Un homme dans son genre ne s'intéressera jamais sérieusement à une fille comme toi.

Francesca s'attendait à cette réaction mais elle l'atteignit tout de même en plein cœur. Ce matin, elle luttait contre deux handicaps : la crainte que sa mère ait raison et un épouvantable mal de tête.

Trois verres de vin au dîner, cela ne méritait pas cette gueule de bois monumentale ! C'était injuste, la vie s'ingéniait à l'enfoncer. Avec un gros soupir, elle but une gorgée du soda acheté au passage dans un fast-food, en se rendant chez sa mère. Le hamburger et les frites posés devant elle sur la table de la cuisine étaient encore intacts, elle y viendrait dès que son estomac serait un peu apaisé.

En fait, elle n'avait jamais bien supporté l'alcool. Son rôle habituel, c'était de rester sobre, de prendre le volant après la bringue, de soigner Lou et les musiciens du groupe quand ils souffraient de leurs excès. Mais cette fois…

— Il est gentil, dit-elle à sa mère qui s'affairait nerveusement à son ménage. Nous avons beaucoup discuté et beaucoup ri.

— Qu'est-ce que tu as pu trouver à dire à un Fortune ! Vous n'avez rien en commun.

Sa mère se retourna, une main sur la hanche, et ajouta :

— Vous vivez sur des planètes différentes.

— Pas si différentes, protesta Francesca qui regrettait maintenant d'avoir parlé de cette sortie. Il a eu une enfance normale. Il a seulement découvert qu'il était le fils de Gérald Robinson l'an dernier, et même les autres enfants de Robinson ne savaient pas que leur père était en fait Jérôme Fortune !

— Des problèmes de riches. Comment est-ce qu'on dit maintenant ? Des problèmes des hautes sphères !

Pour se donner une contenance, Francesca déballa son hamburger et grignota le rebord du pain.

— Keaton a été élevé par une mère isolée, comme moi, protesta-t-elle faiblement. Il n'a jamais connu son père, et sa mère a dû travailler dur pour l'élever. Comme toi.

— Il y a des jours où je dirais qu'on s'est élevées l'une l'autre, fit remarquer sa mère dans un soupir.

Elle jeta son éponge dans l'évier et vint s'installer en face d'elle.

— Tu as toujours été plus mûre que moi. Même quand tu étais petite !

— Maman...

Elle protestait machinalement mais en fait, c'était assez vrai. Pétrie de bonnes intentions, sa mère finissait toujours par laisser ses émotions lui dicter ses choix. Avec des résultats assez peu probants !

— Crois-en ma vieille expérience, ma fille. Nous sommes des gens simples. Moi aussi, j'ai cru que je pouvais faire quelque chose de différent. J'ai cru qu'en aimant un homme je pourrais changer ma vie. Tu vois ce que j'ai récolté. Les Fortune et assimilés nous fermeront toujours la porte au nez.

Francesca, qui venait de se décider à mordre dans son hamburger, eut l'impression d'avoir de la sciure plein la bouche. Elle ne voulait pas entendre ce discours ! Pas ce matin !

— Je ne parle pas de toi, précisa sa mère en piochant une frite. Toi, tu es ce qui m'est arrivé de mieux. Mais tout de même, si j'avais fait d'autres choix, notre vie aurait été très différente. Je n'étais pas assez bien pour un homme comme ton père.

— Il était marié ! s'exclama Francesca, outrée. Ce n'était pas un homme bien ! Il sortait avec toi alors qu'il avait déjà une femme et des gosses. Ce n'est pas parce qu'il était riche qu'il…

— Il m'a dit qu'il m'aimait. Il m'a laissé croire que nous resterions ensemble.

— J'ai bu un café avec Keaton, et il m'a emmenée au restaurant. Il ne m'a rien promis, et je ne m'attends pas à ce qu'il le fasse. Nous passons de bons moments ensemble, voilà tout ! Pour le *fun* !

Elle eut l'impression désagréable qu'elle insistait trop. Qui cherchait-elle à convaincre, sa mère ou elle ?

— Je connais ce regard, répliqua sa mère en levant un doigt menaçant. Tu es en train de craquer pour lui. Tu sais bien que tu donnes trop facilement ton cœur.

Francesca ouvrit la bouche pour discuter… et la referma aussitôt. Eh bien oui, elle craquait pour Keaton. Elle ne le connaissait que depuis quelques jours mais elle craquait tout de même. Voilà pourquoi elle s'était appliquée à garder ses distances, les premiers temps. Avant même de faire officiellement connaissance, elle se sentait… reliée à lui. Et maintenant qu'elle savait combien il était drôle, gentil, sexy et beau à tomber, elle ne voyait plus comment faire machine arrière. Et voilà qu'hier soir…

À la seule pensée de la façon dont elle avait pris l'initiative, la façon dont elle s'était jetée sur lui alors qu'il cherchait à rester sur un registre léger, elle rougit comme une pivoine. Lui s'était comporté en gentleman et elle… comme une dévergondée éméchée.

— Je ne vais pas craquer pour lui, assura-t-elle.

Elle ne se laisserait pas abattre. Elle trouverait la volonté de préserver son cœur.

— Alors détends-toi, cherche quelqu'un qui te ressemble, lui recommanda sa mère en prenant une autre frite.

Puis, après lui avoir jeté un rapide regard, elle ajouta :

— Cowbell passait à la télé hier soir. Lou a chanté comme un dieu.

— Cowbell, c'est le pire nom de groupe de toute l'histoire de la musique, marmonna Francesca. Et je ne veux pas entendre parler de Lou. Je te prierai de ne pas oublier comment il m'a traitée. Il a dû me tromper un nombre incalculable de fois. Si tu cherches à insinuer que je devrais me remettre avec lui, tu oublies. J'aurais dû le virer beaucoup plus tôt.

— Je dis juste que vous êtes du même bord, tous les deux. Vous aviez beaucoup de choses en commun.

Francesca éclata d'un rire amer.

— Maman, la seule chose que nous avions en commun, c'est que nous étions tous deux amoureux de lui !

— D'accord, il a fait un faux pas…

— Plusieurs.

— Il m'a envoyé un texto la semaine dernière.

Francesca s'étrangla avec son soda.

— Hein ? Et tu n'as rien dit !

Sa mère haussa les épaules.

— Je savais que tu t'énerverais. Il voulait avoir de tes nouvelles.

— Maman, ne réponds pas à ses textos ! Ne lui parle pas ! Ne lui donne pas de mes nouvelles ! Lou et moi, c'est fini !

— Il tient encore à toi.

— Probablement parce qu'il ne trouve personne d'autre pour faire sa lessive en tournée.

— Tu représentais autre chose pour lui.

— Effectivement. Je faisais aussi le café le matin.

— Toi et Lou, vous avez tout un passé ensemble. Vous êtes du même milieu. Son groupe commence à percer, tu sais ? Si tu cherches un homme qui fait son chemin dans la vie, je parierais sur lui plutôt que sur un Fortune.

Francesca s'agrippa au bord de la table, si fort que ses jointures blanchirent. Les dents serrées, elle articula :

— Je ne cherche pas… un homme pour payer mes factures. Je travaille, maman. Je suis en train de décrocher un diplôme universitaire. Je suis capable de me prendre en charge sans m'appuyer sur qui que ce soit.

— Je ne veux pas te contrarier, ma chérie. C'est dur de se débrouiller sans personne, j'en sais quelque chose. Je souhaite ce qu'il y a de mieux pour toi.

— Et tu crois que le mieux que je puisse espérer, c'est de vivre avec un homme qui se fiche de moi ?

— Ne me fais pas dire ce que je n'ai pas dit. Je te demande juste de bien regarder où tu mets les pieds en démarrant une histoire avec ce Keaton.

— Nous sommes juste sortis ensemble deux fois !

— Et tu sais ce que les hommes exigent la troisième fois, lui fit remarquer sa mère en croisant les bras sur sa poitrine.

Francesca se leva si brusquement qu'elle renversa sa chaise. Les mains tremblantes, elle fourra son hamburger à peine entamé, ses frites et le gobelet vide de son soda dans leur sachet de papier, et mit le tout dans la poubelle.

— Stop, dit-elle, les dents serrées. On arrête là.

— Je cherche juste à te protéger.

Sa mère se leva à son tour puis, les bras serrés autour d'elle et la voix légèrement tremblante, ajouta :

— Je t'en prie, ne pars pas fâchée. Je suis contente quand tu viens me voir, Frannie. Allez, viens, on va regarder la télé. J'ai enregistré des émissions vraiment ringardes, cette semaine.

Elle avait les larmes aux yeux. Elle avait toujours pleuré très facilement, et Francesca avait toujours craqué en la voyant pleurer.

— Je regrette maman, dit-elle un ton plus bas en redressant sa chaise Je sais que tu te fais du souci pour moi. Je ferai bien attention, avec Keaton.

Elle se lava les mains, les sécha et vint embrasser sa mère.

— Juste… Ne communique plus avec Lou, d'accord ?

— D'accord, ma chérie. Je ne le ferai plus.

Sa mère renifla et la berça tendrement contre elle.

— Tu te débrouilles comme un chef, et je suis fière de toi, reprit-elle. Tu es intelligente, tu es belle et tu mérites tout ce que la vie pourra t'offrir de mieux. C'est tout ce que je demande ! Je veux que tu te sentes aimée. Choisis un homme qui saura t'aimer, Frannie.

— Oui. C'est ce que je veux aussi.

Elle se demandait juste… si elle saurait seulement reconnaître un véritable amour. Keaton ? Non, c'était absurde de seulement se poser la question. Elle avait cru sentir un lien réel se forger entre eux mais dans la réalité, il cherchait uniquement à se distraire, à passer des moments agréables. Pour le *fun*. Il s'était montré très clair sur ce point, hier soir, en la repoussant !

— On jette un coup d'œil à *Dating In The Wild* ? proposa sa mère.

Francesca la suivit dans le salon. Sa mère… Leurs rapports n'étaient pas idéaux mais on ne refaisait pas sa mère. Elle disait vrai quand elle disait qu'elle ne voulait que son bien ! Inutile de faire un drame avec le fiasco d'hier soir. Après ses gestes déplacés et ses paroles sans queue ni tête, Keaton ne voudrait probablement plus la voir, mais elle avait sa vie, ses amis, ses études, son travail. Elle se retrouverait au point où elle en était avant de faire sa connaissance, voilà tout. Et tant pis si cette seule idée lui serrait le cœur.

*
* *

En poussant la porte du Chez Lola May le lundi soir, Keaton était d'une humeur aussi sombre que le ciel orageux qui pesait sur la ville. Il venait de passer une journée frustrante. Le contact en France qui pensait avoir localisé un nouvel enfant illégitime de Gérald Robinson restait injoignable, les problèmes se multipliaient sur le projet Austin Commons. Le sous-traitant qui devait leur fournir la pierre spéciale pour la façade sud du complexe de bureaux annonçait un retard d'au moins un mois pour sa livraison, l'entreprise de maçonnerie retenue pour ce poste ne serait plus disponible après la mi-février, donc tout leur planning se désagrégeait. À moins qu'il ne trouve quelqu'un pour remplacer l'artisan ? À combien se monterait son dédommagement ?

Mais le pire côté de sa journée, celui qui lui donnait une envie terrible d'un alcool fort à la place du thé glacé qu'il trouverait au Chez Lola May, c'était la réponse de Francesca au texto qu'il lui avait envoyé ce matin. Une réponse préprogrammée, un petit mot parfaitement neutre.

C'était peut-être idiot de sa part d'attendre quelque chose de plus, mais cette soirée avait compté, pour lui. L'un des gestes les plus difficiles de toute sa vie avait été de s'écarter de Francesca alors qu'elle était écartelée par le même désir que lui. Ce désir qui le torturait chaque fois qu'il s'approchait d'elle…

Il ne cessait de la revoir, debout dans l'encadrement de sa porte, avec son halo de boucles blondes et ses lèvres rose vif gonflées par ses baisers. Et lui qui mourait d'envie de la traîner dans son lit, qui savait très bien qu'elle lui dirait oui… Mais qui savait aussi qu'elle avait un peu trop bu. Impossible de profiter d'elle. Il était donc parti, et maintenant elle le fuyait.

En entrant, son regard chercha tout de suite la table du fond où elle aimait s'installer pour réviser ses cours quand elle n'était pas de service Il éprouva une déception absurde en y trouvant deux inconnus. Lola May le vit, lui fit signe de la rejoindre au comptoir. Il lui sourit et s'approcha en parcourant discrètement la salle du regard.

— Bonsoir, dit-il en se perchant sur un tabouret libre. Je vais prendre…

— Elle est dans mon bureau. Il faut traverser la cuisine et la réserve.

— Je ne suis pas sûr qu'elle veuille me voir.

— Vous plaisantez ? lança la vieille dame avec un petit rire. Chéri, c't'accent vous donne l'air bien intelligent, mais j'en viens à me demander si vous avez pas des pierres dans le crâne. Comme tous les autres gars qui viennent renifler autour de la petite !

— Quels autres gars ? demanda-t-il, soudain hostile.

— À peu près tous les hommes qui poussent la porte. Elle passe difficilement inaperçue, hein ?

— Non, c'est évident, mais…

— Pas de souci, murmura-t-elle en posant une main apaisante sur son bras. Elle ne les voit même pas. Vous, elle vous a vu. Ce soir, elle était une telle boule de nerfs à se demander quand vous viendriez que j'ai fini par l'envoyer dans mon bureau, histoire qu'elle arrive à se concentrer sur ses devoirs d'école. La petite a un avenir devant elle et moi, je compte m'assurer qu'elle ne gâchera pas ses chances.

Elle se pencha vers lui et, les yeux dans les yeux, conclut :

— Pour rien ni pour personne.

— Je ne mets pas son avenir en danger, répliqua-t-il, vexé.

Pourtant, une sensation pénible se glissait en lui. Il ne menaçait effectivement pas son avenir… Mais il ne pouvait pas non plus lui offrir ce qu'elle méritait. L'amour, ce n'était pas pour lui, pas après tout ce qu'il avait vu et encaissé.

Il se redressa en secouant la tête. Sur quel terrain se

laissait-il entraîner ! Un café, un restaurant, il n'y avait pas de quoi faire des projets d'avenir !

— Je ne veux que son bonheur, dit-il.

Lola May le dévisagea quelques instants, puis elle approuva d'un rapide hochement de tête.

— Ce soir, c'est poulet rôti. Allez donc voir Francesca, je vous apporterai votre plat quand il sera prêt. J'ajoute une tarte citron meringuée à la commande. Filez !

Élevé par sa mère et sa bande d'amies, Keaton ne fut pas particulièrement déconcerté qu'on lui donne de tels ordres. S'il se sentait tellement chez lui dans ce restaurant, c'était aussi grâce à cette autorité toute maternelle de Lola May. Il lui décocha un large sourire, se leva et se pencha par-dessus le comptoir pour poser un baiser sur sa joue.

— Continuez comme ça, lança-t-elle avec un clin d'œil canaille, et je vais peut-être vous garder pour moi.

En se dirigeant vers le fond de la salle, il eut la sensation bizarre que la clientèle au grand complet le suivait du regard. Une serveuse, la colocataire de Francesca, leva le pouce en signe d'encouragement. L'un des vieux messieurs qui dînaient là tous les soirs lui lança une claque dans le dos au passage.

— Bonne chance, mon gars ! Frannie n'est pas n'importe quelle femme.

Keaton jeta un regard interdit à Lola May qui répondit d'un haussement d'épaules qui signifiait : « Assume ! ». Il n'avait jamais apprécié que l'on s'intéresse à sa vie privée, mais l'attention passionnée des clients du restaurant le dérangea moins qu'il ne s'y attendait. C'était même attachant, tous ces gens qui voulaient faire le bonheur de Francesca !

Dans la cuisine, le préposé au gril le salua d'un grand signe de la main. Le second cuisinier, occupé à hacher des légumes, riva un regard agressif sur lui sans cesser de jouer du couteau. Une mise en garde ! Décidément, Francesca était bien protégée.

La porte du bureau de Lola May était entrouverte, et du couloir, il vit Francesca de profil, installée devant une petite table, ses doigts volant sur le clavier de son ordinateur portable. La pièce n'était qu'une sorte de débarras aménagé avec des étagères bourrées de dossiers, un canapé défoncé et une énorme armoire de classement. Il frappa un coup léger à la porte. Francesca se retourna d'un bond.

— Salut ! dit-elle d'une petite voix essoufflée.

— Bonsoir, Francesca. Tu as le temps de faire une pause ?

— Oui, je… Bien sûr.

Elle rabattit l'écran de son portable et lui montra le siège qui lui faisait face.

— C'est sympa de te voir…

Sympa ? Ce n'était pas du tout ce qu'il voulait entendre mais il lui sourit et demanda :

— Comment s'est passé le reste de ton week-end ?

— Bien.

« Bien », c'était encore pire que « sympa ». Il fit une nouvelle tentative.

— Un dimanche décontracté ?

— Oui. J'ai passé l'après-midi avec ma mère.

— Ah. Bien.

Que leur arrivait-il ? C'était comme s'ils ne se connaissaient plus, comme s'ils n'avaient plus rien à se dire. La conversation tombait en vrille, et il ne savait plus comment la redresser.

— Je… Keaton ?

Il attendit la suite. Son regard chercha le sien, s'esquiva aussitôt. Surpris, il chercha à l'encourager.

— Oui ?

— Je crois que je te dois des excuses.

Elle parlait si bas qu'il dut se pencher un peu pour l'entendre.

— Sûrement pas, mais explique-moi ce qui t'a donné cette idée.

— Je vais sûrement encore avoir l'air d'une buse mais en général, je ne bois pas plus d'un verre par soirée, dit-elle très vite.

Il ne put retenir un petit rire. Puis, comme les sourcils délicats de Francesca se fronçaient, il leva la main pour retenir ses protestations.

— Je ne me moque pas ! s'exclama-t-il. C'est juste que je n'ai jamais entendu personne à part ma mère dire « buse ».

— Si ta mère emploie le mot, tu sais ce qu'il veut dire, alors. Bref ! J'ai un peu trop bu, samedi soir.

— Nous avons partagé une bouteille de vin. Ce n'était pas non plus une cuite échevelée.

— Pas pour toi, peut-être. Pour moi, c'était davantage que ma dose habituelle.

— Je dois comprendre que tu te sentais un peu nauséeuse, dimanche matin ?

— Nauséeuse ? Si cela veut dire que j'avais une gueule de bois carabinée, alors oui. En fait, je pense surtout à mon comportement. J'ai cherché à… à profiter de toi. Si je t'ai mis mal à l'aise, je le regrette.

Médusé, Keaton la dévisagea. Il avait été très mal à l'aise en fin de soirée, effectivement… Mais uniquement parce qu'il était fou de désir ! Il s'était forcé à s'écarter d'elle alors qu'il ne voulait qu'une chose : l'enlever dans ses bras, la jeter sur le lit le plus proche, lui faire l'amour comme un forcené. Et elle… s'excusait de s'être montrée trop entreprenante ?

De toute sa vie, il n'avait jamais désiré une femme comme il la désirait. Il avait avancé avec toute la délicatesse dont il était capable, pour ne pas la mettre en fuite.

En découvrant qu'elle le désirait aussi intensément, il sentit une paix étrange d'installer en lui. Son texto si froid était simplement dû à sa gêne, elle n'était pas en train de l'envoyer balader comme il le redoutait. Il dut résister à l'envie de brandir le poing en signe de victoire.

Tout à ses pensées, il avait trop tardé à répondre. Bouleversée par son silence, elle s'exclama :

— J'ai encore tout gâché !

Et elle bondit de son siège comme pour s'échapper de la petite pièce. Il saisit son poignet au vol et la fit basculer sur ses genoux. Elle laissa échapper un petit « ouf ! », plaqua ses mains sur son torse… Pour s'accrocher à lui ou pour le repousser ? Dans le doute, il passa le bras autour de sa taille et posa un baiser sur le bout de son nez.

— Nous devrions reprendre la conversation à zéro, dit-il gentiment, Bonsoir, Francesca.

Sans attendre de réponse, il effleura sa joue de ses lèvres.

— J'espère que tu as bien profité du reste de ton week-end.

Non, décidément, elle ne le repoussait pas. Il promena sa bouche le long de sa tempe, descendit…

— Quand je suis reparti avant-hier soir, chuchota-t-il en aspirant doucement le lobe de son oreille, c'était une pure torture. Je sais bien que tu avais un peu bu ! C'est pour cela que je ne suis pas resté. Mais je n'ai pas arrêté un seul instant de penser à toi.

Elle laissa échapper un petit bruit. En réaction à ses baisers, à ses paroles ? Il s'en fichait, tout à la sensation de cette peau si douce contre son visage.

— J'ai compté les minutes en attendant de te revoir, poursuivit-il.

Il s'écarta un peu pour pouvoir capter son regard.

— En attendant de pouvoir t'embrasser de nouveau…

Il inclina la tête sur le côté et captura sa bouche. Le

moment n'était plus aux baisers tranquilles, et il lui montra précisément à quel point elle lui avait manqué.

Quelques minutes plus tard, elle lui reprit sa bouche. Comme il la contemplait, elle lui jeta un regard hésitant et demanda :

— Donc tu ne m'en as pas voulu de t'avoir agressé ?

— Si c'était une agression, répondit-il en mordillant le coin de sa bouche, tu pourras m'agresser aussi souvent que tu voudras. C'est pour cela que je n'ai pas eu de vraie réponse à mon texto ?

— J'étais gênée. Tu voulais y aller lentement et moi…

— Je ne voulais pas te bousculer. Ou que tu puisses croire que tu m'intéresses uniquement sur le plan physique.

Il lui tapota le front de l'index en ajoutant :

— Je suis fasciné par ton regard sur la vie, captivé par ta façon de prendre soin de ceux qui comptent pour toi. Je te désire, tu t'en es bien rendu compte, mais je veux aussi apprendre à te connaître, Francesca. Voilà pourquoi je ne voulais rien précipiter.

Elle était tout contre lui, il sentait son cœur battre comme des ailes. C'était émouvant de sentir que ses paroles l'affectaient à ce point ! Il eut soudain envie de parler un peu plus de lui, de lui dire ce qu'il n'avait jamais dit à personne.

— Tu comptes énormément pour moi, et je suis prêt à attendre le temps qu'il faudra pour que ce soit le moment juste, pour nous deux. Chaque fois que nous nous voyons, c'est précieux pour moi, tu sais ? Je ne changerais rien de ce que nous avons partagé, pas une minute. Tu es parfaite comme tu es, Francesca.

- 10 -

Le cœur de Francesca se dilata à faire éclater sa poitrine.

— Moi aussi, je… Je tiens à toi, dit-elle tout bas.

— Alors explique-moi ce que tu étudiais avec tant de concentration quand je suis arrivé ! s'écria-t-il joyeusement.

Elle hésita un instant avant de répondre. La question était si nouvelle ! Lola May et Ciara l'encourageaient de toutes leurs forces à décrocher son diplôme mais elles ne s'intéressaient jamais au contenu de ses cours. À part ses copains de fac, elle ne parlait à personne de ce pan de sa vie. Keaton en revanche… Keaton l'interrogeait quasiment à chaque rencontre, et semblait sincèrement s'intéresser à ses réponses. C'était par ce biais qu'il avait franchi ses défenses, d'ailleurs…

— Je travaillais sur ma campagne publicitaire, répondit-elle.

Elle posa sa tête sur son épaule avec un soupir.

— Merci encore de m'avoir mise en contact avec le service marketing d'Austin Commons ! La responsable m'a donné un coup de main formidable. Elle m'a expliqué une foule de choses, m'a passé toute la documentation de leur planification initiale. Je lui plais parce que je suis vraiment du quartier, et parce que mon projet s'équilibre entre attirer de nouveaux clients sur le site et servir la communauté actuelle. Nous avons rendez-vous cette semaine pour que je lui expose mes concepts.

— J'ai l'impression que vous vous êtes trouvées.

— Je suis nettement plus sûre de moi en marketing qu'en comptabilité !

Elle se redressa brusquement et se tourna vers lui avec un sourire heureux.

— J'ai oublié de te dire ! J'ai eu ma note. Un A ! Quatre-vingt-quatorze points.

— Alors là, bravo ! s'écria-t-il en l'embrassant de nouveau. Tu as travaillé dur, tu l'as mérité.

— Grâce à ton aide.

— J'étais content de t'aider.

Il y eut un bref silence, puis elle murmura :

— Tu étais venu dîner ?

— Je suis venu te voir, précisa-t-il. Mais je vais aussi dîner. Lola May a proposé d'apporter mon repas ici.

Elle bondit de ses genoux et lissa sa jupe.

— Oh non ! Il faut sortir d'ici tout de suite !

Il la contempla en riant, attendri.

— Tu sais que nous sommes tous deux des adultes ? Et que Lola May n'est pas ta mère ?

— Oui, enfin, non, marmonna-t-elle en saisissant son ordinateur portable. Pas ma mère, mais la femme la plus bavarde du quartier. Si elle me voit sur tes genoux, tous ses clients le sauront dans la minute qui suit. Attends, elle postera l'info dans la newsletter du quartier !

— Ce serait si grave ? demanda-t-il en se levant tranquillement. Vu la réaction générale de tout à l'heure quand je suis venu te retrouver, le fait que nous nous voyons n'est un secret pour personne.

Déjà à la porte, elle se retourna.

— Austin est une grande ville mais ce quartier fonctionne comme un village, répondit-elle. Cela ne m'ennuie pas qu'on sache, mais je n'ai pas envie qu'on parle de moi dans mon dos.

Il la rejoignit, et elle se haussa sur la pointe des pieds pour l'embrasser.

— C'est entre nous ! conclut-elle.

Elle eut l'impression — mais sans certitude — qu'il laissait échapper un soupir de soulagement.

— Content de l'entendre, dit-il. Tout me plaît chez toi, Francesca.

— Idem.

Elle l'embrassa de nouveau rapidement et le précéda dans le couloir. En traversant la cuisine, elle s'arrêta pour le présenter aux deux cuisiniers. Richard et son frère Jon tenaient la cuisine depuis l'époque où elle ne travaillait au restaurant que quelques heures le week-end, quand elle était encore au lycée. Au fil des années, ils étaient un peu devenus des oncles de remplacement. Sans se le formuler aussi clairement, elle avait envie qu'ils apprécient Keaton.

Quelques minutes plus tard, Richard invitait Keaton à une sortie en 4x4 en pleine nature le week-end suivant. Très amusée, Francesca se dit que pour un Britannique élégant et cultivé, il avait un talent remarquable pour convaincre les braves gars du Texas qu'il était comme eux ! Elle ne savait pas si Richard et Jon étaient au courant du lien de Keaton avec les Fortune mais maintenant qu'ils l'avaient accepté, il était entré dans le cercle, et ils le défendraient contre vents et marées. Impossible de ne pas comparer leur attitude avec la façon dont ils avaient traité Lou ! De l'époque du lycée à ses escales à Austin au cours des tournées, les deux hommes lui avaient à peine adressé la parole.

Cela la rassurait infiniment de voir que ses proches, ceux qui comptaient vraiment, prenaient Keaton sous leur aile.

Le repas de Keaton était prêt. Les cuisiniers finirent par le chasser, très cordialement, en répétant qu'ils se verraient bientôt. Et si elle avait encore eu besoin d'une confirmation, elle la reçut quand ils entrèrent dans la salle… sous l'acclamation unanime de tous les habitués du lundi soir.

— Pourquoi est-ce que j'ai l'impression d'avoir réussi mon propre examen, ce soir ? lui murmura Keaton en l'entraînant vers une table discrète dans le fond.

Elle plaqua sa main sur sa bouche pour réprimer un rire.

— C'était tout à fait ça !

Ciara s'approchait avec un plateau lourdement chargé. Elle disposa coquettement le plat de Keaton, la salade de Francesca, leur servit à tous deux un grand verre de thé glacé. Ils s'attaquèrent à leur dîner avec appétit, bavardant et riant avec entrain.

— Je suis bizarre ou c'est tout aussi agréable que notre sortie de samedi ? demanda Keaton en sauçant son assiette.

— Tu dis cela parce que Lola May t'a promis une part de tarte, répliqua Francesca en braquant sa fourchette sur lui.

— Non, c'est à cause de toi.

Ses yeux bleus perçants se firent si intenses qu'elle eut du mal à reprendre son souffle. Surtout quand il ajouta :

— Tout est parfait quand tu es là.

— Je suis… contente.

Le mot était trop faible. Son cœur allait s'envoler ! Sa mère avait raison, elle ne pouvait déjà plus faire machine arrière. Mais elle n'avait plus aucune envie de reculer ! Ce qu'elle éprouvait auprès de Keaton, c'était un mélange unique d'euphorie et d'apaisement. C'était… exactement ce dont elle avait rêvé. Comme il la dévisageait toujours, elle murmura :

— Il nous faut tout de même nos parts de tarte. Ne bouge pas, je vais les chercher.

Des papillons plein le ventre, elle bondit… et son genou heurta son ordinateur portable, posé sur la banquette près d'elle. Paralysée, elle le regarda s'écraser au sol dans un craquement affreux.

— Non !

Horrifiée, elle se laissa tomber à genoux. Le coin qui

avait heurté le sol était enfoncé, l'écran complètement séparé du clavier. Bouleversée, elle murmura :

— Tout est dans la mémoire…

Agenouillée, un morceau dans chaque main, elle luttait pour ne pas fondre en larmes. Elle avait économisé près d'un an pour s'offrir cet ordinateur ! Elle l'emportait à tous ses cours, il contenait toutes ses notes. Ciara, qui servait la table voisine, s'approcha, atterrée.

— Oh ma grande, je suis désolée. Tu crois qu'on peut le réparer ?

— Peut-être.

Elle était sûre que non.

— Un bon technicien doit pouvoir sauver le disque dur, intervint Keaton en l'aidant à se relever.

— Tu crois ?

Il lui prit le portable des mains, l'examina avec attention.

— Je connais du monde chez RobinsonTech, dit-il. Je vais appeler Wes pour lui demander s'il peut faire quelque chose. S'il n'a pas le temps, il me mettra en contact avec un de leurs petits génies. Nous pourrons au moins récupérer tes données.

Elle le regarda sans comprendre ce qu'il disait. Impossible d'aligner deux pensées cohérentes. Jusqu'ici, la nervosité qui s'emparait d'elle quand elle était près de lui l'avait poussée à lui renverser un plat sur les genoux, puis un verre de vin, et maintenant elle venait de démolir l'ordinateur qui lui était aussi nécessaire que sa main droite.

— J'apprécie, dit-elle, mais je ne peux pas te demander ça.

— Tu n'as rien demandé, rétorqua-t-il, surpris. J'ai proposé.

Du bout de l'index, il releva son menton en murmurant :

— Permets-moi de faire ça pour toi. Je t'en prie.

— Je… D'accord. Merci.

Elle soupira et reprit sa place, le regard dans le vide.

— Merci, répéta-t-elle d'une voix morne. Tiens-moi au courant.

— Bien sûr !

Lola May leur apporta deux parts de tarte.

— C'est la maison qui offre, dit-elle. Je suis bien désolée pour ton ordinateur, ma chérie. La tour dans mon bureau est une antiquité, mais tu t'en sers quand tu veux, d'accord ?

— Merci…

Francesca luttait contre une nouvelle crise de larmes. Tant de chaleur autour d'elle, un tel désir de l'aider… C'était bouleversant. Jusque-là, c'était toujours elle qui s'occupait des autres. Avant de quitter Lou et le groupe, elle n'avait jamais réalisé à quel point cela l'usait. Toute petite, elle avait dû cadrer sa mère, s'assurer que les démarches indispensables étaient faites en temps et en heure. Quand cette dernière oubliait de payer le loyer ou les factures, c'était à elle, encore gamine, de le lui rappeler, en s'assurant que l'argent nécessaire était bien sur le compte.

Il lui semblait parfois qu'elle avait toujours été une adulte. L'idée de pouvoir compter sur quelqu'un, s'appuyer sur quelqu'un la transportait et la terrifiait tout à la fois. Quel repos ce serait d'avoir un homme avec qui partager les bons moments comme les moments difficiles ! Mais tout dans son existence s'était ligué pour lui enseigner qu'elle ne devait dépendre de personne…

Le lendemain, Francesca prenait la commande d'une famille avec trois petits enfants quand Lola May lui fit signe de la rejoindre. Elle remit la commande à la cuisine et s'accouda au comptoir.

— Je ne sais pas ce qui se passe, nous avons un monde fou, les clients arrivent comme si nous servions des repas gratis ! s'exclama-t-elle en glissant son crayon derrière son oreille. Je n'ai pas cessé de courir depuis ce matin.

— J'ai fait c'que tu m'as dit, lui apprit Lola May. J'ai mis un profil du restaurant sur les réseaux, comment t'appelles ça, les réseaux de sorties, et j'ai demandé aux habitués de poster des critiques. Je crois ben qu'ça marche.

Francesca la dévisagea, abasourdie.

— Tu as suivi mes conseils ?

— Pourquoi, ça t'étonne ? Tu paies une fortune pour tes cours à l'université, et t'apprends une foule de choses. Pour faire la réclame, t'as de l'idée. L'Internet et moi, ça fait deux, mais je suis encore capable de faire une page.

Francesca se redressa, touchée et très fière d'elle. Lola May avait eu foi en elle et c'était ses conseils, oui, les siens, qui apportaient cette déferlante de clients au restaurant !

— Tiens, reprit Lola May, un coursier vient d'apporter ça pour toi.

Du bout de son ongle rose fluo, elle tapotait un colis posé sur le comptoir.

— Pour moi ? Mais ce n'est pas mon anniversaire. Qu'est-ce que c'est ?

— Si tu l'ouvres, on le saura toutes les deux.

— D'accord…

Le paquet contenait… une autre boîte, emballée dans un papier rose avec un ruban texturé d'un rose plus sombre. Francesca le dénoua avec précaution, le papier s'ouvrit… sur un carton plat frappé du logo RobinsonTech avec la photo d'un ordinateur portable. Médusée, elle saisit le petit mot qui y était collé.

— Alors ! lança Lola May, impatiente.

— L'un des frères de Keaton a pu récupérer les données de mon portable mais l'ordinateur lui-même était fichu. Il a transféré tous mes dossiers sur celui-ci.

Elle leva les yeux vers Lola May en articulant d'une voix blanche :

— Keaton m'offre un ordinateur.

Lola May eut un petit rire ravi.

— De mon temps, c'était une bague. Dans ton cas, c'est nettement plus utile !

— Je ne peux pas accepter un cadeau pareil… C'est trop.

Son cœur battait très vite, elle se sentait bousculée, ballottée entre bonheur et angoisse.

— Le p'tit gars voulait te faire un cadeau, décréta Lola May en repliant soigneusement le papier cadeau et le ruban. Laisse-le te gâter un peu, ma jolie. Tu le mérites !

Brandi passa devant elles au pas de charge pour remettre une commande en cuisine.

— Un groupe de cinq s'installe chez toi ! lança-t-elle au passage.

Francesca reprit le ruban des mains de Lola May, l'enroula autour de la boîte du portable et lui remit le tout.

— Tu veux bien garder ça pour moi dans le bureau jusqu'à ma pause ?

— Mais oui, ma Frannie.

Francesca se hâta d'aller accueillir le nouveau groupe. Pendant les deux heures qui suivirent, elle évolua comme dans un rêve, prenant les commandes, apportant les plats, plaisantant avec ses habitués… Elle participa même avec entrain à la compétition lancée par Brandi pour voir laquelle des deux inciterait le plus de clients à poster sur les réseaux sociaux des selfies pris au restaurant. Pendant tout ce temps, une joie étrange bourdonnait en elle. Elle bouillonnait d'une énergie folle, se montrait plus rapide, plus efficace que jamais. Son unique difficulté était de ne pas se laisser distraire de son service par la pensée de Keaton et du cadeau extravagant qu'il venait de lui envoyer. Elle le rembourserait, bien sûr, mais quel geste fabuleux ! Un geste qui montrait qu'il comprenait ce qui comptait pour elle, qu'il attachait du prix aux mêmes choses qu'elle. Lou ne lui avait jamais offert que des breloques minables qu'il achetait en même temps que ses cigarettes.

En milieu d'après-midi, la salle finit tout de même par se vider un peu. Elle arrêta Brandi au passage et lui demanda de s'occuper de ses tables pendant qu'elle prenait une pause. Sa collègue accepta de bonne grâce. Elle courut au bureau chercher la boîte de l'ordinateur, sortit par l'arrière du restaurant et s'engagea dans le chantier d'Austin Commons.

Elle se dirigeait vers le conteneur qui abritait son bureau quand elle aperçut Keaton au centre d'un groupe d'hommes en complet sombre, près des murs en construction. Comme s'il avait senti sa présence, il tourna la tête, la salua de la main, dit quelques mots au reste du groupe et les quitta pour venir à sa rencontre. Aujourd'hui, il était plus décontracté que d'habitude, en chemise grise et jean. Elle se demanda s'il s'acclimatait au Texas, s'il s'intégrait plus qu'il n'avait conscience de le faire. Elle faillit se mettre à rire en voyant qu'il portait des bottes de cow-boy !

Qu'il s'acclimate, ce serait une bonne nouvelle. En lui expliquant le projet, il lui avait dit que la phase 1 serait inaugurée en juin et qu'il comptait rentrer à Londres ensuite. La seule idée d'être séparée de lui par tout un océan lui serrait le cœur.

— Quelle surprise fabuleuse ! dit-elle quand il s'arrêta devant elle.

Il retira son casque de chantier, le cala sous son bras et se pencha pour l'embrasser.

— On va nous voir, murmura-t-elle.

Et pourtant, malgré elle, elle leva la main pour écarter une petite mèche de sa tempe.

— Je m'en fiche, répondit-il contre ses lèvres. Pas toi ?

— Complètement.

Satisfait de sa réponse, il eut un large sourire et demanda :

— Tu ne travailles pas aujourd'hui ?

— Je suis en pause. Je voulais venir te remercier.

D'un geste un peu emprunté, elle lui montra la boîte qu'elle serrait sur son cœur.

— Tu n'étais pas obligé...

— Je voulais le faire. Ce n'est pas grand chose.

— Si. C'est important.

— Il te faut bien un portable pour tes cours.

— C'est vrai, mais je te rembourserai celui-ci.

Elle s'interrompit avec un petit rire gêné et précisa :

— Je serai sûrement obligé de faire un échéancier mais je suis prête à te verser des intérêts, et...

— Francesca, arrête.

Ses grandes mains se posèrent sur ses épaules, et elle sentit une chaleur délicieuse traverser son T-shirt.

— Je parle trop, bredouilla-t-elle.

— Le portable est un cadeau, dit-il avec son regard le plus doux. Un cadeau, c'est une chose que l'on ne rembourse pas, sous aucune forme. C'est donné librement.

— C'est trop !

— Non.

Elle se tut ; elle n'avait plus aucun argument. Une petite brise jeta quelques boucles en travers de son visage, et Keaton les rabattit derrière son oreille d'un geste très tendre.

— Je voudrais te gâter un peu, murmura-t-il. Si je choisis de t'offrir un ordinateur, il faut me laisser faire.

— Je vois. Tu es autoritaire.

Il eut ce sourire qu'elle aimait tant, les lèvres retroussées d'un seul côté.

— Parfois, admit-il. Et toi, tu es butée.

— Je suppose.

Il se mit à rire, et elle capitula.

— Merci, Keaton.

— De rien, Francesca.

Cette fois encore, la façon dont il prononça son nom l'attendrit.

— Je dois retourner au restaurant, dit-elle.

— Tu fais quelque chose après le travail ?

— Je fais connaissance avec mon nouvel ordinateur !

— De mon côté je crois que les catastrophes du jour sont en voie d'être réglées. J'avais envie d'aller voir la nouvelle expo de photos au musée Blanton. Tu m'accompagnes ?

Elle adorait la façon dont son accent donnait un petit côté cérémonieux aux phrases les plus décontractées.

— Oui ! Merci !

— Tu es libre à quelle heure ?

— 15 heures.

— Je passe te prendre à 17 heures. Si tu veux, nous pourrons dîner chez moi.

Elle lui offrit un baiser rapide et retourna bien vite au restaurant.

Ciara, qui prenait son service, l'accueillit à la porte. Elle vit tout de suite la boîte qu'elle serrait entre ses bras.

— Un ordinateur ?

En quelques mots, Francesca lui expliqua son cadeau. Ciara fit la grimace.

— Ce n'est pas le romantisme qui l'étouffe !

— Si ! C'était adorable de sa part.

Elle aurait voulu dire à quel point le geste la touchait mais une drôle de pudeur l'en empêchait. Ciara fronça le nez.

— Autrement dit, tu vas le revoir ?

— Tout à l'heure, après le travail. Nous allons au musée Blanton, puis chez lui pour dîner. Pardon, je dois ranger mon nouvel ordinateur et me remettre au travail !

Elle se faufila à l'intérieur, mais Ciara la rattrapa dans le couloir.

— J'espère que tu mesures bien ce que ça veut dire ?

Perplexe, Francesca se retourna vers elle.

— Que je ne serai pas obligée d'aller faire des courses en sortant du boulot ?

— C'est le troisième rendez-vous ! s'exclama son amie.

— Qui a un troisième rendez-vous ? demanda Brandi qui sortait justement des toilettes.

— Francesca et Keaton !

— L'Anglais ? Un joli score pour Frannie-les-Frisettes. Je n'aurais jamais cru que tu serais femme à épingler un Fortune.

— Je n'ai épinglé personne, répliqua Francesca, les dents serrées.

Ces allusions commençaient à l'énerver. Elle connaissait Brandi depuis le lycée et elle détestait que l'on utilise son ancien sobriquet. Elle ne voulait qu'une chose : mettre son ordinateur en sécurité dans le bureau et retourner travailler. Elle tourna le dos à ses deux collègues et se dirigea vers la porte.

— Surtout, pense à mettre tes dessous assortis ! lança Brandi.

Francesca s'arrêta net, inspira à fond et se retourna.

— Pourquoi ?

— Tu sais tout de même ce qu'est un troisième rendez-vous ? demanda Ciara.

— Celui qui vient après le deuxième ?

Ses deux collègues s'esclaffèrent, entre moquerie et attendrissement. Francesca fulmina en silence. Elle avait vécu cinq ans avec Lou et elle avait parfois l'impression de ne rien savoir des rituels amoureux.

— Disons qu'il y a certaines attentes, expliqua Ciara, hilare.

— De préférence en rapport avec des dessous affriolants, renchérit Brandi en chaloupant des hanches. À la troisième sortie, on passe aux choses sérieuses.

Francesca sentit ses yeux s'arrondir. Prudente, elle chercha à feindre l'indifférence.

— Oh ! ça ! Ce n'est pas si sérieux entre nous, lâcha-t-elle, désinvolte.

— On n'a pas besoin d'être sérieux pour passer aux choses sérieuses ! répliqua Brandi en riant. Si tu espères retenir un homme comme lui, il va falloir fournir ! Ses autres femmes savaient forcément à quoi s'attendre, la troisième fois.

Francesca avala nerveusement sa salive et risqua un regard vers Ciara qui comprit aussitôt le message.

— Viens, dit cette dernière en prenant le bras de Brandi, il faut retourner dans la salle, ou Lola May va piquer sa crise. Francesca est d'attaque, n'est-ce pas, ma grande !

— Oui ! assura celle-ci. Justement, j'ai fait une lessive hier, mes dessous assortis sont prêts à être enfilés.

Brandi leva les yeux au ciel mais elle se laissa entraîner.

Francesca traversa la cuisine en coup de vent, s'engouffra dans le bureau et claqua la porte derrière elle. Avec précaution, elle posa son cadeau sur une étagère et resta plantée là, les poings crispés, en luttant pour reprendre son souffle.

Troisième rendez-vous… Attentes… Dessous affriolants…

Elle ne savait même plus si elle possédait encore des dessous affriolants ! Pendant un an au moins avant la rupture, Lou ne s'était plus beaucoup intéressé à elle sur le plan sexuel. La fatigue des tournées ! Les premiers temps, c'était son prétexte, et elle avait été assez naïve pour le croire. C'était uniquement en le trouvant au lit avec une groupie qu'elle avait compris qu'il ne manquait pas d'énergie mais qu'il la dépensait ailleurs qu'avec elle.

Keaton, lui, la désirait… et cette conviction ne fit que la paniquer davantage. Un homme aussi beau, charmant, doué avait sûrement eu une foule de maîtresses. Elle ne saurait jamais répondre à ses attentes. Elle ne saurait jamais le satisfaire.

Le troisième rendez-vous risquait fort d'être le dernier.

11

Dès l'instant où Francesca monta dans la voiture, Keaton sut que quelque chose n'allait pas. Elle était adorable dans une robe portefeuille délicatement fleurie et des bottes de cow-boy rouges un peu passées. Entre l'ourlet de la robe et le sommet des bottes, ses jambes nues étaient exquises. Il en était au stade où elle aurait pu porter un sac et il l'aurait encore trouvée excitante !

Il se pencha vers elle pour l'embrasser. Elle se laissa faire, toute raide. Ils échangèrent quelques phrases. Sa voix aussi était raide, avec un petit côté défensif, et son sourire vacillait quand elle croyait qu'il ne la regardait pas.

— Tout va bien au restaurant ? demanda-t-il d'un ton léger en se dirigeant vers le campus et le musée d'art moderne.

— Oui.

— Le service a été chargé ?

— Oui.

— Des clients intéressants ?

— Non.

Elle serrait ses mains sur ses genoux. Il en prit une en mêlant ses doigts aux siens.

— Francesca… Il y a un problème ?

Elle se mordit la lèvre… et se tourna vers lui avec un sourire trop rayonnant.

— Non, tout va bien ! Je suis contente, je ne suis pas allée au Blanton depuis ma sortie scolaire de cinquième.

C'était ce choix d'activité qui la dérangeait ? Il n'avait encore jamais emmené une femme au musée — à part, bien sûr, des soirs de vernissages prestigieux —, mais il avait une véritable passion pour la photo en noir et blanc. Le plus souvent, ses amies ne voyaient de lui que le côté qu'il voulait bien leur montrer : le garçon branché, l'architecte respecté, l'homme charmant qui appréciait le bon vin et les repas gastronomiques. Mais Francesca… Il voulait qu'elle sache qui il était derrière le masque, et cette expo pouvait aussi servir à cela. Mauvais calcul ?

À moins qu'elle ne sache pas comment interpréter son cadeau ? Avait-il bien fait de lui offrir un ordinateur ? En fait, c'était tout simple, il n'y avait rien à interpréter : il voulait la gâter, lui offrir tout ce qu'elle n'avait jamais eu. Et elle avait besoin d'un ordinateur pour ses cours. Une pensée désagréable se nicha soudain dans un recoin de son cerveau, une pensée en forme d'avertissement. Ce qu'une femme comme elle désirerait le plus, ce serait justement ce qu'il serait incapable de donner : son cœur. Mais cela, il s'en inquiéterait plus tard.

Il passa devant l'entrée monumentale du musée et trouva à se garer à une centaine de mètres. L'architecture classique, les colonnes massives en façade offraient un parfait complément aux bâtiments du campus. Il hocha la tête, satisfait, et se tourna vers Francesca. Quand elle esquissa un geste pour ouvrir sa portière, il la retint en serrant sa main dans la sienne.

— Francesca, dis-moi ce qui t'ennuie.

— Qu'est-ce que… Quoi ? bredouilla-t-elle en évitant son regard. Je vais bien. Tout va bien. Allons voir ces photos !

— Quelque chose a changé depuis tout à l'heure, dit-il avec douceur. Quoi ?

Elle se mordilla la lèvre et leva les yeux vers lui.

— C'est notre troisième rendez-vous, dit-elle enfin, comme si cela expliquait tout.

— Mais pas le dernier, j'espère !

— Je voudrais aussi mais…

Elle s'interrompit, le front plissé, et contempla leurs doigts mêlés. Où étaient passés son rayonnement et cette franchise qui le réjouissaient et l'émouvaient tout à la fois ? Il retrouvait la Francesca intimidée des premiers jours, quand ils s'étaient à peine adressé la parole. Doucement, elle passa le pouce sur le dos de sa main, un contact aussi doux que les baisers papillons que lui faisait sa mère en battant ses cils contre sa joue quand il était petit.

— Je me demande un peu comment je vais répondre à tes attentes, dit-elle très vite.

— Mes attentes, répéta-t-il, perplexe.

Elle hocha vivement la tête.

— Je m'inquiète de…

Elle gardait les yeux braqués sur leurs mains, et son pouce dessinait patiemment, obstinément, des huit sur sa peau.

— Francesca, tu veux bien me regarder ?

Il vit sa bouche se crisper mais elle leva la tête et croisa enfin son regard. Satisfait, il lui sourit.

— Mais de quoi est-ce que tu parles ? demanda-t-il.

Elle eut un rire nerveux qui résonna un peu trop bruyamment dans l'habitacle de la voiture.

— Le sexe du troisième rendez-vous, bredouilla-t-elle, avant de se mettre à rire.

— Le sexe du… ?

Il se sentait déstabilisé, autant par son explication que par le fait qu'elle puisse rire à la seule idée de lui faire l'amour.

— Tu as de l'expérience, moi pas…, précisa-t-elle.

Elle fit une grimace et se remit à rire. Quand enfin elle put parler, elle bégaya :

— Je gâche tout, comme d'habitude. Oh Keaton, tu vois le genre de fille que je suis ? Je suis ridicule, je…

Elle arracha sa main de la sienne pour se couvrir le visage.

— Quand je suis nerveuse, je me mets à dire n'importe quoi, reprit-elle. Je suis comme ça : je ris au mauvais moment.

Elle le regarda, les yeux écarquillés.

— Et si je me mets à rire au lit ? s'exclama-t-elle, soudain horrifiée.

— Ce serait une grande première pour moi.

— Voilà ! Parce que tu as des attentes ! Des attentes. Moi, j'ai été avec un seul homme. Un seul ! Je ne sais probablement pas… tout.

Elle agitait vaguement la main.

— Le genre de choses que tu aimes et à quoi tu…

— Je m'attends ?

— Voilà !

Bien ! Il commençait enfin à comprendre !

— Tu me plais telle que tu es, Francesca. Si j'ai une attente, c'est que tu te sentes à l'aise avec moi. Suffisamment à l'aise pour me dire franchement les choses, quoi qu'il se passe entre nous.

Il se retourna et fixa un point devant lui, hésitant à poursuivre.

— Jusqu'à cet instant, avoua-t-il subitement, je n'avais jamais regretté d'avoir connu les femmes que j'ai connues, ou d'avoir une certaine expérience.

Il lui jeta un regard en coin et s'enquit :

— Je donne une impression de… séducteur ?

Elle se remit à rire, mais cette fois c'était un vrai rire, sincèrement amusé.

— Non ! Bien sûr que non. Ce n'est pas toi, le problème…

— « Ce n'est pas toi, c'est moi », c'est le prétexte le plus classique quand on veut envoyer balader quelqu'un.

— Je ne t'envoie pas balader ! protesta-t-elle. C'est juste que j'ai peur de te décevoir.

— Si ce que j'ai ressenti en t'embrassant est le reflet du reste, il n'y a aucun risque.

— Je n'aurais rien dû dire, marmonna-t-elle, mortifiée. Voilà, Tu as voulu savoir ce que j'avais, et c'était ça.

Il hésita. Il se sentait réellement désarçonné — une expérience assez nouvelle pour lui. Touché aussi. Son univers était rempli de belles et bonnes choses, un appartement stylé, de jolies femmes à son bras quand il le voulait, une carrière qui lui offrait de grandes satisfactions. Il avait travaillé dur, il avait réussi. Toutefois, il était parvenu à ce point de son existence sans jamais s'investir affectivement.

Convaincu qu'un cœur brisé ne se réparait jamais, il avait choisi de préserver le sien. Le fait d'apprendre qu'il était un Fortune bouleversait la donne, mais en se concentrant sur la quête des autres enfants abandonnés de Gérald, il s'impliquait tout en restant distant émotionnellement. Il se focalisait sur la tâche, pas sur son ressenti. Il vivait de très loin les bouleversements de sa vie et de son identité.

Et puis il avait rencontré Francesca, et sans qu'il en prenne conscience, par sa seule présence, elle s'était mise à bousculer ses a priori, à le pousser à s'ouvrir de façon tout à fait inattendue. Elle n'avait pas peur de ses émotions, elle, et mettait son cœur en jeu à chaque instant, réagissait à chaud, parfaitement authentique dans son ressenti. Même quand ce ressenti les dérangeait tous deux. Il laissa échapper un soupir, et se tourna vers elle.

— Je suis content que tu m'aies dit ce qui te gênait. Je me fiche totalement de cette théorie des attentes du troisième rendez-vous. Nous sommes nous. Troisième rendez-vous, cinquième, trente-quatrième… Faisons les choses à notre rythme, d'accord ? À notre façon.

Devant la splendeur du sourire qu'elle lui décocha, il mit un instant à reprendre son souffle.

— On peut juste passer un bon moment ? demanda-t-elle d'une petite voix.

— J'espère bien ! répliqua-t-il en riant.

Emmener cette femme dans son lit, ce serait le meilleur des bons moments possibles… Quand l'heure aurait sonné.

En entrant dans le musée, la main de Francesca dans la sienne, il se sentait heureux. Il savait qu'il venait de vivre un moment important, même s'il était incapable de le définir. Euphorique, il retrouvait la joie d'arpenter des galeries silencieuses en laissant des éclairages subtils guider son regard vers des tableaux, des photos, des sculptures. Aujourd'hui, la compagnie de Francesca ajoutait encore à son plaisir.

Ils parcoururent l'exposition qu'il voulait voir, visitèrent quelques salles de la collection permanente du Blanton. Francesca lui raconta sa sortie scolaire et le garçon qui avait déclenché sans le faire exprès l'alarme du musée. Il lui parla de ses musées préférés à Londres, surtout le British Museum, qu'il hantait dans son adolescence parce qu'il était gratuit et qu'il abritait un mélange fascinant d'objets issus des cultures du monde entier. Il lui venait une envie subite de montrer à Francesca ses coins préférés de Londres.

Ils restèrent jusqu'à la fermeture, puis ils se rendirent chez lui. Il commanda un repas à emporter dans un restaurant thaïlandais conseillé par un collègue, et ils dînèrent assis par terre devant la table basse en regardant le tout premier James Bond avec Sean Connery.

— Je te verrais bien en James Bond, dit-elle en attaquant son *Pad Thaï* avec appétit. Tu as le bon accent.

— La moitié de l'Angleterre a le même. Je ne m'en sortirais pas trop mal avec les voitures de course mais je préfère lui laisser les pistolets et autres armes.

Taquin, il la poussa doucement du coude et ajouta :

— Tu veux bien être ma James Bond Girl ?

Elle laissa échapper son petit rire si particulier qui l'enchantait.

— Je ferais une James Bond Girl horrible ! Tu me vois sortir de l'océan en bikini blanc comme Ursula Andress ?

— Tout à fait, murmura-t-il en posant un baiser sur son épaule. Je te vois très très bien…

Cette fois, Francesca fit bien attention de ne boire qu'un seul verre de vin. Son corps était déjà en alerte rouge. Elle était seule avec Keaton, chez lui ! Il était assis tout près d'elle, il riait de ses commentaires, lui jetait ces regards chaleureux qu'elle adorait ! Si on lui avait dit qu'une visite de musée constituerait le rendez-vous le plus romantique de toute sa vie…

Après lui avoir avoué son angoisse du troisième rendez-vous, le nœud brûlant de panique dans son ventre s'était relâché, puis entièrement dissous. En prononçant les mots qui la hantaient, elle les avait vaincus. Elle croyait Keaton quand il lui disait qu'il n'attendait rien de plus que ce qu'elle se sentait prête à lui donner. C'était nouveau, stupéfiant, d'être avec un homme qui se préoccupait sincèrement de ce qu'elle éprouvait ! Un homme qui ne la voyait pas juste comme un miroir dans lequel il pouvait s'admirer.

Le repas thaïlandais était délicieux, la conversation agréable, un peu séductrice. Quand James Bond eut sauvé le monde du diabolique Dr No, elle se leva pour l'aider à débarrasser la table mais il l'installa tendrement sur le canapé.

— Tu es debout toute la journée. Laisse-moi m'occuper un peu de toi.

Elle le regarda rassembler leur vaisselle, l'emporter dans la cuisine… et elle trouva le spectacle d'un homme occupé à une tâche ménagère incroyablement sexy ! Au fond, tout ce que faisait Keaton était sexy.

Il revint très vite en se séchant les mains, se laissa tomber sur le canapé près d'elle, attira ses jambes sur ses genoux et prit l'un de ses pieds nus. Elle avait retiré ses bottes et ses chaussettes en entrant — chaque fois que c'était possible, elle préférait se promener pieds nus. Ce soir, elle se demanda si sans le savoir, elle s'était préparée pour cet instant.

Il commença à masser son pied, très doucement, pétrissant la voûte sensible de ses mains douces et fortes.

— C'est fabuleux, chuchota-t-elle en laissant sa tête retomber sur les coussins. Je parie que même James Bond n'a pas des mains pareilles...

Il rit tout bas, sans se déconcentrer. Un instant plus tard, elle laissa échapper une plainte de bien-être : il venait de trouver un point particulièrement fabuleux.

— J'aime bien ton vernis.

— C'était le métier de ma mère, à une époque, expliqua-t-elle sans ouvrir les yeux. Quand j'étais petite, c'était notre rituel du dimanche : elle me vernissait les ongles des pieds. Elle aime bien expérimenter sur moi ses tableaux miniatures...

Ce soir, ses ongles étaient colorés d'un rose très doux avec une petite fleur sur chaque gros orteil. Un bijou miniature violet étincelait à la pointe de chaque pétale.

— Tes orteils sont une œuvre d'art, dit-il.

Il glissa les mains le long de ses mollets, et d'une traction irrésistible, l'attira plus près.

— En fait, on pourrait dire la même chose de ton corps entier, ajouta-t-il.

Elle ouvrit la bouche pour discuter, la bourde habituelle des timides quand un homme sexy leur faisait un compliment. Ce besoin irrésistible de gâcher ses chances ! C'était la spécialité de la Grosse Frannie et d'une certaine façon, elle se voyait encore comme la lycéenne trop potelée et sans charme, trop peu sûre d'elle, mal habillée et mal coiffée. Sa nouvelle image d'elle, beaucoup plus positive, était si récente, si fragile ! Elle avait encore du mal à croire que Keaton parlait sérieusement quand il lui disait qu'il la trouvait belle. Enfin, si cela pouvait lui faire plaisir, elle n'avait qu'à se taire et le laisser penser ce qu'il voudrait. L'absurdité de sa propre réaction la fit pouffer. Un lent sourire illumina le visage de Keaton. Il la souleva, la prit sur ses genoux.

— C'est nerveux ? s'enquit-il en frottant son nez dans son cou.

— Non, chuchota-t-elle. Nous passons un bon moment. Pour le *fun*.

— Le meilleur moment possible.

Et il s'empara de sa bouche.

Cela commença comme un baiser taquin, sans emphase, mais, en elle, le désir s'embrasa aussitôt. Comme un feu qui consumait toutes ses hésitations, toutes les pensées dévalorisantes qu'elle avait d'elle. Tout sauf son besoin de lui.

Comme s'il lisait en elle, il intensifia leur baiser. Aveuglée par ses sensations, elle sentit la paume de Keaton lisser la peau nue de sa cuisse, se glisser sous l'ourlet de sa robe… Se glisser et s'arrêter sans chercher à aller plus avant.

Mais pourquoi s'arrêtait-il ! Elle voulait tout ! Tout ce qu'il voudrait bien lui donner ! Tremblante, elle se pressa contre son corps musclé, ferme et chaud, et ses mains partirent à la découverte, sans même s'apercevoir qu'elle le caressait. Et enfin, ses doigts à lui remontèrent le long de sa cuisse et se blottirent contre l'étoffe de sa culotte. La sensation fut si exquise qu'elle dut s'écarter un peu pour reprendre son souffle.

— Je n'ai pas de dessous assortis, murmura-t-elle. Juste que tu le saches.

— Je m'en fiche, répliqua-t-il en l'embrassant de nouveau. Juste que tu le saches.

Après cela, elle ne dit plus rien à part quelques « oui » « là », « encore » et « maintenant ». Mais Keaton n'avait pas réellement besoin de ces indications : il semblait savoir d'instinct exactement comment elle aimait qu'il la touche. Du bout des doigts, caresse après caresse, il la poussait délicatement vers le gouffre de plaisir qu'elle pressentait, mais il l'écoutait aussi, et tenait compte des demandes qu'elle haletait dans son plaisir. Sans jamais cesser de l'embrasser ! Bientôt, une pression éblouissante se concentra en elle, s'amplifia...

— Ouvre-toi pour moi..., murmura-t-il.

Elle obéit sans hésiter, s'offrit tout entière à l'instant... Et ce fut meilleur qu'elle n'aurait pu l'imaginer. Quand elle aurait précipité son plaisir, il la retint au bord de l'orgasme. Il la caressa en virtuose, comme s'il avait toute la nuit pour se dévouer à son plaisir mais enfin, la pression fut trop forte, la nova éclata. Elle s'abandonna enfin dans un cri qu'il reçut dans sa bouche. Avec une sensation comme si mille étoiles filantes s'abattaient sur elle, avec une lumière derrière ses paupières comme une chute de météores, son corps s'écartela de plaisir.

Elle se cramponna à Keaton, surfa jusqu'au bout de la dernière vague et revint lentement à la réalité.

En ouvrant les yeux, elle vit qu'il avait tiré sa robe sagement sur ses cuisses. La main qui venait de la précipiter en plein ciel dessinait des cercles tranquilles dans son dos. Elle venait de vivre l'expérience la plus stupéfiante de sa vie sans même retirer sa robe ! Quel effet cela ferait-il de faire l'amour avec lui pour de vrai ? La question l'intéressait au plus haut point !

— Tu vois quel bon moment on peut passer sans attentes ? murmura-t-il en posant un baiser sur ses cheveux.

— J'ai passé un très, très bon moment. Avec un million d'étincelles.

— Un million d'étincelles, c'est bon pour mon ego.

— Mais toi, ton bon moment ? demanda-t-elle en se redressant à demi, inquiète.

Il s'écarta juste assez pour plonger son regard dans le sien.

— Te donner du plaisir, c'est le meilleur moment possible. Je compte avoir beaucoup d'autres occasions.

— J'ai hâte, chuchota-t-elle.

12

— Café… Vite…

Le lendemain matin, Francesca émergea de sa chambre en trébuchant un peu et se dirigea au jugé vers la petite cuisine. Il était presque 7 heures, et elle devait se hâter si elle voulait se doucher avant son cours. Elle ne travaillait pas au restaurant aujourd'hui, c'était bien le seul point positif de la journée qui l'attendait.

Elle n'avait pas encore atteint son objectif quand elle sentit Ciara lui glisser entre les mains un mug fumant.

— Je ne t'ai pas entendue rentrer cette nuit, lui fit remarquer son amie avec un sourire. La soirée a dû se prolonger…

— Je me suis endormie en regardant un film chez Keaton, marmonna Francesca.

— Endormie, c'est un mot de code pour… ?

— Pour s'endormir, c'est tout, répliqua-t-elle sèchement. Il devait être autour de 2 heures quand je suis rentrée.

Cet aspect de la question ne la dérangeait pas, elle avait trouvé délicieux de s'assoupir blottie contre la poitrine de Keaton. Mais, après qu'il l'eut raccompagnée à sa porte et embrassée longuement en lui souhaitant bonne nuit, elle n'avait tout simplement pas pu se rendormir, une fois rentrée chez elle.

Au lieu de se sentir tout à fait détendue par une soirée merveilleuse, au lieu de planer sur son petit nuage, elle avait passé des heures à se retourner dans son lit. Le désir ! Son corps, si satisfait en début de soirée, vibrait de se retrouver dans les bras de Keaton. Elle en voulait davantage… et elle aurait pu en avoir davantage si elle n'avait pas été inhibée par ses grotesques angoisses du troisième rendez-vous !

Ciara la toisa en se servant un café.

— Où est ton éclat ? lança-t-elle.

Francesca ouvrit le réfrigérateur, en sortit son lait à la vanille et en versa quelques gouttes dans son café.

— Quel éclat ? demanda-t-elle d'une voix distraite.

— Ton rayonnement spécial après le sexe ? Tu ne vas pas me faire croire qu'un homme comme Keaton n'a pas réussi à t'illuminer. Moi, il suffit que je le regarde…

— Je ne veux pas savoir quel effet il te fait quand tu le regardes !

Elle avala d'un trait la moitié de son café et chercha la cafetière à tâtons.

— Et puis, je rayonne, ajouta-t-elle.

— Pas du tout.

— J'ai mal dormi.

— J'espère qu'il t'a offert une nuit blanche !

Francesca posa brusquement son mug sur le plan de travail.

— Nous n'avons pas fait l'amour ! s'exclama-t-elle, à bout.

Ciara sursauta.

— D'accord, murmura-t-elle prudemment.

— Non, pas d'accord, gémit Francesca, les larmes aux yeux. C'est tout le contraire de d'accord !

— Vous vous êtes disputés ?

Elle parlait maintenant avec tant de gentillesse que Francesca se sentit affreusement triste.

— Mais non, murmura-t-elle. Pas du tout. C'était un rendez-vous fabuleux. Le meilleur. Et nous… Enfin, il s'est passé des choses…

Dans un soupir, elle repoussa le souvenir des mains de Keaton sur elle.

— … Stupéfiantes. Mais pas de sexe. C'est ta faute, conclut-elle avec un regard noir pour son amie.

Abasourdie, Ciara recula d'un pas.

— Moi ? Qu'est-ce que j'ai fait !

— Tu m'as brossé un tel tableau de ces fichues attentes du troisième rendez-vous ! J'ai flippé. Keaton a été fabuleusement compréhensif mais…

Elle reprit sa chope et but une gorgée de café.

— C'était peut-être mieux comme ça, avoua-t-elle, fataliste. Je n'ai même plus de dessous affriolants. Ils m'auraient servi à quoi avec Lou ? Mais Keaton voulait me faire l'amour et moi je… je…

— Vas-y doucement avec la caféine, lui fit remarquer Ciara en lui prenant son mug des mains. Oh Frannie, je suis désolée, je ne cherchais pas à t'affoler ! Tu méritais bien un troisième rendez-vous torride, mais on se fiche de savoir quand ça arrive, tu sais ? Ce n'est pas une obligation, ce n'est pas officiel.

— Je veux que ça arrive, gémit Francesca en empoignant à deux mains ses boucles emmêlées. Maintenant, chaque fois qu'on se verra, ce que l'on n'a pas fait hier soir sera suspendu au-dessus de nos têtes.

— Pas littéralement, j'espère ! répliqua son amie en pouffant.

— Ça ne vole pas très haut !

Elle se sentait un peu mieux. Cela faisait du bien de rire un peu malgré son angoisse.

— Qu'est-ce que je vais faire ?

— Tu sors de cours à quelle heure, ce matin ?

— 9 h 30.

Ciara leva les yeux vers l'horloge au-dessus de l'évier.

— Parfait. Le centre commercial ouvre à 10 heures. La première chose à faire, c'est de t'acheter des dessous.

— Je n'ai pas besoin de…

— Si. Et ensuite, tu vas prendre la situation en main. Je ne parle pas littéralement… Quoi qu'il ne faille écarter aucune option.

Francesca lui reprit son mug.

— Si tu veux que je comprenne ce que tu cherches à me dire, il va me falloir davantage de caféine, décréta-t-elle.

— Je te parle d'un appel aux armes.

Francesca la regarda sans comprendre.

— Pardon ?

— Tu crains d'avoir les nerfs au moment de sauter dans le lit de Keaton, c'est bien ça ?

— C'est ça, oui.

— Alors il faut retirer la chose de l'équation.

Elle laissa échapper un petit rire en ajoutant :

— Si je puis dire !

— Tu veux bien arrêter avec tes sous-entendus ?

— Invite Keaton ici pour faire l'amour.

Francesca regarda Ciara, les yeux agrandis par la stupeur. Ciara avait dit cela aussi calmement… que si elle suggérait qu'ils prennent le thé ensemble !

— Je ne peux pas faire ça ! s'exclama-t-elle.

— Mais si ! C'est la solution idéale !

Ciara se frottait les mains comme un méchant de mélodrame.

Atterrée, Francesca bredouilla :

— Mais s'il refuse ?

Ciara rejeta ses longs cheveux derrière son épaule.

— Là, aucun risque ! Arrête de croire que tous les hommes sont comme Lou. Quand tu l'as quitté, c'était pour te faire une nouvelle vie, je me trompe ?

— Et je l'ai faite !

Elle parlait avec beaucoup d'aplomb mais au fond, elle voyait bien que ce n'était pas tout à fait vrai. Elle faisait le même job depuis ses seize ans. Ses études, c'était un vrai pas en avant, mais elle se servait tout de même de ses cours et de son travail au restaurant comme prétexte pour mettre sa vie amoureuse en veilleuse. Elle était réellement très occupée, mais les quinze derniers jours montraient bien que si un homme lui plaisait vraiment, elle pouvait trouver le temps de le voir.

Sa mère lui répétait toujours qu'il lui fallait un homme qui lui corresponde vraiment… Mais qu'est-ce que cela voulait dire ? Elle hésitait encore à nommer ce qui se passait entre elle et Keaton mais cela… sonnait juste. Il était temps de faire un pas supplémentaire vers la vie qu'elle désirait vraiment, et si, pour franchir le pas, il lui fallait des dessous affriolants, ainsi soit-il.

— Je te retrouve au centre commercial à 10 heures, décida-t-elle.

Et elle happa son amie dans une étreinte furieuse. Ciara laissa échapper un piaillement joyeux et s'écria :

— Opération Séduction Britannique, go ?

— Go !

— Ce pauvre bœuf t'a fait quelque chose ?

Keaton leva les yeux vers Ben, attablé en face de lui dans leur restaurant habituel.

— Comment ?

Ben le toisa, les sourcils haussés.

— Tu découpes cette pièce de viande comme si tu avais la haine.

Keaton baissa les yeux sur son steak qu'il était effectivement en train de scier à la Jack l'Éventreur. Un peu contrarié, il posa délicatement ses couverts.

— Non, tout va bien, affirma-t-il. J'ai juste quelques soucis en tête.

Vrai et faux. En fait, il n'avait qu'un seul souci en tête mais il virait à l'obsession : Francesca.

— Nous retrouverons les autres Fortune, lui assura Ben.

Keaton ne se donna pas la peine de le contredire ; il préférait que l'on ne devine pas la cause de sa tension. S'il avait appris une chose depuis qu'il faisait partie de la famille, c'était que ses frères et sœurs se mêlaient de tout !

À la suite de sa discussion avec Graham, il avait reçu un coup de fil d'Olivia et un flot de textos de Sophie, la benjamine de la famille. Toutes deux cherchaient à en savoir davantage sur sa vie amoureuse. Il avait réussi à leur donner des demi-réponses qui semblaient les satis-faire, sans rien révéler de ses rapports avec Francesca. Il faisait son apprentissage des rapports fraternels… Et son enfance entre sa mère et ses amies lui avait appris quelques ficelles !

Aujourd'hui encore, il avait été tenté d'inviter Ben chez Lola May mais au dernier moment, il s'était dégonflé. Après cette soirée fabuleuse avec Francesca… Enfin, il voulait s'assurer qu'elle était du même avis avant de la présenter à sa famille. Il était déjà sûr qu'elle leur plairait… Mais justement ! Il ne savait pas lui-même ce qu'il éprouvait pour elle, et tels qu'il connaissait ses frères et sœurs, ils lui mettraient aussitôt la pression pour qu'il passe à la vitesse supérieure…

— J'ai une nouvelle piste sur le Fortune français, annonça-t-il. Cette fois, c'est vraiment prometteur. C'est un peu compliqué de parler en temps réel, avec le décalage horaire mais, d'après mon ami à Paris, Amersen Beaudin est probablement l'un des nôtres.

— Le fils de Suzette ? demanda Ben d'une voix tendue.

— Oui. Je veux être tout à fait sûr, avant de prendre contact. Vu ce qui s'est passé entre ta famille et sa mère…

La fratrie Robinson souffrait beaucoup de ne pas savoir combien de cœurs brisés et d'enfants illégitimes leur père avait laissé dans son sillage alors, que l'ancienne fille au pair qu'ils avaient beaucoup aimée soit du nombre, ce serait particulièrement difficile à admettre.

— J'ai retrouvé Chloé Elliott ici même, à Austin, reprit Ben. C'était complètement dingue. Elle a grandi à quelques rues de la maison. Nous ne nous sommes jamais croisés quand nous étions enfants, mais tu te rends compte… Ici même, à deux pas de nous…

— Donne-moi ses coordonnées. Je m'occuperai du premier contact.

— Et Nash Tremont ? Nous avons quelque chose sur le Fortune en Oklahoma ?

— Tremont esquive mes appels et ignore mes textos. Si nous le bousculons trop, nous risquons de le perdre. Chaque personne réagit différemment à la nouvelle, c'est difficile de savoir comment les aborder. Et même de deviner si cela les intéresse de savoir qu'ils ont une autre famille !

— Peu de gens rechignent à devenir un Fortune ! Au fait, tu as rencontré ta journaliste ?

— Ariana Lamonte ? Oui. Elle m'a envoyé une première liste de questions par mail. Nous ferons l'interview proprement dite demain matin. L'article passera d'abord sur le blog de *Weird Life*, puis la version longue paraîtra dans la revue papier.

— Jusqu'ici, tu es resté très discret pour un Fortune, lui fit remarquer Ben. Après ça, tu ne pourras plus rester anonyme.

— Je m'en rends bien compte. Mais si un seul des enfants abandonnés de Gérald lit l'article, si il ou elle en retire quelque chose, cela aura valu la peine.

Il braqua sa fourchette sur Ben et poursuivit :

— Ariana voit le sujet comme une série. Elle demandera peut-être à faire les profils d'un ou deux Robinson.

— Pas moi, répliqua Ben, catégorique. Pas en ce moment. Le bébé va arriver d'un jour à l'autre, j'aurai autre chose à faire. Si elle veut vraiment nous parler, oriente-la vers Sophie ou Olivia, pour commencer.

— D'accord. Je les laisserai décider qui sera la prochaine…

— Victime ? proposa Ben avec un sourire.

— Chérie des médias, précisa Keaton.

Son portable bourdonna. Le numéro de Francesca clignotait à l'écran. D'un signe, il prévint Ben qu'il n'en aurait que pour une minute et se détourna en faisant glisser son pouce en travers de l'écran.

— Allô, la belle, murmura-t-il, trop bas pour que Ben puisse l'entendre.

— Keaton ? s'enquit une voix qu'il ne reconnut pas.

Inquiet, il se raidit.

— Oui. Qui est à l'appareil ?

— Ciara James, la coloc de Francesca. Nous nous sommes croisés au restaurant et…

— Où est Francesca ? Elle va bien ?

Il avait élevé la voix, et Ben le regardait. Mais à ce stade, il s'en fichait. Francesca avait un problème ? Il lui était arrivé quelque chose ? Pourquoi ne téléphonait-elle pas en personne !

— Elle va bien ! répondit vivement Ciara. Elle a juste besoin que vous veniez chez nous. Ce n'est pas une urgence. Prenez votre temps.

Il entendit un chuchotement puis Ciara reprit :

— Bon, pas trop de temps, tout de même. Venez quand vous pouvez, d'accord ?

— Je peux lui parler ?

Il entendit des voix étouffées, puis de nouveau la voix de Ciara.

— Elle sera là quand vous arriverez.

— Mais pourquoi ne peut-elle…

Ciara avait raccroché.

— Nom de…

Il contempla l'écran comme pour le sommer de lui fournir une explication, et marmonna :

— Je dois y aller.

— C'est en rapport avec ta serveuse ?

— Je ne dirais pas qu'elle est à moi…

Il eut l'impression de la renier en disant cela. Elle était tout de même un peu sa Francesca, même s'il ne voulait pas l'admettre.

— N'essaie pas de me la faire, lui conseilla Ben. Graham nous a mis au courant.

— Les frères et sœurs, quelle plaie…

Ben rejeta la tête en arrière en éclatant d'un grand rire.

— C'est seulement maintenant que tu t'en aperçois ? Je vous croyais plus rapides, les British !

Des deux mains, il fit le geste de le chasser — comme le faisait sa mère quand il traînait dans ses jambes alors qu'elle cherchait à mettre leur dîner sur la table.

— File ! lui ordonna Ben. Je reconnais les symptômes, tu es mordu.

— Non ! Mais c'était un coup de fil… bizarre. Francesca et moi, ce n'est pas sérieux.

Et pourtant, il trépignait d'impatience et se retenait de quitter le restaurant en courant pour se précipiter près d'elle…

— Tu parles comme moi l'an dernier, lui fit remarquer Ben. Bon, je te laisse le bénéfice du doute. Ou pas. En fait, je parie que l'on va bientôt fêter un nouveau mariage. Ce sera tant pis pour toi si tu n'as rien vu venir. File ! Même moi, tu me rends nerveux à perdre autant de temps.

— Tu te trompes, pour le mariage, rétorqua Keaton en se levant le plus posément qu'il put. Mais merci de comprendre que j'écourte notre déjeuner.

— De rien. Envoie-moi juste un texto tout à l'heure pour me dire si tout s'est arrangé.

Keaton hocha la tête et sortit en flèche du restaurant.

Ébloui par le soleil texan, il se dirigea vers sa voiture en calculant qu'il en aurait pour dix minutes, en roulant vite. Il mit beaucoup moins longtemps, se gara à la va-vite devant le Chez Lola May et trouva Ciara au pied de l'escalier qui menait à leur logement.

— Elle est là-haut, lui dit la jolie brune avec un regard appuyé. Je serai sortie tout l'après-midi…

Il trouva son comportement bizarre mais passa devant elle sans chercher à comprendre et gravit l'escalier quatre à quatre, le cœur battant. La porte de l'appartement étant entrebâillée, il entra en coup de vent en cherchant Francesca des yeux. Quelle lumière étrange. Les stores étaient tirés et une multitude de bougies illuminait la pièce. Pourtant il faisait grand soleil dehors…

— Merci d'être venu si vite…

Francesca se tenait au centre de la pièce, la main posée sur le dossier d'un fauteuil.

— Tout va bien ? demanda-t-il, inquiet.

Il fit un pas vers elle, pressé de voir si elle s'était blessée, si elle… Oh ! elle ne portait qu'un peignoir de soie très mince, d'un rouge profond, une couleur qui semblait l'éclairer de l'intérieur.

— Tout va bien, murmura-t-elle. Mieux que bien, j'espère.

Elle lui sourit, défit lentement la ceinture de son peignoir… Hypnotisé, il vit un éclair rouge entre les pans du vêtement. Un instant plus tard, elle laissa glisser le peignoir de ses épaules… Il retint un juron. Francesca ne portait qu'un soutien-gorge et une culotte, un ensemble assorti le plus sexy qu'il lui ait jamais été donné de voir. Un grand frisson le secoua. Tous ses neurones s'éteignirent, laissant son esprit complètement vide.

*
* *

Le cœur battant, Francesca guetta la réaction de Keaton. Il allait bien dire un mot, faire un geste ! Les secondes s'étiraient, insupportables, et il la fixait toujours sans bouger. La panique s'empara d'elle. Elle avait encore tout compris de travers, il n'avait aucune envie de se laisser séduire ! Le cœur trébuchant douloureusement dans sa poitrine, elle se pencha vivement pour reprendre son peignoir.

— Non !

Le mot resta suspendu dans l'air ; il sembla même résonner sans fin dans le silence de l'appartement. Elle se redressa d'un bond en se couvrant instinctivement de ses mains. Keaton se tenait toujours sur le pas de la porte, tout raide, les yeux braqués sur elle et le visage inexpressif.

— Je veux te voir, gronda-t-il tout bas. Je t'en prie.

Docile, elle laissa retomber ses bras. À la lueur des bougies, c'était plus facile de se laisser examiner. Voilà pourquoi elle avait choisi cette mise en scène.

Pourquoi Keaton ne souriait-il pas ? Cette expression indéchiffrable…

— Je suis désolée si le coup de fil de Ciara t'a inquiété, murmura-t-elle. Je voulais juste…

Sa voix s'éteignit. Comment expliquer ce qu'elle voulait ? Les mots manquaient. Elle finit par murmurer :

— Je te voulais, toi.

Il franchit la distance qui les séparait en trois enjambées… sans lui ouvrir les bras.

— Tu as amputé mon espérance de vie de dix ans avec ce coup de fil, dit-il tout bas.

— Je suis…

D'un mouvement vif, il pressa son index sur ses lèvres.

— Mais cela valait la peine. Tu es belle à tomber.

— J'ai acheté des dessous affriolants, chuchota-t-elle.

Le regard de Keaton resta braqué sur son visage.

— Tes dessous sont fantastiques mais c'est toi qui comptes. Tu es bien sûre que c'est ce que tu veux ? Il n'y a pas d'attentes, pas de planning. Je peux très bien attendre.

— Je le veux. Je te veux, toi. Maintenant.

Comme s'il n'attendait que ce mot, il l'empoigna par la taille et la plaqua contre lui. Sa main libre se crispa dans ses cheveux en lui renversant la tête en arrière, gorge offerte. Il la contempla un long instant, se courba et déposa une traînée de baisers brûlants dans son cou.

Son grand corps diffusait en elle une chaleur étourdissante, le frottement de l'étoffe de sa chemise blanche sur son soutien-gorge de dentelle la rendait folle. Elle se cambra. Il devina aussitôt ce qu'elle voulait, sa main lâcha ses cheveux pour se refermer sur son sein. Elle laissa échapper une plainte rauque qu'il cueillit sur ses lèvres.

— Ta chambre ? demanda-t-il contre sa bouche.

Incapable de parler, elle lui montra la porte. Il la souleva dans ses bras, l'emporta à côté et referma le battant derrière eux d'un coup de talon. Un instant plus tard, elle sentit ses draps frais contre son dos. Un bon point pour elle pour avoir pensé à replier la couette !

Keaton s'abattit sur elle.

— Tu es trop habillée, protesta-t-elle en le repoussant des deux mains.

— Tu as raison.

Il se releva d'un bond. Instinctivement, elle tendit la main pour tirer le drap sur elle quand il secoua la tête.

— Non, ordonna-t-il d'une voix sourde en déboutonnant sa chemise.

En voyant trembler ses doigts, un sentiment inconnu s'engouffra en elle. Un sentiment de puissance ! Elle lui faisait donc tant d'effet ? Enhardie, elle se redressa sur les coudes en sachant que la position mettrait ses seins en valeur. Elle eut sa récompense en entendant le grondement rauque que laissa échapper Keaton, les yeux braqués sur sa poitrine. Ça alors ! Elle était plus douée pour la séduction qu'elle ne le croyait !

Quand il jeta sa chemise derrière lui, elle découvrit le torse le plus délectable qu'il lui ait été donné de contempler. Son cerveau se vida, et il ne resta plus dans sa tête qu'un mot en lettres de lumière : oui.

Elle était si occupée à mémoriser chaque contour du corps de Keaton qu'elle sursauta en entendant un crissement sec. Il venait de déchirer l'emballage d'un préservatif. Une fois protégé, il chuchota à son oreille :

— Quel moyen plus fabuleux de passer l'après-midi…

Instinctivement, elle écarta les cuisses pour l'accueillir. Il prit son visage entre ses paumes et, le regard rivé au sien, la pénétra d'une longue poussée souple. Elle gémit tout bas. Cet instant était si intense, si intime, et la sensation… Elle n'avait jamais imaginé que cela puisse être aussi bon.

Keaton s'immobilisa. En le sentant trembler, elle mesura la discipline qu'il s'imposait.

— Tu as… ?

Sans le laisser achever sa question, elle l'empoigna par la nuque et riva sa bouche à la sienne. D'elles-mêmes ses hanches se soulevèrent pour l'attirer plus profondément en elle. Avec un gémissement rauque, il se lâcha, et leurs deux corps ondulèrent ensemble… Ce fut comme s'ils fusionnaient en un corps unique. Elle murmura son nom dans une longue plainte… C'était trop, ce n'était pas assez, elle voulait rester dans ses bras pour toujours ! Emportés par un élan irrésistible, leurs sensations, leurs mouvements, leurs mots chuchotés se répondirent. Sans avertissement, le plaisir fondit sur elle. Cambrée, offerte, suspendue dans un feu d'artifice étincelant, il lui sembla qu'elle explosait de l'intérieur, qu'elle se dissolvait… La bouche de Keaton saisit son cri au vol. Elle le sentit tressauter, trembler, entendit son cri rauque et ébloui.

Comment avait-elle pu douter qu'avec lui, ce ne serait pas… parfait ? Il avait franchi sans même les voir les remparts dont elle s'entourait et maintenant, il ne restait plus une seule part d'elle qui ne soit pas à lui. Son corps, son cœur… Tout ce qu'elle avait vécu jusqu'ici préparait ce moment.

Lentement, elle revint à elle. Avec un grand soupir, Keaton roula sur le dos et l'attira contre lui en déployant ses boucles sur sa poitrine.

— Je n'ai pas les mots pour te dire à quel point c'était merveilleux, chuchota-t-il.

— Ces mots-là sont très bien…

Il déposa un baiser sur sa tempe.

— Tu m'as fait une peur bleue avec ton coup de fil, mais si c'est pour me faire une aussi belle surprise, tu peux recommencer quand tu voudras. Je foncerai te retrouver à l'autre bout du monde.

Alertée par une note inhabituelle dans sa voix, elle souleva la tête pour le regarder dans les yeux. Ce qu'elle y lut lui coupa le souffle : un éclair d'humour, bien sûr, mais surtout, surtout, une immense tendresse. Bouleversée, elle se rallongea sans rien dire, la tête au creux de son épaule. Elle n'osait pas y croire, mais… si c'était vrai ? S'il commençait à éprouver pour elle ce qu'elle éprouvait pour lui ?

Toute sa vie, elle avait été celle qui devait céder, s'effacer, donner davantage ; et elle avait toujours espéré mieux. Après Lou, elle s'était juré de n'accepter rien de moins qu'un véritable amour. Cet homme… ce serait Keaton ?

— Ciara devait seulement te demander de venir, expliqua-t-elle tout bas. Elle n'était pas censée te faire peur.

Il se mit à rire, un rire heureux et sensuel, et l'attira contre lui pour un long baiser.

— Chaque fois que tu voudras me faire de telles surprises, Francesca, ma toute belle, je serai à ton service.

Et il passa le reste de l'après-midi à lui montrer tout ce qu'il était prêt à faire pour lui être agréable.

13

Le lendemain matin, Keaton pensait encore à Francesca en entrant dans le restaurant où il devait rencontrer Ariana Lamonte. Il n'avait pas cessé un instant de penser à elle depuis qu'il était reparti de chez elle en début de soirée !

Il n'avait jamais rien vécu de comparable dans les bras d'une femme. Même absente, Francesca était omniprésente. Il sentait son parfum de vanille, se souvenait de ses gestes, de sa façon de rejeter la tête en arrière, de son cri très doux… Il évoluait dans une brume de désir.

Son dîner avec le promoteur du projet Austin Commons s'était terminé trop tard pour qu'il retourne la voir. Il lui avait envoyé un texto ce matin pour s'assurer qu'elle serait libre après son service. Pas question de passer encore une nuit sans la serrer dans ses bras !

Il cherchait Ariana quand son regard s'arrêta sur un homme qui se levait d'une table au fond de la salle. Il se figea ; il venait de reconnaître Gérald Robinson.

Comme s'il avait senti sa présence, son père biologique se tourna vers lui. Ses yeux froids s'écarquillèrent très légèrement mais ne trahirent aucune autre réaction. Évidemment, un *serial* adultère comme lui savait forcément maîtriser ses émotions. Ce masque poli et détaché, voilà des décennies qu'il le perfectionnait !

Keaton soutint son regard quelques secondes. Que faire, maintenant ? Lui adresser la parole ? Non, pas question. Ils avaient parlé ensemble une fois, une conversation tendue et difficile au mariage de Zoé avec Joaquin Mendoza, et il ne tenait pas à répéter l'expérience. Être obligé de reconnaître sa filiation avec cet individu qui laissait des enfants dans son sillage comme un écolier jette des emballages de bonbons, cela le révulsait.

Au bout d'un instant, Gérald inclina légèrement la tête. Ce n'était pas exactement un salut, plutôt une sorte d'accolade, comme s'il venait de le jauger et daignait lui accorder ce signe d'approbation paternelle. Keaton vit rouge et lui tourna brusquement le dos. Le visage de Francesca se présenta devant ses yeux et, cette fois, il sentit ses poings se crisper. Comment pouvait-il croire un seul instant qu'il était un homme pour elle ? Le sang de Gérald Robinson courait dans ses veines ! Au mariage de Zoé, ce père indigne lui avait dit deux phrases qui s'étaient ancrées en lui et refusaient de se laisser déloger : « Tu me fais penser à moi quand j'étais jeune. Tu me ressembles beaucoup, tu sais ? ». Une part de lui, la part du petit garçon qui voulait tant prouver sa valeur au père qui n'avait pas voulu de lui, avait ressenti un éclair de satisfaction, mais l'homme qu'il était devenu s'était cabré à la seule idée de partager quoi que ce soit avec son géniteur.

— Désolée, je suis en retard !

Il sursauta en sentant une main se poser sur son bras. Ariana Lamonte lui offrait un sourire d'excuse. Puis son expression changea, et elle demanda :

— Il y a un problème ?

Il inspira profondément et, comme dans un rêve, entendit sa propre voix lâcher d'un ton léger :

— Mais non. Nous commençons ?

De l'extérieur, il se vit lui sourire, en forçant sur le charme, et l'inviter du geste à le précéder. Elle scruta son visage encore un instant et finit par se détourner en disant :

— J'ai réservé la table d'angle. Nous serons tranquilles.

Ils traversaient la salle quand un serveur devant eux

fit volte-face trop brusquement et faillit heurter Ariana. Instinctivement, Keaton posa les mains sur les épaules de la jeune femme pour l'écarter de sa trajectoire. Gérald Robinson se dirigeait vers la sortie, et en passant devant eux, il lui décocha un sourire entendu qui retroussait un seul coin de sa bouche.

Robinson pensait qu'il était comme lui ! C'était détestable ! Il n'avait rien promis à Francesca mais il n'imaginait même pas s'intéresser à une autre !

Ce petit sourire de connivence de son père le perturba tellement qu'il entendit à peine les questions d'Ariana. En quittant le restaurant, une heure plus tard, il aurait été incapable de dire de quoi ils avaient parlé. Ariana semblait satisfaite, elle lui expliqua de nouveau que le billet passerait le vendredi sur le site, et l'article complet dans le numéro suivant du magazine.

De retour au bureau, il dut affronter la série habituelle de problèmes, répondre aux réclamations du maître d'œuvre, à celles des architectes assistants qui travaillaient sur le projet. Puis la journée se termina, et il put traverser la rue et se rendre au Chez Lola May.

En poussant la porte du petit restaurant, la première chose qu'il entendit fut le rire de Francesca. Il sourit malgré lui ; le nœud de tension dans son ventre se détendait déjà. Plusieurs habitués le saluèrent, les arômes de la cuisine maison — d'après le parfum, une tarte aux pommes sortait du four ! — firent gronder son estomac. Une fois de plus, il fut surpris de la façon dont ce lieu, ces gens s'étaient inscrits en lui. Comme s'il faisait partie du paysage, comme s'il était du quartier. Ici, au Chez Lola May, il pouvait être lui-même, tout simplement. Et quand Francesca se tourna vers lui, illuminée par son plus beau sourire, ce fut aussi bon que si la reine venait de le faire lord.

— Tu arrives tôt, dit-elle. La tarte est encore chaude.

Une émotion subite le prit à la gorge. Il secoua la tête, incapable de répondre. Ces yeux limpides et tendres couleur de caramel, ces joues qui rosissaient de le voir s'approcher... Dans un élan, il la happa dans ses bras et pressa ses lèvres sur les siennes. Autour d'eux, il y eut quelques sifflets, quelques quolibets, mais il eut surtout conscience du frémissement qui parcourait le corps de Francesca. Il souriait franchement en la lâchant.

— Désolé ! J'avais besoin de te voir.

Il n'était pas désolé du tout. Et même, il aurait voulu crier sur les toits que cette femme était à lui. Elle pressa ses doigts sur ses lèvres en secouant la tête.

— Désolé ? Je ne te crois pas. Tu as l'air trop content de toi.

— Peut-être bien. Je vais attendre que tu termines ton service.

— Merci pour les fleurs, chuchota-t-elle.

Il lui avait envoyé un bouquet de roses jaunes, ce matin. La difficulté avait été de n'en envoyer qu'un seul ! Il aurait voulu remplir son appartement de fleurs mais il sentait bien qu'il ne devait pas trop en faire. Il s'était donc contenté de demander une commande permanente : un bouquet par semaine pour les trois mois à venir. Comme cela, c'était raisonnable, non ? Il devait surtout maîtriser son envie de la gâter... Mais la gâter juste assez pour qu'elle admette qu'elle méritait de recevoir tout ce qu'elle n'avait jamais eu de la part d'un homme.

— Keaton, venez donc me voir une minute ! lança Lola May du comptoir. Notre Frannie a des clients, et moi, j'ai besoin d'un cobaye pour tester ma tarte pomme et caramel au beurre salé. La question du jour : elle sent bon mais est-ce qu'elle est bonne ?

— À vot' service ! répliqua-t-il.

Puis, à voix basse, il ajouta à l'intention de Francesca :

— À tout à l'heure. Quand je pourrai être à ton service.

La bulle de bonheur dans le cœur de Francesca ne fit que se dilater tout au long de la semaine. Elle finit par avoir l'impression de flotter au fil de ses journées sur un nuage effervescent de joie et…

Non, pas d'amour. Elle ne voulait même pas envisager ce mot… Mais plus elle s'interdisait d'y penser, plus il s'affirmait. Oh, et puis impossible de le nier plus longtemps : elle était amoureuse de Keaton ! Un amour qui lui donnait l'impression que son cœur allait éclater chaque fois qu'elle était avec lui.

Bien entendu, elle n'avait rien dit. Son cœur ne lui appartenait plus mais elle n'avait pas encore perdu la tête. Keaton aussi éprouvait quelque chose pour elle, c'était évident à chaque regard, chaque contact de sa main, mais il n'avait rien promis, rien exprimé en dehors des mots doux qu'il lui chuchotait quand il la tenait dans ses bras. Elle s'efforçait donc de rester raisonnable. Elle savait trop bien où cela menait quand elle donnait plus que ce que l'on était prêt à lui rendre. Elle refusait de revivre ce crève-cœur.

Elle cherchait à se convaincre que le présent lui suffisait. Keaton était adorable avec elle, drôle, tendre. Jamais elle n'avait imaginé se sentir aussi proche d'un amant. Elle passait toutes ses nuits chez lui. Il semblait lire en elle, sentir ce qu'elle éprouvait, ce qu'elle désirait avant qu'elle ne le sache elle-même. Chaque moment passé dans ses bras était un cadeau, et elle refusait seulement de penser que la bulle pourrait éclater un jour.

Le samedi matin, vers 10 heures, un coup frappé à la porte de son appartement l'arracha à ses réflexions. Étonnée, elle leva les yeux. Aujourd'hui, elle ne prendrait son service qu'à midi. Elle s'était faufilée hors du lit de Keaton malgré ses protestations pour rentrer chez elle travailler sur une dissertation qu'elle devait rendre la semaine suivante — comme elle ne pensait qu'à lui, elle n'avançait pas vite ! Elle sauta sur ses pieds et se hâta d'aller ouvrir en supposant que Ciara, qui venait de sortir, avait oublié sa clé une fois de plus.

— Tu n'as pas tardé à…, lança-t-elle gaiement en ouvrant la porte.

— Je savais bien que je te manquais.

Surprise, elle voulut claquer la porte mais Louis Rather, Lou le Pou en personne, repoussa le battant en riant et entra comme chez lui. Cette confiance en lui l'avait séduite, au début de leur relation. Aujourd'hui, elle la trouvait détestable.

Physiquement, il restait spectaculaire, elle ne pouvait pas le nier. Son long corps nerveux, ses cheveux châtains rejetés en arrière, son jean délavé, son maillot de corps noir moulant, le blouson de cuir qu'elle lui avait offert pour leur premier Noël… Il n'était ni aussi grand, ni aussi large que Keaton mais il maîtrisait parfaitement son look de rocker. Dire que l'idée d'apprivoiser le voyou lui avait plu, à une époque !

C'était encore plus agaçant qu'il ait justement fait irruption chez elle alors qu'elle était en pantalon de yoga et T-shirt délavé, sa tenue habituelle pour une matinée studieuse. Pas vraiment armée pour une confrontation avec son ex !

Il se dirigea droit vers la cuisine.

— Ne t'installe pas, Lou ! lança-t-elle. Tu ne restes pas.

— J'ai besoin d'un café. Et personne ne le fait comme toi. Sois gentille, dis-moi où je peux trouver une tasse.

— Dehors !

Avec un soupir de lassitude, il se mit à ouvrir les placards les uns après les autres. Il trouva les tasses, en emplit une et but une longue gorgée, confortablement adossé au plan de travail.

— Oh ! Ce que tu m'as manqué, murmura-t-il.

Il s'adressait à qui, à elle ou au café ?

— Dehors ! répéta-t-elle.

— J'ai à te parler.

Il la regarda enfin, un regard absurdement doux et suppliant. Non, il osait ? Il osait lui rejouer l'un de ces micro-moments de tendresse qui l'avaient retenue si longtemps ! Il pouvait passer une semaine à la prendre de haut, à lui parler sèchement et, tout à coup, il posait sur elle ce regard noyé d'émotion. Ou sur scène, en plein concert, il la cherchait des yeux et lui chantait droit dans les yeux l'une des rares chansons d'amour du groupe. Et chaque fois, elle y croyait. Alors même qu'elle le soupçonnait déjà de la tromper ! Stupide, elle avait été stupide, mais c'était bien fini.

— Qu'est-ce que tu veux ? lança-t-elle sèchement.

Il la dévisagea, les sourcils froncés, comme s'il se demandait pourquoi la recette habituelle ne fonctionnait pas.

— Je suis de retour à Austin jusqu'au printemps, lui apprit-il en posant sa tasse sur le plan de travail. On enregistre le prochain album ici même. Nous avons signé avec un grand producteur, Frannie. Cette fois, le label va vraiment investir. Ce sera énorme.

— Bravo. Contente pour toi. Quel rapport avec moi ?

Elle était un peu surprise de constater qu'elle trouvait la nouvelle positive. Lou était un amant horrible mais un musicien de talent, elle lui souhaitait de réussir.

En réponse à sa question, il haussa les épaules avec une grâce d'adolescent.

— Je me disais qu'on pourrait en profiter pour se voir. Comme au bon vieux temps, quand ce n'était que toi et moi.

— Toi, moi, et la petite fan que tu te faisais pendant que je m'occupais de la lessive du groupe.

— Mes vêtements n'ont plus jamais été aussi propres depuis que tu es partie, dit-il avec un beau sourire.

Elle laissa échapper une exclamation outrée.

— Sérieusement ? Tu crois me donner envie de revenir en me proposant de redevenir ta bonne ? Mais pourquoi moi ! Attends, tu n'as pas pu faire si vite le tour de tes groupies.

— C'est toi que je veux. Pas comme bonne. Tu me manques.

Le visage grave, il fit un pas vers elle.

— Cette fois, je te sortirai, c'est juré, lui assura-t-il d'une voix douce. Austin est pleine de nouveaux groupes de alt punk. On ira aux concerts ensemble.

— Je n'aime pas le alt punk.

Il la dévisagea comme s'il pensait avoir mal entendu. Un instant, sa réaction la surprit... Puis elle se demanda si elle avait jamais exprimé une opinion sincère pendant les années où ils avaient été en couple. Probablement pas.

— Mais qu'est-ce qui t'arrive ! s'exclama-t-il. Tu as changé.

— Oui. Je ne suis plus la gamine qui voulait plaire à tout le monde et qui était reconnaissante pour les miettes que tu voulais bien lui jeter. J'ai compris que je méritais mieux que ça. Davantage. Je mérite un homme qui reconnaîtra ma valeur et qui aura à cœur de me rendre heureuse.

Il s'approcha encore.

— Et tu crois l'avoir trouvé ?

— Je suis avec quelqu'un, répondit-elle d'une voix contenue. Il tient à moi. Je suis heureuse.

Lou la contempla un long instant, et finit par hocher la tête.

— Tu mérites d'être heureuse, c'est vrai. J'aurais voulu que tu me choisisses.

Elle ouvrait la bouche pour lui dire enfin tout ce qu'elle n'avait pas pu lui dire quand ils étaient ensemble, quand il ajouta :

— J'espère juste que tu ne comptes pas sur le nouveau Fortune. Le bâtard du grand gourou de l'informatique.

Elle laissa échapper un hoquet outré.

— Je t'interdis de parler de Keaton comme ça ! Comment sais-tu que...

— J'ai vu ta mère hier. Elle est d'accord avec moi, tu sais ? Tu te prépares une sacrée déception, avec lui. Je sais bien que je ne suis pas parfait mais au moins, on se connaît, tous les deux. On vient du même endroit. On va bien ensemble.

— Tu m'as trompée, gronda-t-elle, les dents serrées. Tu t'es fichu de moi. Je ne reviendrai jamais, Lou, et ma mère le sait, même si elle t'a dit le contraire. Keaton est un homme comme tu ne seras jamais. Il...

— Il a une liste de conquêtes plus longue que la queue des toilettes un soir de festival.

Il vint se camper devant elle en tirant un papier plié de la poche intérieure de son blouson.

— Je me suis renseigné sur ton prince charmant. Il a couché avec plus de filles que James Bond. Il parle peut-être mieux que moi mais il te brisera le cœur tout pareil.

— Non, murmura-t-elle.

— Vois par toi-même, chérie.

Elle saisit machinalement le papier qu'il lui glissait dans la main. Il passa devant elle en lâchant par-dessus son épaule :

— Tu as mon numéro pour quand tu retomberas sur terre, Frannie. Seulement je n'attendrai pas éternellement.

Il pourrait attendre longtemps dans les fournaises de l'enfer !

La porte claqua, et elle se retrouva seule.

Lou était un tricheur, un menteur. Elle devrait déchirer son papier sans même le lire. Keaton tenait vraiment à elle. C'était un homme bien, il ne la blesserait jamais comme Lou l'avait fait, comme son père avait blessé sa mère, comme le père de Keaton...

Ce fut la pensée de Gérald Robinson, la façon dont ses

actes avaient déterminé la vie de Keaton, qui l'empêcha de détruire le papier. Elle respira plusieurs fois pour se calmer et déplia la feuille.

Comme elle s'y attendait, elle contenait l'entretien avec Ariana Lamonte, la journaliste de *Weird Life*. Elle ne s'attendait pas du tout, en revanche, à ce que le billet se focalise sur le passé amoureux de Keaton. Pas dans un sens négatif ou diffamatoire, non. Il n'était question que de son charme légendaire, mis en valeur par les citations flatteuses d'une demi-douzaine d'anciennes petites amies. Des commentaires truffés de compliments voilés sur son habileté au lit qui s'accordaient tous pour lui décerner le titre de « celui que l'on regrette d'avoir laissé partir ». Avec cette conclusion unanime : maintenant qu'il faisait partie de la famille Fortune, sa popularité auprès de ces dames allait exploser.

Dépassée, Francesca secouait lentement la tête. Elle connaissait la filiation de Keaton, bien sûr, mais cela n'avait jamais semblé entrer en ligne de compte dans leur relation. Quand ils se voyaient, elle ne sentait jamais de différence. Tous deux avaient été élevés dans un milieu modeste par une mère isolée qui travaillait dur pour joindre les deux bouts, et cette ressemblance semblait plus importante que ce qui les séparait. Keaton se mettait en quatre pour lui être agréable, il semblait vraiment s'attacher à qui elle était plutôt qu'à son statut social. Peut-être que pour toutes ces raisons, elle avait pu ignorer les énormes disparités qui...

Elle comprit tout à coup qu'elle s'était autorisée à penser sur le long terme. À se projeter vers plus tard, quand elle aurait terminé ses études. À imaginer où la vie pourrait les emmener ensuite... ensemble.

Il ne lui avait rien promis. N'avait jamais donné la moindre indication que leur histoire était autre chose qu'une aventure passagère, le temps de mener à bien son projet à Austin. Il mentionnait ses demi-frères et sœurs mais ne parlait jamais de les lui présenter. Ses deux univers restaient bien distincts, il n'emmenait jamais les Robinson au Chez Lola May...

Ses pensées se précipitaient, la panique s'engouffrait en elle. La vérité, c'était que Keaton organisait sa vie en compartiments étanches. Ou plutôt qu'elle n'avait aucune place dans sa vie, sa vie principale. Pas plus qu'elle n'avait eu de place dans la vie de Lou.

Un sanglot étranglé lui échappa, elle lâcha le papier, le regarda tomber à ses pieds. Elle exagérait peut-être ? Faisait une montagne à partir de rien ? Oh par pitié, que tout soit dans sa tête !

Il n'y avait qu'une seule façon de le savoir.

14

Keaton s'arrêta un instant à la porte de son bureau du chantier. Une fois de plus, il sentait l'arôme étourdissant de vanille épicée qu'il associerait toujours à Francesca. Une hallucination ? Il inspira à fond en reversant la tête en arrière. La journée était fraîche mais quel beau soleil ! Il souriait en ouvrant la porte du bureau en pensant que si une température de 10° pouvait lui sembler fraîche, il devenait un vrai Texan ! La vieille au soir, sa mère lui avait parlé du grésil glacé qui noyait Londres depuis une semaine. Un temps typique de fin janvier.

— Tu l'as lu ?

Saisi, il sursauta. Francesca était là, elle l'attendait ! Il n'avait donc pas imaginé son parfum.

— Bonjour, toi !

Il se demandait déjà combien de temps ils auraient avant qu'un collègue ne vienne le déranger, et si les parois du bureau modulaire étoufferaient d'éventuels petits cris de plaisir si…

— Tu l'as lu ? répéta-t-elle.

Manifestement, elle n'était pas d'humeur aussi badine que lui, mais il n'avait jamais reculé devant la difficulté.

— Éclaire-moi ! s'écria-t-il gaiement en desserrant sa cravate. Si tu me dis plus précisément ce que j'aurais pu lire, je serai mieux à même de te répondre.

Il haussa un sourcil en ajoutant :

— Et pendant que j'y suis, cela t'ennuierait beaucoup de te déshabiller ?

Elle se leva d'un bond.

— C'est ce que je suis pour toi ? Une conquête de plus ? Quelqu'un qui te tombe dans les bras chaque fois que tu en as envie ?

Déconcerté, il leva les mains pour se défendre.

— Non ! Je te fais toutes mes excuses.

Comme elle ne réagissait pas, il lui lança un petit sourire.

— Après cette semaine et nos nuits ensemble, on pourrait croire que j'ai eu ma dose, mais je m'aperçois que mon envie de toi est encore plus puissante que mon addiction aux tartes, expliqua-t-il, se demandant ce qu'elle avait.

Ce regard sombre, cette bouche tragique... Pour la première fois, il se sentit inquiet. S'était-elle déjà lassée de lui ? Était-ce seulement possible ? Apparemment, le moment était mal choisi pour plaisanter !

— Excuse-moi, dit-il d'une voix très différente. Que voulais-tu savoir ? Si j'avais lu... ?

— Le blog.

— L'interview avec Ariana ?

Elle fit oui de la tête.

— C'est vrai, elle devait paraître aujourd'hui.

Il se laissa tomber sur son siège de bureau, ouvrit sa boîte mail et trouva un message de la journaliste avec le lien de l'article. Il cliqua, et se concentra de nouveau sur Francesca en attendant le chargement du site.

— C'est si horrible ? s'enquit-il. Elle me présente comme un vrai crétin ?

— Non, un séducteur, chuchota-t-elle comme si elle évoquait un affreux secret.

Il était au courant de sa réputation londonienne mais cet aspect de sa vie lui semblait si loin aujourd'hui ! Si différent de qui il était à Austin et avec Francesca ! Il jeta un regard impatient à l'écran qui mettait trop longtemps à afficher le blog.

— C'est ce que l'entretien fait ressortir ? demanda-t-il, soudain très inquiet.

— L'article est flatteur, précisa-t-elle de cette voix distante qu'il n'aimait pas. Ariana Lamonte était sous le charme. C'est une bonne journaliste. Il y a des citations de tes anciennes petites amies qui restent toutes envoûtées par toi. Tu charmes tout le monde, Lola May, Ciara…

Elle prit une inspiration tremblante et conclut :

— Moi.

Il bondit. Au diable ce fichu article, il le lirait plus tard. L'amertume dans la voix de Francesca pénétrait en lui comme un poison. Il se sentait à l'étroit dans sa peau.

— J'ai la nette impression que pour toi le charme, ce n'est pas une bonne chose, fit-il remarquer.

Il espérait la faire sourire mais elle secoua la tête, le regard fermé.

— Ce n'est pas une mauvaise chose, avoua-t-elle, mais… C'est réel ?

La question réveilla tous ses réflexes défensifs, dressa tous les remparts qu'il mettait entre lui et les autres. Ce qu'il éprouvait pour Francesca et la façon douce et tranquille dont elle emplissait son cœur les avaient endormis un temps mais devant cette mise en demeure, ils redressaient brusquement la tête.

— Qu'entends-tu par réel ? demanda-t-il prudemment.

— Je me demande si ton… ton affection pour moi est réelle ou si c'est seulement le jeu de l'Anglais irrésistible à la conquête d'un nouveau défi.

Elle serrait les poings, et il eut l'impression que de ses doigts fins, elle écrasait son cœur.

— Je suis ta dernière conquête en date, Keaton. Jusqu'à la prochaine ?

Sa poitrine le brûlait. Il voulait nier mais ce n'était

pas si simple parce qu'il y avait tout de même une part de vérité…

— Toutes tes ex ont un point commun, poursuivit-elle. Elles te voient comme celui qu'elles auraient bien aimé garder.

— Je ne suis pas…

— Pourquoi n'es-tu jamais resté avec une femme, Keaton ?

Il secoua brusquement la tête. Personne ne s'était jamais permis de le mettre en cause de cette façon. Ni de critiquer ses choix de vie.

— Ce n'était jamais le bon moment, répondit-il maladroitement. Jamais vraiment sérieux.

— Pour toi. Parce que tu refuses que cela le devienne. Et avec moi ?

Les parois du petit bureau semblaient se refermer sur lui. Machinalement, il plongea la main dans ses cheveux.

— Tu sais ce que je ressens pour toi, Francesca.

— Mais non. Je ne sais rien du tout. Je sais juste ce que moi je ressens pour toi.

Elle fit un pas vers lui… et s'arrêta net. Il n'avait pas pu maîtriser un mouvement instinctif de recul. Il vit l'éclair de souffrance dans ses yeux et trouva insupportable que ce soit lui qui l'ait provoqué.

— Je t'aime, dit-elle.

Une petite phrase, prononcée avec douceur et clarté, qui l'ouvrit en deux avec la précision d'un scalpel.

— Je suis amoureuse de toi. Je veux construire une vie avec toi. Je veux…

— Stop !

Il ferma les yeux en luttant pour maîtriser les émotions qui bouillonnaient en lui. Une part de lui avait terriblement envie d'entendre ces mots dans sa bouche, ces mots qui mettaient du baume à son âme solitaire. Ces semaines auprès de Francesca avaient mis fin à une vieille souffrance.

Et pourtant… Comme les bulles du champagne qui vous étourdissent une petite heure, comme les feux d'artifice qui égayent la nuit l'espace d'un instant, il savait déjà que cela ne durerait pas. Il n'était pas fait pour le genre de relation qu'elle lui demandait. Le genre de relation qu'elle désirait et qu'elle méritait. Il était le fils de Gérald Robinson. À quoi bon forcer sur le champagne, à quoi bon se laisser aller à croire trop longtemps au fantasme ? Il ne serait jamais capable de donner ce qu'il fallait à Francesca. Il leur ferait du mal à tous les deux.

— Il ne fallait pas le dire ? s'enquit-elle. Pourquoi ?

Elle était magnifique, droite et fière, la tête haute comme si elle le mettait au défi de nier son droit d'être amoureuse de lui.

— Je n'étais pas seule dans cette histoire. Ces dernières semaines comptaient pour quelque chose.

— Pas de la façon que tu voudrais.

Il se força à prononcer ces mots. Il le devait, par respect pour elle.

— Tu connais l'histoire de ma mère, Francesca. Tu sais comment mon père l'a traitée. Je ne peux pas…

— Tu n'es pas ton père.

— Je suis de son sang. Et si je deviens comme lui ?

Elle voulut protester. Il leva la main pour l'interrompre.

— C'est toi qui m'as appelé séducteur, poursuivit-il. J'aime les femmes, j'en ai connu beaucoup. Je ne peux pas m'engager parce que je refuse le risque de blesser une femme comme mon père a blessé ma mère. Si je ne promets rien, cela ne peut pas mal se terminer.

— Tu crois ?

Elle laissa échapper un rire dur. Il ne lui avait jamais vu un regard aussi brillant. Il fut troublé de comprendre que si ses yeux étincelaient, c'était sous l'effet de la colère. Il ne l'avait jamais vue en colère… Et c'était sa faute.

— Tu m'as fait des promesses avec chaque baiser,

Keaton. Chaque caresse était un engagement. Tu n'as pas dit les mots mais j'ai senti ton amour aussi clairement que si tu l'avais écrit en lettres géantes dans le ciel. Que tu puisses être là devant moi, à le nier...

Sa voix se brisa, et elle prit une inspiration tremblante. Elle ne pleurait pas mais il perçut clairement l'effort qu'elle faisait pour se maîtriser.

— Les chagrins d'amour, je connais, murmura-t-elle, mais cette fois, c'est quelque chose de plus. Tu me détruis.

Ces paroles le foudroyèrent. Lui, la faire souffrir ? C'était insupportable ! Chaque fibre de son être le poussait à se précipiter pour la prendre dans ses bras, à lui dire ce qu'elle avait tellement envie d'entendre. Il ne fit pas un geste. D'une voix dépourvue de toute émotion, il dit simplement :

— Je regrette.

Elle scruta son visage un instant, comme si elle attendait la suite de la phrase. Une suite qu'il ne pouvait pas lui donner. Enfin, elle hocha brusquement la tête.

— Alors c'est fini, chuchota-t-elle.

— Je regrette, répéta-t-il d'une voix blanche.

Que pouvait-il dire d'autre ?

Elle sortit sans un regard, sans un mot.

Il retourna vers son petit bureau en trébuchant au passage sur la corbeille à papier. Il avait déjà fait cela, un autre jour... Le jour où elle était venue le voir pour la première fois, avec une tarte...

L'article s'était affiché à l'écran. Avec l'impression bizarre que son corps entier s'était engourdi, il commença à lire. Le texte était flatteur mais il véhiculait une vérité hideuse. S'il ne pratiquait pas l'adultère systématique comme son père, il était pourtant bien le fils de Gérald Robinson. C'était parfaitement évident, et la souffrance qu'il venait d'infliger à Francesca le prouvait mieux que des mots dans un article. Cette filiation, il ne pouvait pas y échapper, pas s'en défaire, elle était dans sa chair, elle était lui-même. Il se faisait horreur. Il n'avait pas su protéger la femme qui représentait tant pour lui. En la perdant, il avait l'impression d'arracher une part de lui.

Il lui fallut beaucoup de courage, mais Francesca tint bon jusqu'à la fin de son service. Par chance, ils eurent beaucoup de monde, ce qui lui laissa peu de loisir pour contempler le désastre de sa vie. En donnant une commande à la cuisine, elle se surprit tout de même à se frotter machinalement la poitrine. Elle n'en revenait pas de ne pas y trouver un trou béant, alors que Keaton venait de lui arracher le cœur.

De l'autre côté de la salle, Ciara lui lança un sourire encourageant. Manifestement son amie, ainsi que Lola May et plusieurs habitués qui avaient assisté à l'éclosion de son amour pour Keaton, voyaient qu'elle n'était pas dans son état normal. Heureusement, personne ne chercha à lui parler. Si on l'interrogeait, elle sentait bien qu'elle s'effondrerait. Elle ne tenait pas à ajouter une humiliation publique à son chagrin !

Elle avait espéré partir discrètement mais quand elle raccrocha son tablier en début de soirée, Ciara surgit et bloqua sa retraite.

— Lola May veut te voir dans son bureau.

— Je ne peux pas, bredouilla-t-elle, à bout.

— Je ne te demande pas de me raconter mais je vois bien que c'est grave. Il ne faut pas rester toute seule, ma grande. Et moi, je suis de service jusqu'à la fermeture.

Francesca se mordit la lèvre. Elle ne voulait parler à personne de ce qui s'était passé, mais plus elle repousserait l'inévitable, plus ce serait douloureux. Elle finit par hocher la tête.

— J'y vais… Ciara ? Je veux que tu saches que je vais m'en sortir.

— Bien sûr ! confirma Ciara en la serrant sur ton cœur. On est avec toi !

Francesca rattacha sa queue-de-cheval qui se défaisait et entra, tête haute, dans le petit bureau de sa patronne.

— Assieds-toi, ma grande, lui dit Lola May de sa voix traînante sans lever les yeux de son écran d'ordinateur.

— Je vais m'en sortir, répéta Francesca d'une voix ferme, comme si le fait de répéter ce mantra suffirait à le réaliser.

— Comme je m'en suis sortie quand mon foutu mari a pris la tangente. Disparu du jour au lendemain.

— Keaton n'a pas disparu, marmonna Francesca en se laissant tomber sur le canapé usé.

— Mais il n'est pas venu ce soir. C'est une grande première.

Lola May se détourna de son écran en relevant ses lunettes sur son front.

— Il est sûrement occupé, fit remarquer Francesca.

Occupé à charmer la suivante. La seule idée lui fit si mal qu'elle laissa échapper une plainte étouffée.

— Il y aurait un rapport avec ton crétin d'ex qui a osé montrer sa petite gueule ici hier ?

Francesca haussa les épaules.

— Lou ? Mais non. Il est bien venu me voir mais je n'avais rien à lui dire.

— Et Keaton ?

— Finalement, il ne se passait pas grand-chose entre nous.

Cette fois, elle ne put retenir ses larmes. Elles roulèrent sur ses joues brûlantes. Elle les essuya maladroitement en bredouillant :

— C'était couru d'avance. Si cela devait se terminer, autant que ce soit tout de suite.

— Couru d'avance ? Pourquoi ? s'enquit Lola May en haussant les sourcils. Et pourquoi tout de suite ?

— Parce que maintenant, je ne suis qu'un peu amoureuse.

Sa voix grinçait, douloureuse. Elle serra les poings si fort que ses ongles lui firent mal aux paumes — une petite douleur qui l'aida à se maîtriser.

— Plus tard, j'aurais été plus amoureuse, et alors…

— Oh ma grande…

La tendresse de ces trois petits mots rompit la digue. Elle se couvrit le visage de ses mains et s'abandonna à la pire crise de larmes de toute son existence, avec des sanglots rauques qui la secouaient de la tête aux pieds.

Lola May se précipita et l'attira doucement dans une étreinte parfumée au Shalimar.

— Ce n'est pas v-vrai, hoqueta Francesca quand elle put parler. Je ne l'aime pas juste un peu, Lola May ! Je l'aime de tout… tout ce que je suis !

— Je sais, ma belle, murmura tendrement sa patronne. Et tu as le cœur le plus grand, le plus généreux de tout le Texas.

— Mais comment j'ai pu refaire la même bêtise !

Elle se blottit contre Lola May en sanglotant de plus belle.

— Pourquoi est-ce que je choisis des hommes qui m'en donnent juste assez pour m'enfoncer ? Ce n'est pas comme si j'avais envie d'avoir mal !

— Keaton n'est pas comme Lou, dit fermement Lola May.

— Je le croyais aussi. Et puis j'ái lu cet article…

— L'interview de *Weird Life* ?

Un peu calmée, Francesca se redressa.

— Oui, répondit-elle d'une petite voix désolée. Il a eu des hordes de petites copines, et elles avaient toutes des noms classe et britanniques. Il y avait même des comtesses et des ladies ! Elles étaient toutes plus belles les unes que les autres. Comme si j'étais à la hauteur...

D'un geste très doux, Lola May lui essuya les joues.

— Ne va pas te comparer avec des ladies. Je n'ai jamais eu l'impression que Keaton te le demandait.

— J'ai cru que j'étais à part, avoua-t-elle, piteuse. J'ai cru que je comptais pour lui. Je suis le genre de fille qui embrasse des grenouilles en croyant qu'elles vont se transformer en prince. Ce n'est pas comme ça dans la vraie vie.

— Je ne sais pas ce qui a fait fuir Keaton mais ce garçon était fou de toi. Ça se voyait comme le nez au milieu de la figure.

Francesca secoua la tête avec lassitude. Fou d'elle ? La froideur avec laquelle il l'avait renvoyée... Cela lui faisait plus mal que tout le reste, elle n'arriverait jamais à s'en remettre. Pourtant, elle n'avait pas imaginé la tendresse, la confiance entre eux, les petits gestes... Mais oui, c'était bien réel ! Malgré la peine qu'il venait de lui faire, elle ne renoncerait jamais à cette conviction : c'était bien réel. Mais cela ne changeait rien au résultat. Elle se retrouvait seule. Une fois de plus.

— En fait, je n'étais pas assez bien pour lui, murmura-t-elle, vaincue.

Le vieux refrain, le refrain lamentable de son existence.

Lola May la toisa, outrée.

— Tu es assez bien pour n'importe qui ! Et un homme qui n'est pas capable de le voir ne te mérite pas !

15

— Je t'avais bien dit que « môssieur » Fortune te plaquerait. Les femmes comme nous ne sont pas assez élégantes et sophistiquées pour les hommes comme lui.

Francesca réprima un rire amer. Lola May avait parlé avec beaucoup de conviction hier soir, et sa mère faisait de même, mais avec un tout autre discours.

— Je ne suis pas venue parler de Keaton, dit-elle.

Sa mère s'adossa au plan de travail, les bras croisés.

— Je vois bien que tu as de la peine. Tu as la figure rouge et gonflée comme si tu avais passé toute la nuit à pleurer.

Pas à pleurer, non. Incapable de dormir, elle avait passé la plus grande partie de la nuit à regarder des téléfilms, blottie avec Ciara sur le canapé. Plutôt que répondre, elle préféra passer à l'attaque.

— Tu as parlé à Lou de Keaton et moi.

Les minces sourcils de sa mère se haussèrent.

— Louis fait quasiment partie de la famille. Il se fait du souci pour toi.

— Lou ne se fait du souci que pour lui. Il n'a jamais pensé qu'à lui.

— Il a fait des erreurs mais il regrette sincèrement, Frannie. Mon instinct me dit qu'il a vraiment changé.

Un nouveau rire se bloqua dans la gorge de Francesca. Son instinct ! Sa mère avait l'instinct d'un pilote kamikaze. Surtout du côté des hommes !

— Maman, Lou et moi, c'est fini.

— Il sait qui tu es vraiment. Son groupe est en train de percer, il va avoir besoin de quelqu'un près de lui pour le soutenir.

— Pour s'occuper de l'intendance. S'il perce, il pourra s'offrir une bonne.

— Oh ! Frannie, en amour, il faut savoir faire des sacrifices.

— Pas si c'est le sacrifice de son respect de soi.

— Tu croyais que ce serait mieux avec « môssieur » Fortune ? Avec son accent bon chic bon genre et ses fausses promesses ?

Francesca se leva en retenant un soupir. Il était inutile de discuter avec sa mère ; elles vivaient sur deux planètes différentes.

— Il ne m'a fait aucune promesse, murmura-t-elle.

Pas en paroles mais, cœur à cœur, il lui en avait fait des milliers !

Elle vint prendre les mains de sa mère.

— Nous valons la peine, maman. Toutes les deux, telles que nous sommes.

Le regard de sa mère s'adoucit un instant, et Francesca y lut la douleur d'une vie décevante. Elle ne voulait pas vivre cela ! Elle voulait vivre, tout simplement.

— Telles que nous sommes, répéta sa mère dans un soupir. Tu es quelqu'un de sage, Frannie. Tu ne tiens sûrement pas ça de moi.

— Je ne suis pas encore quelqu'un de sage, répondit-elle fermement, mais j'y travaille.

— Je ne sais même pas ce que je fais ici !

Une semaine s'était écoulée. Keaton était assis dans la salle d'attente de la maternité de l'hôpital d'Austin et quelque part à l'étage, Ella, la femme de Ben, était en train d'accoucher.

— Bien sûr que si, répliqua sa demi-sœur Olivia.

Incapable de tenir en place, elle allait et venait dans la petite salle.

— Si tu n'étais pas là, ce serait ma main que Sophie écraserait, ajouta-t-elle. Je tiens trop à mes phalanges !

Sophie, la benjamine de ses demi-sœurs, eut un sourire penaud et relâcha — très légèrement — son emprise sur la main de Keaton. Installée à côté de lui sur l'un des fauteuils de la salle d'attente, elle chuchota :

— Désolée. Je craque.

— Pas de problème, lui assura-t-il en couvrant sa petite main de la sienne. Je supporte. Au moins, j'ai l'impression de me rendre utile.

— La famille n'a pas besoin de se rendre utile, rétorqua-t-elle. Elle a juste à être là.

La famille ? Oui, bien sûr. Les enfants Fortune et Robinson étaient bien sa famille. Ses frères et sœurs.

— Tu dois le dire ! lança Olivia en se plantant devant lui.

— Dire quoi ? demanda-t-il, perplexe.

— Que tu te sens à ta place, ici avec nous.

— D'accord, j'apprécie que vous me fassiez une place, admit-il en lui décochant un sourire. Mais les bébés, ce n'est pas mon fort.

Les yeux bruns d'Olivia se plissèrent, autoritaires.

— Raté. Essaie encore.

— Oh ! Dis-le, renchérit Sophie. Une fois qu'Olivia a une idée en tête…

Aïe ! Ces mots tout simples finissaient par prendre des allures d'engagement pour la vie. Le genre d'engagement qu'il ne se sentait pas du tout prêt à formuler. Il voulut esquiver d'une plaisanterie.

— Ce ne serait pas plus facile de se piquer le doigt et

mêler notre sang en nous jurant une loyauté éternelle ?
demanda-t-il.

Il essayait encore de jouer du charme tant vanté dans son
profil de la série *Se faire un Fortune*. Malheureusement,
ses sœurs semblaient immunisées.

— Dis-le ! lancèrent-elles en chœur.

Bon, son charme n'opérait pas. Pas plus qu'il n'avait
impressionné Francesca… Il s'éclaircit la gorge.

— Je me sens à ma place ici, dit-il enfin.

Olivia lui décocha un regard rayonnant, Sophie poussa
une exclamation de joie. Il ne put s'empêcher de leur sourire.

— Vous avez toujours réussi à avoir ce que vous
vouliez, toutes les deux ?

— Bien sûr que oui ! Et avant qu'elles se marient, nous
avions aussi Rachel et Zoé dans notre camp.

— Une force irrésistible ! reconnut-il, très sérieux.

— À notre décharge, précisa Sophie, nous devions
supporter Ben, Wes, Kieran et Graham. Le fait de grandir
avec quatre frères nous a peut-être rendus un peu autoritaires. Ce qui est normal. Il fallait bien nous défendre !

Keaton s'efforça d'imaginer quel effet cela pouvait faire
de grandir au milieu d'une famille aussi nombreuse…
Qui serait-il aujourd'hui s'il avait connu son père ? Une
vague de gratitude se gonfla en lui pour sa mère qui avait
tant sacrifié pour lui. La blessure que lui avait infligée
Gérald Robinson ne l'avait jamais empêchée d'aimer son
fils, même quand il s'était mis à ressembler à son amant
en grandissant.

— Maintenant, toi aussi tu as des chipies insupportables
en guise de sœurs, conclut Olivia en se laissant tomber sur
le siège à côté de lui. Alors explique-nous ton problème !

— Comment, mais quel…

— Il t'est bien arrivé quelque chose, non ? insista-t-elle
doucement. Ben dit que tu avais l'air très heureux, la
dernière fois que vous avez déjeuné ensemble. Il pensait

que tu avais rencontré quelqu'un. Et maintenant tu es triste à mourir.

Sophie approuva vivement de la tête et serra de nouveau sa main — mais cette fois, c'était pour le réconforter.

— Vous vous êtes disputés ?

Keaton tira le col de sa chemise qui lui semblait tout à coup trop serré. Pourquoi, mais pourquoi avait-il souhaité avoir des frères et sœurs ?

Sophie sembla lire dans ses pensées car elle lança :

— Tu ne peux plus te débarrasser de nous, maintenant ! Et tant que Ben ne franchira pas cette porte pour nous annoncer la naissance du bébé, nous ne lâcherons pas le morceau.

Keaton jeta un regard douloureux vers la porte… Mais Ben ne parut pas.

— Il y avait bien quelqu'un, avoua-t-il. Mais j'ai tout gâché, et elle ne veut plus me voir. Fin de l'histoire.

— C'était bien essayé, reconnut Sophie en le poussant gentiment de l'épaule. Et maintenant, les détails !

— Elle est d'ici, d'Austin, répondit-il.

Le beau sourire de Francesca remplit aussitôt ses pensées.

— Elle est serveuse dans un petit restaurant près du chantier. Elle mène ses études de front avec son travail et elle est l'être le plus courageux, le plus déterminé que j'aie jamais rencontré. Elle ne baisse jamais les bras, elle reste positive. Non seulement elle est belle à tomber mais elle est belle aussi à l'intérieur. Chaque moment que j'ai passé avec elle était parfait. Peu importe ce que nous faisions. Avec elle, les moindres choses étaient stupéfiantes.

Gêné d'en avoir trop dit, il laissa échapper un petit rire tremblant.

Sophie et Olivia le contemplaient comme s'il avait perdu la tête.

— Je parlais surtout du détail de comment tout s'était

terminé, précisa Sophie. Et maintenant je comprends de moins en moins parce que tu es clairement…

— Amoureux fou d'elle, compléta Olivia.

Instinctivement, il hocha la tête.

— C'est tout le problème, marmonna-t-il. Je ne peux pas l'aimer. Je ne peux pas m'engager auprès d'une femme.

— Pourquoi ? demanda Sophie, outrée. Tu as déjà une épouse planquée quelque part dans un château en ruines ?

— En ruines ? Quelqu'un lit les sœurs Brontë ?

— Ne l'écoute pas, lui conseilla Olivia. Oublie ses lectures. Elle est beaucoup trop romantique.

— On n'est jamais trop romantique ! s'exclama Sophie sur un ton théâtral.

Olivia leva les yeux au ciel, et revint à la question qui l'intéressait vraiment.

— C'était une petite dispute ou la version royale de luxe ?

— Royale, confirma Keaton. Elle a lu l'interview d'Ariana Lamonte, et les citations de mes ex lui ont mis la puce à l'oreille. Elle a voulu s'assurer que c'était différent entre nous. Que j'étais différent, moi.

— Et ?

— Et j'ai répondu comme l'authentique crétin que je suis. Que je ne pouvais pas être différent, et qu'elle ne devait pas m'aimer. Je viens seulement d'apprendre de qui je suis le fils et je trouve que je lui ressemble déjà beaucoup trop.

Comme Olivia ouvrait la bouche, une lueur martiale dans l'œil, il leva la main pour l'interrompre.

— Non, attends, je serais incapable de la tromper, mais je lui ferai sûrement de la peine.

— Je dirais que c'est déjà fait, murmura Sophie.

Il inspira brusquement. Une pression subite lui écrasait la poitrine. Il aurait blessé Francesca… De peur de la blesser ?

— Je ne voulais pas que tout se termine comme cela ! lança-t-il.

Les sourcils délicats de Sophie se froncèrent.

— Mais tu comptais tout même que cela se termine ?

— C'était obligé, marmonna-t-il en plongeant les mains dans ses cheveux. Je ne suis pas l'homme que Francesca mérite.

— Parce que tu ne tiens pas à elle ? s'enquit Olivia. Ou parce que tu es un lâche ?

— Je tiens à elle.

Au regard de sa sœur, il voyait bien que cela faisait de lui un lâche. Elle se trompait ! Il n'était pas lâche, juste réaliste, avec un solide instinct de conservation. Rien de plus… Mais rien de moins.

— Tu n'es pas notre père, lui assura Sophie avec une douceur qui le bouleversa. Je sais que c'est difficile pour toi. Crois-moi, la croissance exponentielle de notre famille n'a pas été simple pour nous non plus, mais tu ne peux pas laisser le comportement de notre père te dicter tes rapports avec les femmes.

— C'est déjà fait.

En fin de compte, le qualificatif de lâche n'était pas si faux.

Olivia secoua la tête, catégorique.

— Rien ne t'empêche de sortir de son ombre. Regarde Ben, Wes et Graham. Ils ont trouvé des femmes qui valaient largement la peine de mettre leur cœur dans l'aventure. Ils ont osé et ils les ont gagnées. Tu peux en faire autant ! Tu trouveras la femme pour toi, et…

— Il l'a trouvée ! s'écria Sophie en se levant d'un bond. Keaton, secoue-toi ! Maintenant, il faut te battre pour elle. Il faut l'obliger à t'aimer !

Elle ouvrit les bras en s'exclamant :

— Il faut faire un grand geste !

Elle était si craquante que Keaton ne put s'empêcher de sourire.

— Tu crois ça, toi ?

— Ne l'écoute pas, intervint Olivia. C'est encore son romantisme.

— Faux ! Archi faux ! rétorqua Sophie. Zoé a bien obligé Joaquin à tomber amoureux d'elle, et ils sont heureux comme des porcelets sous la mère. On peut très bien forcer quelqu'un à vous aimer.

Un doigt impératif braqué sur lui, elle précisa :

— Et il a un avantage : sa Francesca lui a déjà dit qu'elle l'aimait. Maintenant, il n'a plus qu'à la convaincre de lui donner encore une chance.

Sa Francesca… La femme adorable qui s'était glissée dans son cœur, près de lui au quotidien… Cette vision ébranla toutes ses certitudes. Son cœur vacilla, un vertige s'empara de lui ; son univers entier changeait ses appuis, ou plutôt il s'éparpillait et retombait dans une configuration nouvelle. Il… Mais oui, bien sûr qu'il l'aimait ! Pour l'amour du ciel, il l'avait aimé quasiment à l'instant où il l'avait vue ! Et oui, il était un lâche, le pire des lâches de laisser ses doutes saper leurs chances de bonheur.

— Je ne sais pas si c'est possible, dit-il d'une voix blanche. Encore une chance… J'ai appelé, envoyé des textos. J'ai essayé de lui faire mes excuses. Elle ne répond jamais.

Sophie s'accroupit devant lui, attendit d'avoir bien capté son regard et articula en détachant bien ses syllabes :

— Le… grand… geste…

Il ouvrait la bouche pour lui répondre quand la porte de la salle d'attente s'ouvrit à la volée et Ben parut, le visage illuminé d'une joie extraordinaire. Ses deux sœurs se précipitèrent vers lui.

— Elle est là ! cria-t-il. Notre petite Lacey est entrée en scène et elle est parfaite !

Sophie poussa un piaillement de joie.

— Et Ella ?

— Elle a tout supporté comme un petit soldat, répondit Ben avec tendresse. Je n'ai pas les mots pour dire combien elle est époustouflante… Ma femme, c'est mon héros.

Olivia le serra très fort dans ses bras.

— Et le bébé ? Elle ressemble à qui ? Elle a déjà cette odeur fabuleuse de bébé ?

— Elle a des cheveux ? demanda Sophie.

Ben les serra toutes deux contre lui en riant.

— Venez la voir. Ils viennent d'installer Ella dans sa chambre avec la petite. Elle m'a envoyé vous chercher.

Sophie sautait littéralement sur place.

— Allons-y ! Vite !

Elle se précipita vers l'énorme pile de cadeaux qu'elles avaient posée dans un coin de la pièce.

— Keaton, tu m'aides !

— Je devrais vous laisser entre vous, répondit-il en se levant. Je repasserai plus tard et…

Ben braqua sur lui un doigt impératif.

— Tu ne peux pas me laisser seul avec quatre femmes. Il y a sûrement une règle dans le code des Frangins.

— Je ne sais pas si le code s'applique aux nouveau-nés, protesta-t-il faiblement.

Il capitula, prit les sacs et les boîtes que Sophie empilait dans ses bras et suivit le groupe dans le couloir.

En voyant Ella assise dans son lit, son petit paquet de bonheur dans les bras, une douleur brutale lui transperça la poitrine. Il ne s'était jamais vu en papa. Pour lui, les bébés se résumaient à des couches sales et des hurlements sordides, mais le tableau que représentait Ella, ce rayonnement, ses beaux cheveux auburn et ses yeux bleu vif sur fond d'oreiller blanc de neige ! Elle tenait la petite Lacey comme si sa vie entière n'avait été qu'une préparation pour cet instant. Il ne put s'empêcher de se demander quel visage aurait Francesca, leur bébé dans les bras… Avec ce mélange d'énergie et de douceur qui n'appartenait qu'à elle, elle ferait une maman… fabuleuse. Avec elle, chaque jour serait une aventure. Il se souvint une fois de plus de combien sa mère avait dû travailler dur pour l'élever, lui offrir ses études… et comprit tout à coup qu'il ne ressemblait en rien à son père.

Cela ne posait aucun problème à Gérald Robinson de laisser derrière lui un sillage de cœurs brisés et d'enfants abandonnés. Mais lui, si jamais il devenait papa, il lutterait de toutes ses forces pour être le meilleur papa possible. Il ferait en sorte que son enfant sache que sa maman était aimée, chérie, et qu'elle le serait toute sa vie.

Le cœur battant, la tête vide, il resta paralysé, ébloui par cette révélation : rien ne l'obligeait à être comme son père. Il pouvait choisir. Choisir d'être un homme qui mériterait une femme comme Francesca.

À cet instant, Sophie se tourna vers lui et leurs regards se croisèrent. Elle lui lança un clin d'œil et articula en silence :

— Le grand geste !

Il approuva d'un signe de tête. Les rouages tournaient déjà dans sa tête pour trouver l'idée du siècle.

16

Avant de pouvoir foncer au grand galop auprès de Francesca pour occire le dragon qu'il avait lui-même créé, Keaton voulait être certain qu'il ne faisait pas fausse route. En quittant l'hôpital en début d'après-midi, il passa à son bureau à Austin Commons, s'assura qu'aucun problème n'exigeait son attention immédiate et rentra chez lui.

En passant devant le Chez Lola May, il leva les yeux vers les fenêtres de l'appartement du premier. Où était Francesca en ce moment ? Au travail, en cours, chez elle ? Que se passerait-il s'il montait tout de suite ? Il aurait voulu savoir si elle pensait à lui ; si elle se consumait d'amour pour lui comme il se consumait pour elle. Sophie avait beau dire, pouvait-on vraiment amener quelqu'un à vous aimer ? Ou dans son cas, à vous aimer de nouveau ? L'instant où elle lui avait tourné le dos le hantait.

L'espoir qui s'était emparé de lui à la maternité retomba vite dans le silence de son appartement désert. Sans l'énergie de ses sœurs, sans leurs encouragements, tous ses doutes refirent surface. Il tira les stores, s'installa sur le canapé. Seule la lueur de son portable ultraplat éclairait la pièce tandis qu'il lisait et relisait l'interview de *Weird Life*.

N'était-il rien de plus que l'homme que décrivaient ses ex, prévenant, charmant, mais finalement trop immature pour s'engager ? Tout juste capable de partager quelques mois de *fun* avec une femme ? En se regardant en face, sans concession, pour la première fois de sa vie, il découvrirait peut-être que quelque chose en lui était brisé, déformé par son enfance sans père. Par le fait de découvrir que l'homme qu'il avait toujours voulu impressionner n'avait ni cœur ni sens éthique.

Il rabattit sèchement l'écran de son ordinateur et prit le téléphone portable jeté sur le coussin près de lui. Sa mère décrocha à la première sonnerie.

— Keaton, je suis contente de t'entendre ! Tout va bien ?

— Très bien !

Puis il inspira à fond et reprit, un ton plus bas :

— Non, maman, en fait, ça ne va pas du tout. Je suis désolé d'appeler aussi tard.

Avec le décalage horaire, il était plus de 22 heures à Londres.

— Tu sais que tu peux appeler chaque fois que tu as besoin de moi, mon chéri.

— Je le sais, murmura-t-il.

— Que se passe-t-il, mon grand ? Il est arrivé quelque chose ? C'est en rapport avec les Fortune ?

— La femme de Ben vient d'avoir un bébé.

Comme elle se taisait, surprise, il ajouta :

— Elle s'appelle Lacey. Elle est minuscule, absolument parfaite. J'attendais à la maternité avec Sophie et Olivia et je l'ai vue juste après la naissance.

Sa mère se mit à rire.

— Je n'arrive même pas à imaginer la scène ! s'exclama-t-elle. Les bébés n'ont jamais été ton fort. Tu l'as prise dans tes bras ?

— Oui. Avec brio, je tiens à le préciser.

— L'Amérique te change, lui fit remarquer sa mère avec tendresse. Je crois qu'elle te fait du bien.

— Je n'en suis pas si sûr. C'est pour cela que je t'appelle. Parle-moi de ton histoire avec Gérald Robinson. Je t'en prie, maman. J'ai besoin de savoir ce qui t'a attiré chez lui.

Un grand silence s'installa sur la ligne. Sa mère avait

très rarement évoqué l'homme qui était passé dans sa vie comme un météore pour la quitter aussitôt, seule et enceinte. Même quand Ben avait contacté Keaton, l'année précédente, même en apprenant son lien de parenté avec les Fortune, elle était restée obstinément muette.

— J'étais quelqu'un d'autre à l'époque, dit-elle enfin. J'étais jeune, immature, je débarquais de ma province du Hampshire. Rien n'aurait pu me préparer pour Londres. Le rythme, l'énergie, le... la folie ambiante. Tout me semblait neuf, sans limites. Je suis gênée de dire que je me suis un peu... égarée.

— Et Gérald Robinson en a profité.

Il ne cherchait même pas à cacher l'amertume de sa voix. L'idée de sa mère en jeune fille étourdie par les lumières de la grande ville, la proie idéale pour un homme comme son père... Ce tableau le mettait hors de lui.

— Oui, peut-être, admit-elle à contrecœur. Mais j'avais envie de lui, tu sais ? Il avait une aura de... de puissance, un charisme irrésistible. Il représentait tout ce que je trouvais excitant et nouveau à Londres. Voilà, c'est exactement ça. Tout cela, incarné dans un homme.

Il l'entendit inspirer longuement, puis elle reprit :

— Je l'ai rencontré au bureau. Je faisais de l'intérim, j'étais à l'accueil. Je n'en revenais pas qu'un homme comme lui me remarque. Je crois bien que je suis tombée amoureuse au premier regard. Rien n'aurait pu me retenir, Keaton. Je n'ai pas hésité un seul instant, je ne me suis pas demandé où je mettais les pieds. Je me suis jetée du haut de la falaise sans prendre de parachute.

— C'était à lui de te cueillir au vol.

— Ce n'était pas dans ses cordes.

La façon dont elle chuchota cela lui fit comme un élancement dans la poitrine. C'était exactement le genre d'indifférence innée qu'il redoutait d'avoir hérité de son père.

— Nous n'avons été ensemble que très peu de temps, conclut sa mère. Il ne m'a jamais rien promis.

Comme lui, qui n'avait rien promis à Francesca… Son cœur se serra encore davantage.

— C'est uniquement quand j'ai compris que j'étais enceinte que j'ai su qu'il avait une femme aux États-Unis. Ce n'était même pas qu'il ait cherché à me le cacher. Je n'imaginais pas qu'un homme puisse me donner autant alors qu'il appartenait à une autre.

— Je suis désolé, maman…

Il aurait voulu n'avoir jamais posé la question ; les réponses le brûlaient de l'intérieur.

— Ne sois pas désolé, répliqua-t-elle fermement. La vérité, c'est qu'il a droit à toute ma reconnaissance puisque le résultat de notre histoire, c'est toi. Ta venue a tout compensé.

— Mais il t'a brisé le cœur, murmura-t-il douloureusement. Il t'a brisée, toi.

— Mais non, mon grand, répondit-elle avec beaucoup d'émotion. Il m'a changée, c'est vrai. Il m'a obligée à mûrir plus vite. Par certains côtés, je suis plus forte de l'avoir rencontré. C'est le fait d'être ta mère qui a fait de moi la femme que je suis aujourd'hui.

Il réprima un soupir. Cherchait-elle encore à le protéger ? C'était terrible de la pousser dans ses retranchements mais il avait besoin de savoir toute la vérité. Son avenir avec Francesca en dépendait.

— Tu n'es plus jamais sortie avec un homme. Tu n'as jamais eu d'autre amour. Ça me rend fou de savoir que tu as passé ta vie toute seule à cause de moi et de Gérald Robinson.

Un petit bruit résonna à son oreille. Sa mère riait ? Oui, ce n'était pas des parasites sur la ligne : sa mère riait tout bas.

— Keaton, tu crois vraiment être au courant de tout ce

que j'ai fait à chaque minute de ma vie ? Tu crois qu'une mère raconte ses rendez-vous galants à son petit garçon ?

— Il n'y a pas eu de rendez-vous, protesta-t-il en s'étranglant un peu sur le dernier mot. Je l'aurais… su.

— Cela ne te regardait pas, mon grand. Tu es toujours passé en premier mais tu n'as pas été mon seul… centre d'intérêt.

Il mit un instant à saisir ce qu'elle venait de lui dire.

— Tu veux dire que tu…

— J'ai eu quelques amoureux, oui. Rien de sérieux tant que tu étais petit. Je t'élevais, j'avais mes emplois, je ne sais pas où j'aurais trouvé le temps et l'énergie pour…

— D'accord !

Pas question d'évoquer plus précisément la vie sexuelle de sa mère ! Elle rit de nouveau et poursuivit, plus détendue cette fois :

— Il y a eu des hommes, oui. J'étais une maman avant tout mais je n'ai jamais cessé d'être une femme. Et maintenant…

— Oui ? Maintenant ?

— J'ai rencontré quelqu'un, avoua-t-elle d'une voix juvénile qu'il ne lui connaissait pas. Il s'appelle Bertram Morgan. Il habite tout près, nous prenons le même bus le matin. Sa femme est morte il y a quelques années, ses enfants ont leur vie, comme toi. Nous sortons ensemble depuis quelques mois. C'était trop nouveau pour que je t'en parle mais…

Elle s'interrompit un instant et conclut d'une traite :

— Je suis amoureuse. Après tout ce temps, j'ai enfin trouvé l'amour de ma vie.

Il ne sut pas exactement ce qu'il avait marmonné mais elle protesta, avec un très joli rire de jeune fille :

— Quel vocabulaire ! J'espère que ce ne sera pas tout ce que tu trouveras à me dire ?

— Bien sûr que non ! Je suis heureux pour toi ! Fou

de joie, en fait. Maman, tu mérites… tout le bonheur possible. J'espère seulement que ce Bertram mesure sa chance. S'il s'avise de…

— Il mesure sa chance, crois-moi !

Il y eut de nouveau un silence.

Cette nouvelle, ce retournement radical de sa réalité intime le laissait absolument sidéré. Il avait toujours porté le fardeau de savoir que sa seule présence avait gâché les chances de bonheur de sa mère. Mais elle… Elle n'avait pas laissé la trahison de Gérald Robinson détruire sa vie amoureuse !

— Je suis toujours ta mère, mon chéri. Je veux que tu sois heureux, toi aussi. L'amour… C'est magique, tu sais, quand on trouve la bonne personne ! Mais je crois que tu es déjà au courant. Dès que tu as commencé à parler de ton amie, la serveuse, j'ai compris qu'elle comptait pour toi.

— Tu ne te doutes pas à quel point, murmura-t-il. Francesca est la femme la plus extraordinaire… Oh maman, j'ai fait une bourde monumentale…

— Keaton, non, je ne te crois pas. Les femmes sont toujours venues vers toi. Tout va s'arranger.

— Je n'ai jamais tenu à une femme comme je tiens à elle. Je l'ai blessée, profondément. Tu savais, toi, à quel point l'amour pouvait vous rendre stupide ?

— Oui, bien sûr. La question, maintenant, c'est de savoir comment tu vas réussir à te racheter.

— Je doute qu'elle puisse encore me faire confiance.

— Il faut essayer ! Si ton bonheur est en jeu…

Il ne savait même pas s'il méritait encore d'être heureux mais il se sentait prêt, maintenant, à se battre pour son amour.

— Un grand geste, marmonna-t-il.

— Pardon ?

— Sophie m'a dit que je devais faire un grand geste pour convaincre Francesca que j'ai changé. Pour la reconquérir.

— C'est une bonne idée. Tu es intelligent et créatif, tu trouveras sûrement une idée mais… Ne te fie pas trop à une mise en scène. Moi, je dirais que cette Francesca est surtout tombée amoureuse de ton cœur, mon grand. Ce cœur charmant que tu caches comme les joyaux de la couronne à la tour de Londres. Montre-lui ton cœur, mon chéri.

Il y eut un silence, puis il murmura « Merci, maman », avant de raccrocher.

L'idée de Sophie lui semblait beaucoup moins difficile que ce que lui avait suggéré sa mère. Montrer son cœur ? C'était terrifiant, il ne savait même pas comment s'y prendre ! En même temps, quel réconfort de savoir que sa mère avait recollé son cœur brisé ! Non seulement cela, mais elle osait aujourd'hui l'offrir à un homme. Francesca aussi avait eu le grand courage de lui déclarer son amour. Quand il pensait à sa réaction, à la blessure qu'il lui avait infligée… Fébrile, il se frotta la nuque. Comment se racheter ? Était-ce seulement possible ?

Il sauta sur ses pieds, se dirigea à grands pas vers la fenêtre et releva le store. En bas, un couple âgé traversait la rue. Il vit l'homme prendre le bras de son épouse, guider ses pas avec la tendresse d'une longue vie à deux. Il n'avait jamais côtoyé de couple de ce genre, mais c'était ce dont il rêvait aujourd'hui. Sans qu'il sache quand ni comment, l'amour était devenu pour lui un besoin viscéral. Et une seule femme pouvait y répondre.

— Ton service est terminé depuis une heure, dit Lola May en poussant gentiment Francesca vers la sortie. File, rentre chez toi !

Francesca saisit deux assiettes au sas de la cuisine et les déposa devant les deux clients installés au long comptoir du restaurant. Ernie et Frank étaient des habitués qui déjeunaient ensemble au Chez Lola May au moins quatre fois par semaine. Tous deux frôlaient les soixante-dix ans. Ernie était divorcé, Frank vieux célibataire. Ils ressemblaient à un vieux couple, et le restaurant était devenu, avec le temps, le pivot de leur existence.

La douleur sourde surgit de nouveau dans sa poitrine. Elle se vit ici dans quarante ans, tournant sur une petite orbite mesquine... Résolument, elle repoussa cette vision et décocha un sourire affectueux aux deux vieux messieurs.

— Bon appétit ! Ernie, je vous apporte la sauce pour vos frites.

Le visage noueux du vieil homme se plissa dans un large sourire.

— C'est pour ça que je t'aime, Frannie. Tu sais ce que je veux sans que j'aie à le demander !

Quelqu'un au moins la trouvait digne d'amour ! En ouvrant le petit réfrigérateur des condiments, elle sentit le regard de Lola May peser sur elle. Elle détourna les yeux.

Depuis sa rupture avec Keaton, la semaine précédente, elle passait tous ses moments de liberté au restaurant. Même quand la salle était presque vide, elle trouvait toujours à s'occuper. Toutes les bouteilles de ketchup et toutes les salières étaient remplies, les porte-serviettes débordaient, le sol était récuré à blanc. Elle préférait mille fois trimer aux tâches les plus ingrates que se morfondre toute seule à l'étage. Ciara lui tenait compagnie autant que possible mais Francesca n'avait envie ni de la réquisitionner pour elle, ni de se traîner dans le sillage endiablé de ses amis !

Elle posa sa coupelle de sauce sur le comptoir, ajouta du thé glacé dans les verres des deux vieux amis et jeta un regard circulaire à la salle. Un autre client avait-il besoin de quelque chose ? Elle se retournait pour remplir un pichet d'eau glacée quand Lola May s'interposa.

— Francesca. Regarde-moi.

Elle se mordit la lèvre, et finit par lever les yeux.

— Tu ne peux pas rester ici toute la journée, ma belle.

— Mais si, chuchota-t-elle. Je ne veux pas monter là-haut toute seule. Ciara est sortie avec ses copains.

— Alors va les retrouver.

— Je casse l'ambiance. Ciara m'invite à toutes leurs sorties mais je vois bien que je ne suis pas sur la même longueur d'onde. Je n'ai rien à leur dire, pas de grands projets ou d'examens en vue, je ne fais que me traîner derrière eux en pensant à Keaton. Je suis lamentable.

Lola May posa les mains sur ses épaules.

— Tu n'es pas lamentable. Jamais. Quant à Keaton, tu pourrais aussi l'appeler et voir ce qu'il a à te dire.

Elle secoua la tête.

— Que veux-tu qu'il me dise ? Cela changerait quoi ? J'aime un homme qui ne m'aime pas, comme d'habitude. Fin de l'histoire. J'aurais encore plus mal si j'entendais sa voix. Tu sais ce qu'on dit : « Si je me fais avoir une fois, c'est ta faute, deux fois, c'est ma… »

— Nom de nom, v'là James Bond !

La voix bourrue d'Ernie éclata derrière elle, puis un grand silence s'abattit sur la salle.

Saisie, Francesca se retourna… et ses yeux s'arrondirent en découvrant un tableau stupéfiant. Keaton se tenait dans l'encadrement de la porte, vêtu du smoking de James Bond. Il était déjà beau à tomber en vêtements ordinaires — ou sans vêtements du tout ! — mais là, avec cette veste fabuleusement bien coupée, cette chemise éclatante de blancheur et ce nœud papillon noir, c'était Keaton puissance dix. Son cœur se mit à heurter ses côtes comme un oiseau qui cherche à s'échapper de sa cage.

Son regard bleu se braquait sur elle, hypnotique. Il ne dit pas un mot mais hocha très légèrement la tête et marcha, comme une panthère, droit sur elle…

— Calme-toi mon cœur, marmonna Lola May derrière son comptoir.

Francesca savait maintenant ce qu'éprouve la gazelle blessée face au lion affamé. Le regard de Keaton, sexy, dominateur, ne s'était pas détourné du sien un seul instant. L'effet était si dévastateur qu'elle oublia tout, son cœur brisé, sa colère et même son propre nom ! Un vertige subit la prit, et elle s'aperçut qu'elle retenait son souffle. Elle inspira convulsivement, à l'instant précis où Keaton s'arrêtait juste devant elle.

— Bonjour, Francesca, dit-il tout bas.

Son nom sur ses lèvres, cet accent... Elle sentit ployer ses genoux mais réussit à le saluer d'un petit signe de tête distant en demandant :

— Tu as rendez-vous avec la reine ?

Le coin de sa bouche se retroussa.

— Seulement avec la reine de mon cœur.

Elle plaqua sa main sur ses lèvres pour retenir un rire un peu hystérique.

— Trop banal ? s'enquit-il.

Elle ne put que secouer la tête. Parler, c'était au-dessus de ses forces.

— Mais non, c'est parfait, chéri, murmura la voix traînante de Lola May quelque part derrière elle. Continuez.

La salle entière les couvait du regard, silencieuse et retenant son souffle, elle aussi.

Francesca rougit violemment, s'éclaircit la gorge et réussit à suggérer :

— Nous devrions peut-être aller dans un lieu plus privé...

— Je me fiche de savoir qui peut m'entendre, rétorqua Keaton. Et même...

Il balaya leur public captif des yeux avant de retourner vers elle.

— ... Je veux que tout le monde sache combien je t'aime.

Avec une petite exclamation désespérée, elle recula d'un pas en protestant :

— Tu n'es pas obligé de dire…

— Mais si.

Il s'approcha de nouveau, envahit de nouveau son espace.

Elle percevait la chaleur de son corps, son eau de toilette l'enveloppa comme une aile. Dans son ventre, c'était l'envol de tous les papillons du monde.

— Je n'ai pas les mots qu'il faut pour te dire combien je regrette de t'avoir fait mal, mon amour. J'ai été idiot.

Oh ! Comme elle voulait le croire ! Mais comment savoir si elle pouvait lui faire confiance ? La blessure était profonde, les doutes se bousculaient dans sa tête comme dans son cœur.

— Je ne sais pas…

Elle revit la scène affreuse du bureau et bredouilla :

— Tu semblais si sûr, et puis…

— Ce dont je suis sûr, dit-il en prenant délicatement son visage entre ses mains, c'est que tu es ce qui m'est arrivé de mieux de toute ma vie.

Elle perçut le soupir collectif que poussait l'assistance, la clientèle comme ses collègues. Son regard pris dans celui de Keaton, elle ne pouvait plus se détourner, ou même se préoccuper d'avoir un public dans un moment pareil. Une petite lueur d'espoir naissait dans son cœur, comme le premier rayon de soleil après un orage.

— Je n'avais seulement jamais imaginé pouvoir ressentir pour une femme ce que je ressens pour toi, ma douce. Chaque matin, quand j'ouvre les yeux, ma première pensée est pour toi. Le soir, je m'endors en pensant à toi. Tout chez toi me fascine. Je pourrais passer toute ma vie à t'aimer, et ce ne serait pas encore assez.

Francesca crut que son cœur allait s'arrêter.

— Toute ta vie, répéta-t-elle d'une voix blanche.

— Si tu veux bien me donner encore une chance…

Ses pouces passaient et repassaient sur ses joues dans une caresse d'une tendresse infinie.

— Je t'en prie. Laisse-moi te prouver que je peux mériter ton amour.

— Oui, murmura-t-elle.

Ce fut une cacophonie de sifflets et d'acclamations diverses.

Dans un élan, Keaton l'embrassa. Avec cette passion qui n'était qu'à lui, il la souleva et l'emporta vers la porte. Blottie dans ses bras, elle pressa son nez dans son cou et le respira, les yeux clos. Était-il possible que cet homme soit vraiment à elle ?

Quelqu'un, elle ne vit pas qui, bondit pour leur ouvrir la porte. Ils émergèrent au grand soleil de cette fin d'après-midi.

— J'ai une dernière question, dit-il en la déposant sur le trottoir.

— Ah ?

Il reprit sa bouche pour un baiser si fabuleux que tous les précédents se trouvèrent ravalés au rang de prélude. S'il ne l'avait pas plaquée contre lui, elle se serait liquéfiée sur place.

— Lève les yeux, ordonna-t-il.

— Ce n'est pas une question, bredouilla-t-elle.

Un moteur bourdonnait loin au-dessus de leurs têtes. Surprise, elle s'abrita les yeux de sa main pour scruter le ciel… et vit le petit avion qui achevait d'inscrire… « Épouse-moi ? » en travers du grand ciel bleu.

— C'est toi qui… ?

— Tu m'as dit que tu sentais mon amour aussi claire-ment que s'il était écrit en plein ciel. Je t'ai prise au mot. Mon amour et ma vie sont à toi, tu n'as qu'à les prendre.

Il s'écarta d'elle. Médusée, elle le vit mettre un genou en terre.

— Tu veux bien de moi, Francesca ? Dis-moi oui,

et je serai l'homme le plus heureux des deux côtés de l'Atlantique.

Cette fois, elle rêvait, c'était sûr. Il sortit un petit écrin de velours noir de sa poche, l'ouvrit… Muette de saisissement, elle découvrit une fabuleuse bague, un diamant entouré de rubis…

— Je sais bien que c'est rapide, dit-il, mais je te jure que j'ai su que tu étais la femme de ma vie dès le premier instant où je suis entré au Chez Lola May.

Elle ravala un sanglot de bonheur pour chuchoter :

— Je crois plutôt que c'était ma tarte.

— C'était toi, dit-il avec tendresse. Ce sera toujours toi.

— Oh ! Keaton…

Il eut une petite grimace très britannique.

— Tu veux bien préciser ? Ce serait « Oh ! Keaton, oui », ou « Oh ! Keaton, non » ? Je t'en prie, ne dis pas non. Laisse-moi te prouver chaque jour de notre vie combien je t'aime.

Non, elle ne rêvait pas. L'amour qui brillait dans ses yeux était bien réel. Il avait vaincu ses démons, il lui offrait tout ce dont elle avait rêvé. Paradoxalement, ce fut la petite pointe d'angoisse dans son regard qui balaya ses derniers doutes. Il lui avait fallu un grand courage pour s'offrir à elle. Elle l'aimait de toute son âme et elle ne cesserait jamais de l'aimer.

— C'est oui, murmura-t-elle.

Il inspira profondément, glissa la bague à son doigt, se redressa et la happa dans ses bras avec tant d'emportement que ses pieds quittèrent le trottoir. Elle l'embrassa furieusement, comme on affirme un droit.

Quand enfin elle s'écarta de lui, il fit pivoter son menton du bout de l'index pour tourner sa tête vers le restaurant. Elle ouvrit des yeux ronds et éclata de rire. Derrière la grande vitrine, tout le personnel et les clients étaient agglutinés. Au premier rang, en plein milieu, Lola May essuyait des larmes de bonheur.

— Francesca Whitfield, chuchota-t-il. Quel nom parfait. Francesca Whitfield... Elle leva vers lui un regard rayonnant.

— Si nous sommes ensemble, je pourrai encaisser tout ce que la vie nous enverra.

— Ce sera le parfait amour, avec toutes les difficultés qui s'y attachent, lui assura-t-il. Toi et moi, à tout jamais.

Épilogue

— Mais si je ne lui plais pas ?

Keaton déposa un baiser sur le bout du nez de Francesca.

— Maman va t'adorer. Elles vont toutes t'adorer.

Dans les rues très animées autour de Trafalgar Square, il serra bien fort sa main dans la sienne. Pas question de se laisser séparer par la marée de piétons londoniens et de touristes sortis flâner en ce rare samedi ensoleillé.

Depuis qu'elle avait accepté de l'épouser une semaine plus tôt, il ne la quittait quasiment plus des yeux. Il n'était pas encore sûr de mériter la seconde chance qu'elle lui offrait avec tant de générosité. Sa première action avait été de la présenter à tous ses demi-frères et sœurs, sa seconde de leur réserver deux places dans un vol pour Londres. Sa mère devait connaître la femme qu'il aimait ! Par chance, Francesca avait deux jours sans cours début février, et Lola May s'était mise en quatre pour la libérer en réaménageant entièrement le planning de ses serveuses.

Ils étaient arrivés à Londres ce matin pour un week-end marathon. Il s'attendait à ce qu'elle se sente épuisée par leur vol de nuit mais, au contraire, elle débordait d'énergie et tenait absolument à découvrir ses coins préférés de Londres. Après un saut à son appartement, le British Museum, plusieurs magasins de son quartier de Bloomsbury, un tour chez Harrods, une promenade rapide à travers Hyde Park et un arrêt devant les célèbres lions de pierre de Trafalgar Square, ils se rendaient maintenant chez la mère de Keaton pour prendre le thé avec elle et sa bande d'amies.

Il se campa au bord du trottoir en levant la main, et aussitôt un gros taxi londonien vint se ranger contre le trottoir. Il tint la portière à Francesca qui se courbait sous une brusque rafale. Elle tira son bonnet tricoté sur ses oreilles en se blottissant contre lui sur la banquette.

— Et tu as supporté des hivers pareils toute ta vie ? s'écria-t-elle pour la douzième fois de la journée. Quel froid !

— En fait, il fait nettement plus doux que d'habitude, avec ce soleil. Quand il fait gris et brumeux, le froid te transperce jusqu'à l'os.

Il donna l'adresse au chauffeur, la serra contre lui et lui frotta vigoureusement le dos en précisant :

— Mais si le froid te pousse à te réchauffer contre moi, je peux aussi te proposer une lune de miel en Antarctique.

Elle glissa les mains sous sa veste en frissonnant.

— Oui mais si nous allons dans les îles, je me réchaufferai quand même contre toi et je serai en bikini, répliqua-t-elle.

— Va pour la plage !

La seule idée de Francesca en bikini le faisait frémir.

Ils n'avaient pas encore commencé à faire des projets pour le mariage. Pour l'instant, il savourait juste le fait de la savoir à lui. Il ne voulait tout de même pas trop attendre. L'intensité de ce bonheur tout neuf le bouleversait, il voulait l'officialiser au plus vite. Dire qu'il avait résisté si longtemps avant de donner son cœur ! Sa mère avait raison : quand on trouvait son âme sœur, l'amour était magique !

— Promets-moi de me faire taire si je commence à dire n'importe quoi devant ta maman et ses amies, le supplia-t-elle.

— Sûrement pas. J'adore quand tu te mets à dire n'importe quoi.

Elle se cacha le visage dans les mains avec une plainte déchirante.

— J'ai un tel trac que je vais sûrement faire une bêtise. Je vais renverser ma tasse de thé sur elle !

— Tu n'as aucune raison d'avoir le trac, mon cœur. Tout ce que maman a jamais voulu, c'est me voir heureux. Et je suis heureux, avec toi !

Elle pressa son nez dans son cou, et il recula dans un sursaut.

— Ton nez est comme un glaçon !

— Je suis une Texane. Je ne suis pas faite pour ce froid, protesta-t-elle en se serrant plus étroitement contre lui. Je n'arrive pas à me réchauffer.

— Laisse-moi faire, murmura-t-il en déposant une traînée de baiser brûlants dans son cou.

— Keaton ! Pas dans un taxi !

Il mordilla le lobe si sensible de son oreille en lui chuchotant :

— Je parie que le chauffeur en a vu d'autres.

Elle le repoussa tout de même en riant.

— Gardes-en pour plus tard !

Il se représenta aussitôt Francesca ce soir, écartelée dans son grand lit… Cette seule idée l'obligea à réprimer un grondement.

Le trajet vers le quartier de Clapham fut rapide. Pour calmer l'angoisse de Francesca, il s'ingénia à lui changer les idées en lui montrant divers bâtiments intéressants, sur le plan architectural ou historique. Dès que le taxi se gara devant l'immeuble modeste de briques rouges, sa mère parut à la porte. Keaton régla la course au chauffeur, sauta à terre et la happa dans une étreinte d'ours, heureux de retrouver son cher parfum de lavande.

— Maman, je te présente…

— La femme qui va enfin lui donner les petits-enfants dont elle a tellement envie ! lança Lydia du perron.

Keaton leva les yeux au ciel.

— Lydia, je t'en prie ! Maman, voici Francesca Harriman.

— Je suis contente de vous rencontrer, murmura Francesca d'une petite voix intimidée.

Un instant, Keaton crut qu'elle allait faire la révérence.

Attendrie, sa mère avait déjà saisi ses deux mains entre les siennes.

— Je suis si contente que Keaton vous ait trouvée ! Mais vous êtes belle comme un cœur !

Un sourire éblouissant illumina le visage de Francesca. Spontanément, elle serra Anita dans ses bras.

— Oh ! s'exclama celle-ci, déconcertée.

Comme beaucoup d'Anglaises, elle était peu coutumière des effusions !

— Vous avez élevé un homme stupéfiant, madame Whitfield.

Et Keaton vit les yeux de sa mère se remplir de larmes. Elle se reprit aussitôt et lança, avec sa réserve britannique pleine d'humour :

— Tout le plaisir était pour moi ! Venez vite au chaud, vous n'êtes pas habitué à notre climat.

— Une bonne tasse de thé, proposa Mary Jane, qui se tenait sur le seuil près de Lydia et Jessa. Rien de tel pour faire connaissance !

Souriant, Keaton suivit sa mère et Francesca qui se hâtaient vers l'entrée, bras dessus, bras dessous. Les amies de sa mère s'empressèrent autour de Francesca, aussi enchantées par son accent texan que les braves gens d'Austin l'avaient été par son propre accent londonien. Charmées également par les petits cadeaux qu'elle apportait pour chacune d'entre elles.

Elle ne tarda pas à se détendre et ne renversa pas une

seule goutte de thé. Il y eut de grands éclats de rire, les vieilles amies de sa mère rivalisaient d'anecdotes au sujet de leur fils chéri. Des anecdotes qui, bien entendu, le montraient toutes sous un jour ridicule !

— Elle est adorable, lui confia sa mère quand ils se retrouvèrent seuls tous les deux dans la cuisine à préparer un nouveau plateau de scones.

Francesca avait un goût prononcé pour les scones à la crème du Devonshire. Des douceurs qui lui avaient manqué, il s'en apercevait tout à coup !

— Je suis très, très content qu'elle te plaise, répondit-il, la bouche pleine.

D'une tape tendre, sa mère écarta sa main du plateau sur lequel il cherchait à prendre encore un scone.

— Je te sens plus… léger, mon grand. Tu étais toujours si déterminé, focalisé sur ta réussite. Avec Francesca, tu te détends enfin.

— Elle me fait un bien fou.

— L'Amérique aussi, peut-être ?

Il comprit aussitôt le sous-entendu.

— J'aurai toujours mes racines en Angleterre, répondit-il gravement, mais je me suis fait une place à Austin.

Elle scruta son visage un long moment, puis elle hocha la tête et murmura :

— Ton foyer, c'est Francesca.

— Oui.

— Je vais devoir renouveler mon passeport, alors ! Les coups de fil, c'est bien, ton fichu FaceTime aussi, mais je veux voir de mes yeux cette nouvelle vie que tu t'es construite.

Il poussa un grand soupir de soulagement. La perspective d'annoncer à sa mère qu'il comptait s'installer au Texas l'avait beaucoup inquiété.

— Et moi, je vais avoir le privilège de rencontrer ton Bertram ?

— Nous pourrions déjeuner tous ensemble demain ?

— Ce serait parfait !

Elle posa le dernier scone sur le plateau qu'il souleva avec précaution.

— Je vois bien qu'il te rend heureuse, maman. Et moi, je suis fou de joie de te voir heureuse.

— Allons vite au secours de Francesca avant que Lydia et Mary Jane ne la mettent en fuite. Je suppose que tu te rends compte qu'elles ont déjà choisi les prénoms de vos enfants ?

Keaton poussa un gémissement horrifié et la suivit dans le salon.

Un grand bonheur l'emplit en voyant ses mamans bavarder et rire, groupées autour de son amour.

Quand enfin ils prirent congé, le soir tombait, et les paupières de Francesca papillonnaient.

— C'est un coma calorique, murmura-t-elle en posant la tête sur son épaule dans le taxi qui les ramenait chez lui. J'ai avalé mon propre poids de scones à la crème !

— Tu me donnes le prétexte parfait pour te mettre au lit en rentrant.

C'est exactement ce qu'il fit. Ils passèrent le reste de la soirée enfermés chez lui, et il comprit qu'il n'avait jamais apprécié à leur juste valeur la cabine de douche démesurée qu'il avait fait installer ou les draps de soie de son lit.

— Finalement, il ne fait pas si froid en Angleterre, conclut Francesca avec un soupir satisfait en enroulant son corps somptueux autour du sien.

— Je suis décidé, pour l'Antarctique. Je veux passer toute notre lune de miel au lit avec toi.

— Où que nous allions, chuchota-t-elle en l'embrassant, ce sera parfait.

Retrouvez en Février 2018,
dans votre collection

Passions

L'enfant de Wes Jackson, de Maureen Child - N°701

Père indigne... Wesley ne décolère pas. Comment ce simple tweet – l'œuvre de cette maudite Isabelle Graystone – a-t-il pu faire basculer sa vie à ce point ? Lui qui avait tout pour réussir, le voilà qui assiste désormais, impuissant, à la chute de Texas Toy Goods Inc., son entreprise de jouets. Certes, il a licencié Isabelle suite à la nuit de passion qu'ils ont passée ensemble, cinq ans plus tôt. Pour autant, pense-t-elle pouvoir détruire sa vie sans conséquence ? Wesley se le jure : non seulement il ne laissera pas Isabelle avoir le dernier mot, mais il mettra également un point d'honneur à laver l'odieux mensonge qu'elle diffuse au sujet de sa paternité...

Tout pour la séduire, de Stella Bagwell

Lorsque Sophie – sa plus proche amie, dont il est secrètement amoureux – lui demande de lui donner des leçons de séduction, Mason peine à cacher sa joie. Car même s'il sait que Sophie a pour seul but de séduire son patron, le charismatique Thom Nichols, Mason comprend qu'il tient là son unique chance de démontrer à la femme de ses rêves que ce goujat de Thom n'est qu'un séducteur à la petite semaine ! Mieux, n'est-ce pas l'occasion idéale de lui prouver qu'il est le seul à pouvoir la rendre heureuse ?

Ce fils dont tu ne sais rien, de Cat Schield - N°702

Harcelée par sa belle-famille – qui menace de lui faire retirer la garde de Dylan, son fils de dix-huit mois, si elle ne renonce pas à son héritage –, Savannah comprend qu'elle n'a plus le choix : elle va devoir accepter la protection que lui propose Trent Cadwell, son ex-fiancé. Trent, qu'elle a toujours passionnément aimé, mais qu'elle a quitté deux ans plus tôt sans un mot d'explication, pour épouser l'homme qu'elle vient d'enterrer. Sans un mot, et surtout sans lui dire qu'elle attendait un enfant de lui...

Une femme d'exception, de Shirley Jump

De longues boucles brunes et un regard pétillant : Katie Williams est belle à couper le souffle. Pourtant, Sam ne doit pas se laisser distraire par ces futilités, il le sait bien. Car Katie n'est ici que pour lui prouver qu'elle saura s'occuper de ses deux enfants, Henry et Libby, avec qui elle semble déjà s'entendre à merveille. Sam ne peut cependant s'empêcher de douter : ne serait-il pas plus raisonnable pour lui, qui s'est promis de ne plus jamais s'intéresser à une femme depuis la disparition de la sienne, de congédier Katie au plus vite ?

Le prix de la tentation, de Christy Jeffries - N°703

SÉRIE COUP DE FOUDRE À SUGAR FALLS TOME 6/6

Et si, pour une fois, elle lâchait prise et se laissait tenter ? Charlotte hésite. Elle est coincée avec Alex Russell – un guide aussi séduisant que sexy – sous une tente jusqu'au petit matin, et il serait facile de céder au désir qu'il lui inspire... Mais en a-t-elle le droit, alors qu'elle a laissé ses deux filles entre les mains d'une nourrice qu'elle connaît à peine ? Et puis, elle ne doit pas perdre de vue ses objectifs. Car, si elle était d'accord pour tourner ce reportage sur le camping hautement glamour de Sugar Falls, sa mission devait rester purement professionnelle... et rien de plus.

Sous le charme d'un rancher, de Sarah M. Anderson

Comme si l'héberger durant le blizzard ne suffisait pas, Carlos Wesley veut maintenant lui faire découvrir la magie des fêtes de Noël... Natalie sent un doute irrépressible l'étreindre. Car bientôt elle devra trahir Carlos, cet homme altruiste et attirant qui se montre si attentionné envers elle, en révélant dans la presse à scandale qu'il est le fils illégitime des Beaumont, une célèbre famille fortunée de Denver. Incapable de repousser le désagréable sentiment de malaise qui l'a gagnée, Natalie s'interroge : doit-elle lui avouer la véritable raison de sa venue dans le Colorado ou renoncer à la mission que ses patrons lui ont confiée ?

Un époux sous contrat, de Joanne Rock - N°704

Depuis qu'elle vit avec Quinn McNeill, Sofia est totalement perdue. Car, à force de côtoyer jour après jour cet homme drôle et extrêmement séduisant, elle en est arrivée à la plus inattendue des conclusions : Quinn est le prince charmant dont elle a toujours rêvé... Sauf qu'il n'est autre que celui avec lequel elle a conclu un mariage de convenance ; une simple couverture lui permettant – à elle, la danseuse étoile du ballet de New York – de repousser ses admirateurs les plus insistants. Et qu'elle sait, au plus profond de son cœur, que Quinn ne l'aimera jamais...

Pour le sourire de Cody, de Sara Orwig

Nick est fou de rage ! Claire Prentiss – la femme qui a refusé de l'épouser cinq ans plus tôt et qu'il n'a jamais pu oublier – vient de lui annoncer qu'il est le père d'un petit garçon prénommé Cody. Comme si le quitter et lui briser le cœur n'avaient pas suffi, il aura aussi fallu que Claire vienne lui faire cette révélation fracassante au plus mauvais moment. N'est-il pas en passe de devenir un homme politique important ? Mais, quitte à ce que sa réputation soit ternie par ce scandale, Nick s'en fait la promesse : il récupérera la garde de son fils...

Entre les bras d'une inconnue, de Charlene Sands - N°705

À l'instant où il sonne à la porte de Sutton Winchester – le père qu'il n'a jamais connu –, Brooks se prend à regretter sa décision. Que va-t-il dire à Sutton ? Et comment régira-t-il si celui-ci refuse de lui parler ? Mais, lorsque c'est Ruby – la femme avec laquelle il a partagé une aventure d'un soir quelques mois plus tôt – qui apparaît, Brooks est sidéré. Que fait-elle ici, chez son père ? Leur nuit de passion n'était-elle qu'une machiavélique manipulation ?

Un cow-boy à aimer, de Caro Carson

Fuir Hollywood pour aller se réfugier dans le ranch texan de Travis Palmer est bien la pire idée qu'elle ait jamais eue, Sophia le sait à présent. Car, depuis son arrivée, Travis l'obsède au plus haut point. Pire, les regards brûlants qu'il lui lance lui inspirent un désir qu'elle ne peut plus taire. Dire que cette retraite à la campagne avait justement pour but de l'éloigner des hommes – ces lâches, ces traîtres qui lui ont toujours brisé le cœur ! Une seule solution semble alors raisonnable pour se protéger et veiller sur l'enfant qu'elle attend : quitter le ranch sans plus tarder...

L'étreinte d'un milliardaire, de Emilie Rose - N°706

Dès qu'elle rencontre son nouveau patron, Pierce Hollister, le fameux millionnaire qui vit en reclus, Anna sent l'inquiétude la gagner. Mais elle a désespérément besoin du travail de nounou qu'il lui offre, d'autant que ce poste lui permettra de prendre soin non seulement de l'adorable bébé de Pierce, mais également de son propre fils. Très vite, malgré la froideur manifeste de Pierce à son égard, Anna découvre chez lui une certaine... sensibilité. Et s'il n'était pas l'homme sans cœur qu'il s'ingénie à être ? Alors, peut-être, pourrait-elle s'abandonner au trouble qu'il lui inspire...

Noces sous condition, de Allison Leigh

Le jour où Melanie a proposé à Russ Chilton de l'épouser, elle n'imaginait pas que sa vie s'en verrait totalement bouleversée. Car il ne s'agissait entre eux que d'un mariage de pure convenance – garantissant à Russ la moitié du ranch Hopping H en échange de ses précieux conseils pour gérer la propriété. Mais ce que Melanie n'avait pas prévu, c'était que leur union prendrait un tour personnel, intime... Et que, pour braver le froid du Montana, elle ne verrait bientôt d'autre ressource que celle de se blottir dans les bras puissants de Russ...

OFFRE DE BIENVENUE

Vous êtes fan de la collection Passions ?
Pour prolonger le plaisir, recevez gratuitement

◆ **1 livre Passions gratuit** ◆
et 2 cadeaux surprise !

Une fois votre colis de bienvenue reçu, si vous souhaitez continuer à recevoir nos romans Passions, cela se fera automatiquement. Vous recevrez alors chaque mois 3 volumes doubles inédits de cette collection au tarif unitaire de 7,50€ (Frais de port France : 1,99€ - Frais de port Belgique : 3,99€).

➡ ET AUSSI DES AVANTAGES EXCLUSIFS :

➡ LES BONNES RAISONS DE S'ABONNER :

Des cadeaux tout au long de l'année.
◆
Des réductions sur vos romans par le biais de nombreuses promotions.
◆
Des romans exclusivement réédités notamment des sagas à succès.
◆
L'abonnement systématique et gratuit à notre magazine d'actu ROMANCE.
◆
Des points fidélité échangeables contre des livres ou des cadeaux.

Aucun engagement de durée ni de minimum d'achat.
◆
Aucune adhésion à un club.
◆
Vos romans en avant-première.
◆
La livraison à domicile.

➡ REJOIGNEZ-NOUS VITE EN COMPLÉTANT ET EN NOUS RENVOYANT LE BULLETIN !

✂

N° d'abonnée (si vous en avez un) ⊔⊔⊔⊔⊔⊔⊔⊔⊔

RZ8F09
RZ8FB1

Mme ☐ Mlle ☐ Nom : .... Prénom : ....

Adresse : ....

CP : ⊔⊔⊔⊔⊔ Ville : ....

Pays : .... Téléphone : ⊔⊔⊔⊔⊔⊔⊔⊔⊔⊔

E-mail : ....

Date de naissance : ⊔⊔ ⊔⊔ ⊔⊔⊔⊔

☐ Oui, je souhaite être tenue informée par e-mail de l'actualité d'Harlequin.
☐ Oui, je souhaite bénéficier par e-mail des offres promotionnelles des partenaires d'Harlequin.

<u>Renvoyez cette page à</u> : Service Lectrices Harlequin – CS 20008 – 59718 Lille Cedex 9 - France

Date limite : **31 décembre 2018**. Vous recevrez votre colis environ 20 jours après réception de ce bon. Offre soumise à acceptation et réservée aux personnes majeures, résidant en France métropolitaine et Belgique. Prix susceptibles de modification en cours d'année. Conformément à la loi Informatique et libertés du 6 janvier 1978, vous disposez d'un droit d'accès et de rectification aux données personnelles vous concernant. Il vous suffit de nous écrire en nous indiquant vos nom, prénom et adresse à : Service Lectrices Harlequin – CS 20008 – 59718 LILLE Cedex 9. Harlequin® est une marque déposée du groupe HarperCollins France – 83/85, Bd Vincent Auriol – 75646 Paris cedex 13. Tél : 01 45 82 47 47. SA au capital de 1 120 000€ - R.C. Paris. Siret 3186715910069/APE5811Z.

Rendez-vous sur notre nouveau site
www.harlequin.fr

Et vivez chaque jour,
une nouvelle expérience de lectrice connectée.

♥ **Découvrez** toutes nos actualités,
exclusivités, promotions, parutions à venir...

♥ **Partagez** vos avis sur vos dernières lectures...

♥ **Lisez** gratuitement en ligne, **regardez** des vidéos...

♥ **Échangez** avec d'autres lectrices sur le forum...

♥ **Retrouvez** vos abonnements, vos romans dédicacés,
vos livres et vos ebooks en pré-commande...

Le mag'

ebooks

Le Salon

Promotions

L'application Harlequin
Achetez, synchronisez, lisez... Et emportez
vos ebooks Harlequin partout avec vous.

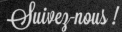   facebook.com/HarlequinFrance
twitter.com/harlequinfrance

OFFRE DÉCOUVERTE !

Vous souhaitez découvrir nos collections ? Recevez **votre 1er colis gratuit** * avec **2 cadeaux surprise !** Une fois votre colis de bienvenue reçu, si vous souhaitez continuer à recevoir nos livres, cela se fera automatiquement. Vous recevrez alors vos livres inédits** en avant première.

Vous n'avez aucune obligation d'achat et cette offre est sans engagement de durée !

*1 livre offert + 2 cadeaux / 2 livres offerts pour la collection Azur + 2 cadeaux.
**Les livres Ispahan, Sagas et Hors-Série sont des réédités.

☞ COCHEZ la collection choisie et renvoyez cette page au
Service Lectrices Harlequin – CS 20008 – 59718 Lille Cedex 9 – France

Collections	Références	Prix colis France* / Belgique*
❏ **AZUR**	ZZ8F56/ZZ8FB2	6 livres par mois 28,19€ / 30,19€
❏ **BLANCHE**	BZ8F53/BZ8FB2	3 livres par mois 23,20€ / 25,20€
❏ **LES HISTORIQUES**	HZ8F52/HZ8FB2	2 livres par mois 16,29€ / 18,29€
❏ **ISPAHAN**	YZ8F53/YZ8FB2	3 livres tous les deux mois 23,02€ / 25,02€
❏ **HORS-SÉRIE**	CZ8F54/CZ8FB2	4 livres tous les deux mois 31,65€ / 33,65€
❏ **PASSIONS**	RZ8F53/RZ8FB2	3 livres par mois 24,49€ / 26,49€
❏ **SAGAS**	NZ8F53/NZ8FB2	3 livres tous les deux mois 26,19€ / 28,19€
❏ **BLACK ROSE**	IZ8F53/IZ8FB2	3 livres par mois 24,49€ / 26,49€
❏ **VICTORIA**	VZ8F53/VZ8FB2	3 livres tous les deux mois 25,69€ / 27,69€

N° d'abonnée Harlequin (si vous en avez un) ⎵⎵⎵⎵⎵⎵⎵

Mme ❏ Mlle ❏   Nom : _____

Prénom : _____   Adresse : _____

Code Postal : ⎵⎵⎵⎵⎵   Ville : _____

Pays : _____   Tél. : ⎵⎵⎵⎵⎵⎵⎵⎵⎵⎵

E-mail : _____

Date de naissance : _____

❏ Oui, je souhaite recevoir par e-mail les offres promotionnelles des éditions Harlequin.
❏ Oui, je souhaite recevoir par e-mail les offres promotionnelles des partenaires des éditions Harlequin.

Date limite : 31 décembre 2018. Vous recevrez votre colis environ 20 jours après réception de ce bon. Offre soumise à acceptation et réservée aux personnes majeures, résidant en France métropolitaine et Belgique, dans la limite des stocks disponibles. Prix susceptibles de modification en cours d'année.Conformément à la loi Informatique et libertés du 6 janvier 1978, vous disposez d'un droit d'accès et de rectification aux données personnelles vous concernant. Par notre intermédiaire, vous pouvez être amenée à recevoir des propositions d'autres entreprises. Si vous ne le souhaitez pas, il vous suffit de nous écrire en nous indiquant vos nom, prénom et adresse à : Service Lectrices Harlequin CS 20008 59718 LILLE Cedex 9. Service Lectrices disponible du lundi au vendredi de 8h à 17h : 01 45 82 47 47 ou 33 1 45 82 47 47 pour la Belgique.

Harlequin® est une marque déposée du groupe HarperCollins France – 83/85, Bd Vincent Auriol – 75646 Paris cedex 13. SA au capital de 1 120 000€ – R.C. Paris. Siret 318671591000069/APE5811Z.